EU SEI
POR QUE
O PÁSSARO
CANTA
NA GAIOLA

EU SEI POR QUE O PÁSSARO CANTA NA GAIOLA

MAYA ANGELOU

TRADUÇÃO: REGIANE WINARSKI

Copyright © 1969, Maya Angelou.
Copyright renovado © 1997, Maya Angelou.
Copyright de prefácio © 2015, Oprah Winfrey.
Título original: I Know Why the Caged Bird Sings do poema "Sympathy" de Paul Laurence Dunbar.
Publicado originalmente em língua inglesa por Random House, Inc.
Tradução para Língua Portuguesa © 2018, Regiane Winarski.
Esta tradução foi publicada em acordo com a Random House, uma divisão da Penguin Random House LLC.
Todos os direitos reservados à Astral Cultural e protegidos pela Lei 9.610, de 19.2.1998.
É proibida a reprodução total ou parcial sem a expressa anuência da editora. Este livro foi revisado segundo o Novo Acordo Ortográfico da Língua Portuguesa.

Editora responsável Tainã Bispo
Produção editorial Aline Santos, Bárbara Gatti, Fernanda Costa, José Cleto, Luiza Marcondes e Natália Ortega
Preparação de texto Luciana Figueiredo   **Revisão de texto** Jonathan Busato
Capa Agência MOV   **Ilustrações** Shutterstock Images
Foto da autora Dwight Carter / © Hallmark Entertainment / Courtesy: Everett Collection/AGB Photo Librar

---

Dados Internacionais de Catalogação na Publicação (CIP)
Angélica Ilacqua CRB-8/7057

A593e

Angelou, Maya
 Eu sei por que o pássaro canta na gaiola / Maya Angelou ; tradução de Regiane Winarski. — Bauru, SP : Astral Cultural, 2018.
 336 p.

 ISBN: 978-85-8246-714-5
 Título original: I know why the caged bird sings

 1. Escritoras negras - Biografia 2. Estados Unidos - Negros - História 3. Racismo I. Título II. Winarski, Regiane

18-0294

CDD 818.5409

Índice para catálogo sistemático:
1. Escritoras negras - Biografia

BAURU
Rua Joaquim Anacleto Bueno 1-42
Jardim Contorno
CEP 17047-281
Telefone: (14) 3879-3877

SÃO PAULO
Rua Augusta, 101
Sala 1812, 18º andar - Consolação
CEP 01305-000
Telefone: (11) 3048-2900

E-mail: contato@astralcultural.com.br

*Este livro é
dedicado ao*
MEU FILHO, GUY JOHNSON,
E A TODOS OS FORTES E PROMISSORES
PÁSSAROS NEGROS
*que desafiam as probabilidades e os deuses
e cantam suas canções.*

PREFÁCIO

Por Oprah Winfrey

Eu tinha quinze anos quando descobri *Eu sei por que o pássaro canta na gaiola*. Foi uma revelação. Eu era uma leitora voraz desde o terceiro ano, mas, pela primeira vez, ali estava uma história que finalmente falava ao *meu* âmago. Fiquei maravilhada. Como essa autora, Maya Angelou, podia ter as mesmas experiências de vida, os mesmos sentimentos, desejos, percepções de uma pobre garota negra do Mississipi... eu?

Fiquei deslumbrada desde as primeiras páginas:

"Por que você está me olhando?
Eu não vim para ficar...
Só vim contar que é Páscoa."

Eu era aquela garota que recitou versos de Páscoa — e trechos de poemas de Natal também. Eu era aquela garota que amava ler. Eu era aquela garota criada pela avó sulista. Eu era aquela garota estuprada aos nove anos, que se calou na hora de contar. Eu entendia por que Maya Angelou manteve o silêncio durante anos.

Eu me conectei a cada palavra dela.

Cada página revelou percepções e sentimentos que eu nunca tinha sido capaz de articular. Pensei: essa é uma mulher que me conhece, que me entende. *Eu sei por que o pássaro canta na gaiola* se tornou meu talismã. Quando adolescente, tentei convencer todo mundo que eu conhecia a lê-lo. A autora tornou-se minha escritora favorita, alguém que eu idolatrava.

Eu sabia que era obra da providência divina quando, mais de dez anos depois, como jovem repórter em Baltimore, tive a oportunidade de entrevistar Maya Angelou depois de uma palestra em uma faculdade da região. "Eu juro", insisti, "eu juro que se você me deixar falar com você, não vou ocupar mais de cinco minutos do seu tempo." Fiel à minha palavra, às 16h58, eu disse para o câmera: "Terminamos". E foi nessa hora que Maya Angelou virou, inclinou a cabeça de lado e, com um brilho no olhar, sorriu para mim e perguntou: "Quem é você, garota?".

Primeiro, nos tornamos amigas; depois, nos tornamos amigas irmãs. Quando ela finalmente me disse que eu era sua filha, eu soube que tinha encontrado meu lar.

Sentada à mesa na cozinha de sua casa, na Valley Road, em Winston-Salem, Carolina do Norte, ouvindo-a ler poesia, a poesia da minha infância — Paul Laurence Dunbar, "Little brown baby wif spa'klin' eyes" —, aquele era meu lugar favorito para estar: à mesa da cozinha, ou sentada aos seus pés, recostada no seu colo, gargalhando. Absorvendo o conhecimento, todas as coisas que Maya tinha a ensinar — a graça, o amor, tudo... meu coração transbordava quando eu estava com ela. Raramente nós tínhamos uma conversa telefônica durante a qual eu não tomava notas. Ela estava sempre ensinando. "Quando você aprender, ensine", ela dizia, com frequência. "Quando receber, dê." Eu era uma aluna dedicada, aprendendo com ela até o momento da nossa última conversa, no domingo antes de ela morrer. "Eu sou um ser humano", ela sempre dizia, "portanto, nada de humano é estranho para mim."

Maya Angelou era o que escrevia. Ela entendia que compartilhar sua verdade a conectava às maiores verdades humanas — saudade, abandono, segurança, esperança, surpresa, preconceito, mistério e, finalmente, autodescoberta: a percepção de quem você realmente é e a liberação que o amor traz. E cada uma dessas verdades atemporais se desdobra nesse primeiro relato autobiográfico da sua vida.

Estou muito feliz (e sei que ela também) porque uma nova geração inteira de leitores vai poder conhecer a história de Maya Angelou e ficar mais empoderada para viver a sua própria.

Se é sua primeira vez (como foi a minha tantos anos atrás), ou se você está revisitando uma velha amiga (que é como me sinto ao voltar a estas páginas), você vai reparar que, mesmo quando era uma jovem escritora, Maya dominava o assunto que se destaca neste livro, o tema que se tornou seu canto da sereia, um mantra que ressoaria por todos os seus discursos, por seus poemas, por seu trabalho — e por sua vida.

Ela falava com orgulho, com audácia e com frequência:

"Nós somos mais parecidos do que somos diferentes!"

Essa verdade é o motivo de podermos todos ter empatia, de podermos todos ficar emocionados quando o pássaro canta na gaiola.

Djamila Ribeiro[1]

Maya Angelou foi uma mulher multitalentosa. Escritora, cantora e roteirista, também interpretou, lecionou e viveu profundamente. Nascida em 1928, Marguerite Ann Johnson, mais conhecida como Maya, cresceu na casa da avó, no estado do Arkansas, sul dos Estados Unidos, nos tempos da segregação racial no país.

Sua vida foi marcada por inúmeras violências, mas não foram elas quem a definiu.

Sua paixão pelo o que fazia é algo que nos cativa até hoje. A primeira vez em que li *Ainda assim, eu me levanto*, uma força descomunal cresceu dentro de mim. *Mulher fenomenal*, que poderia ser chamado de "poema sobre Maya", é um verdadeiro grito por autoestima e autodefinição das mulheres negras que rompem com uma visão colonizadora sobre seus corpos e suas vidas. O orgulho de ser quem se é e a exaltação da beleza e força, de forma humana e potente.

Esses poemas marcaram o início de minha vida adulta, possibilitando-me enxergar o mundo por outras matizes e cores. O mesmo aconteceu quando conheci *Eu sei por que o pássaro canta na gaiola*.

Essa obra monumental merece ser lida em doses, não é algo que se lê de uma vez. Alguns trechos tocam fundo na alma e precisam de tempo para serem sorvidos. Por mais tristes que sejam alguns episódios, é incrível ver o quanto a autora possui o que chamo de uma narrativa de libertação.

Muitos denominam como superação, mas acho que essa palavra não exprime a escrita densa de Maya Angelou. Superar obstáculos ou tristezas que se impõem podem, muitas vezes, somente fazer algo diferente ou pular barreiras que insistem em aparecer. Maya escreve de modo a se libertar e a nos ajudar a sermos livres também. Liberdade aqui seria o além-superação, buscar transcender, encontrar novas formas de enxergar a vida. Maya Angelou foi uma mulher que não guardou silêncio, expôs suas dores e, ao fazê-lo, fez com que muitas histórias se conectassem e fossem contadas através de suas narrativas.

"Não existe agonia maior do que guardar uma história não contada dentro de você", disse ela. Nesta obra, muitos silêncios são ditos, de forma tão alta que não são somente audíveis, mas transformadores.

[1] Mestre e pesquisadora na área de Filosofia Política

AGRADECIMENTOS

Agradeço à minha mãe, Vivian Baxter, *e ao meu irmão,* Bailey Johnson, *que me encorajaram a lembrar. Agradeço ao* Harlem Writers' Guild *pela preocupação e a* John O. Killens, *que me disse que eu tinha capacidade de escrever. A* Nana Kobina Nketsia IV, *que insistiu que eu devia. Gratidão eterna a* Gerard Purcell, *que acreditou concretamente, e a* Tony D'Amato, *que entendeu. Agradeço a* Abbey Lincoln Roach *por dar título ao meu livro.*

Um agradecimento final ao meu editor na Random House, Robert Loomis, *que me empurrou com delicadeza de volta aos anos perdidos.*

"Por que você está me olhando?
Eu não vim para ficar..."

Não que eu tivesse esquecido, eu não conseguia me fazer lembrar. Outras coisas eram mais importantes.

"Por que você está me olhando?
Eu não vim para ficar..."

Se eu conseguia ou não lembrar o resto do poema era irrelevante. A verdade da declaração era como um lenço amassado, encharcado nas minhas mãos, e quanto mais cedo eles aceitassem, mais rápido eu poderia abrir as mãos, e o ar refrescaria minhas palmas.

"Por que você está me olhando...?"

A seção infantil da Igreja Metodista Episcopal de Pessoas de Cor estava tremendo e rindo por causa do meu famoso esquecimento.

O vestido que eu estava usando era de tafetá lilás, e cada vez que eu respirava, ele fazia barulho, e agora que eu estava inspirando ar para expirar a vergonha, parecia papel crepom na traseira de rabecões.

Enquanto olhava Momma colocar babados na barra e fazer pregas ao redor da cintura, soube que quando o vestisse eu pareceria uma estrela de cinema. (Ele era de seda, e isso compensava a cor horrível.) Eu ia parecer uma daquelas garotinhas brancas fofas que eram o sonho ideal de todos sobre o que era certo no mundo. Pendurado delicadamente por cima da máquina de costura Singer preta, parecia magia, e quando as pessoas me vissem com ele, elas correriam até mim e diriam "Marguerite (às vezes era 'querida Marguerite'), nos perdoe, por favor, nós não sabíamos quem você era". E eu responderia, com generosidade: "Não, vocês não tinham como saber. Claro que perdoo vocês".

Apenas a ideia disso já me fez andar com pó de anjo salpicado no rosto durante dias. Mas o sol matinal de Páscoa mostrou que o vestido era um corte simples e feio, feito a partir de um tecido, um dia roxo, descartado por uma mulher branca. Era comprido como o de uma velha senhora, mas não escondia minhas pernas finas, que tinham sido besuntadas de Blue Seal Vaseline e cobertas de terra vermelha do Arkansas. A cor desbotada pelo tempo fazia minha pele parecer suja como lama, e todo mundo na igreja estava olhando para minhas pernas finas.

As pessoas não ficariam surpresas quando um dia eu acordasse do meu feio sonho negro, e meu cabelo de verdade, que era longo e louro, assumisse o lugar do capacete crespo que Momma não me deixava alisar? Meus olhos azul-claros as hipnotizariam, depois de todas as coisas que elas disseram, que "meu pai devia ter sido chinês" (eu achava que eles queriam dizer de porcelana, como uma xícara), porque meus olhos eram tão pequenos e apertados. Elas então entenderiam por que eu nunca peguei sotaque sulista, nem falava gírias comuns, e por que tinha que ser obrigada a comer rabo e focinho de porco. Porque, na verdade, eu era branca e uma fada-madrinha cruel, que sentia uma inveja compreensível da minha beleza, me transformou em uma garota Negra, grande demais, com cabelo preto crespo, pés grandes e um vão entre os dentes por onde passava um lápis número dois.

"Por que você está me olhando..." A esposa do pastor se inclinou na minha direção, o rosto comprido e amarelo cheio de pena. Ela sussurrou: "Só vim contar que é Páscoa". Eu repeti, juntando todas as palavras, "SóvimcontarqueéPáscoa", o mais baixo possível. As risadinhas pairavam no ar como nuvens pesadas que estavam esperando para chover em mim. Levantei dois dedos perto do peito, o que queria dizer que eu precisava ir ao banheiro, e segui nas pontas dos pés para os fundos da igreja. Baixinho, em algum lugar acima da minha cabeça, ouvi senhoras dizendo: "Que o Senhor abençoe a criança" e "Louvado seja Deus". Minha cabeça estava erguida e meus olhos estavam abertos, mas eu não vi nada. Na metade do corredor, a igreja explodiu com: "Vocês estavam lá quando crucificaram meu Senhor?", e eu tropecei em um pé esticado vindo do banco das crianças. Cambaleei e tentei dizer alguma coisa, ou talvez gritar, mas um caqui verde, ou talvez tenha sido um limão, que estava entre as pernas começou a se espremer. Eu senti o azedo na língua e senti no fundo da boca. E, antes de chegar à porta, o ardor estava queimando pelas minhas pernas, até as minhas meias de domingo. Tentei segurar, sugar tudo de volta para impedir que escorresse tão rápido, mas, quando cheguei à varanda da igreja, eu soube que teria que parar de segurar. Senão acabaria subindo de volta para a minha cabeça, e minha pobre cabeça explodiria como uma melancia largada no chão, e todo o cérebro e cuspe e língua e olhos se espalhariam para todo lado. Assim, corri pelo pátio e soltei. Corri, mijando e chorando, não na direção do banheiro nos fundos, mas para nossa casa. Eu levaria uma surra por isso, sem dúvida, e as crianças malvadas teriam uma coisa nova como desculpa para pegar no meu pé. De toda forma, eu ri, em parte por causa da doce libertação; ainda assim, a maior alegria veio não só de estar livre da igreja boba, mas de saber que eu não morreria de cabeça estourada.

Se crescer é doloroso para a garota Negra do sul, estar ciente do seu não pertencimento é a ferrugem na navalha que ameaça a garganta.

É um insulto desnecessário.

1

Nós chegamos à cidadezinha bolorenta quando eu tinha três anos e Bailey tinha quatro. As etiquetas nos nossos pulsos diziam — "A quem possa se interessar" — que éramos Marguerite e Bailey Johnson Jr., de Long Beach, Califórnia, a caminho de Stamps, Arkansas, aos cuidados da sra. Annie Henderson.

Nossos pais tinham decidido pôr fim ao calamitoso casamento, e nosso pai nos mandou para a casa da mãe dele. Um funcionário da ferrovia foi encarregado do nosso bem-estar — ele saltou do trem no dia seguinte, no Arizona —, e nossas passagens foram presas no bolso interno do paletó do meu irmão.

Não me lembro de muita coisa da viagem, mas, depois que chegamos à segregada parte sul do trajeto, as coisas devem ter começado a melhorar. Passageiros Negros, que sempre viajavam com lancheiras lotadas, sentiam pena dos "pobres queridos sem mãe" e nos ofereciam frango frito frio e salada de batata.

Anos depois, descobri que os Estados Unidos foram atravessados milhares de vezes por crianças Negras assustadas, viajando sozinhas até seus novos e prósperos pais em cidades do norte, ou de volta até os avós em cidades do sul quando o norte urbano faltou com suas promessas econômicas.

A cidade reagiu a nós como os habitantes reagiram a todas as coisas novas antes da nossa chegada. Observou-nos por um tempo com curiosidade, mas cautelosamente e, depois que fomos identificados como inofensivos (e crianças), fechou-se à nossa volta, como uma mãe de verdade recebe o filho de um estranho. De forma calorosa, mas não com familiaridade demais.

Nós morávamos com nossa avó e nosso tio nos fundos do Mercado (era sempre citado com um *m* maiúsculo), do qual ela era dona havia mais de vinte e cinco anos.

No começo do século, Momma (nós logo paramos de chamá-la de avó) vendia almoço para os serradores da madeireira (leste de Stamps) e para os sementeiros da colheita de algodão (que eram do oeste de Stamps). As tortas sequinhas de carne e a limonada gelada, quando unidas à capacidade milagrosa de estar em dois lugares ao mesmo tempo, garantiam sucesso ao negócio. Depois de ser um restaurante móvel, ela montou uma barraquinha entre os dois pontos de interesse de vendas e satisfez as necessidades dos trabalhadores por alguns anos. Em seguida, mandou construir o Mercado no coração da área dos Negros. Ao longo dos anos, tornou-se o centro laico de atividades na cidade. Aos sábados, barbeiros atendiam os clientes na sombra da varanda do Mercado, e trovadores nas andanças incessantes pelo sul se encostavam aos bancos e cantavam as canções tristes de The Brazos enquanto tocavam berimbaus de boca e violões estilo cigar box.

O nome formal do Mercado era Wm. Johnson General Merchandise Store. Os clientes encontravam alimentos básicos, uma boa variedade de linhas coloridas, ração para porcos, milho para galinhas, óleo para lampiões, lâmpadas para os ricos, cadarços, enfeites de cabelo, balões e sementes de flores. Qualquer coisa que não estivesse visível era só ser encomendada.

Até ficarmos familiarizados o suficiente para pertencer ao Mercado e ele a nós, ficávamos trancados em uma Casa Maluca das Coisas cuja atendente tinha ido embora para sempre.

A cada ano, eu observava o campo em frente ao Mercado ficar verde-lagarta e depois gradualmente branco-geada. Sabia exatamente quanto tempo demoraria para as carroças grandes pararem no pátio da frente e serem carregadas de catadores de algodão ao amanhecer para transportá-los para os restos de fazendas de escravos.

Durante a época da colheita, minha avó saía da cama às quatro horas da manhã (ela nunca usava despertador), se ajoelhava com dificuldade e cantarolava com a voz carregada de sono: "Pai nosso, obrigada por me deixar ver este novo dia. Obrigada por não permitir que a cama onde me deitei na noite de ontem fosse o leito do meu cadáver e nem que meu cobertor fosse minha mortalha. Guie meus pés no dia de hoje pela estrada reta e estreita, e me ajude a colocar freio na minha língua. Abençoe esta casa e todo mundo nela. Obrigada em nome do seu Filho, Jesus Cristo, amém".

Antes de se levantar completamente, ela chamava nossos nomes e dava ordens, e enfiava os pés grandes em chinelos caseiros e os arrastava pelo piso de madeira tratado com lixívia para acender o lampião a óleo.

As luzes dos lampiões no Mercado davam uma sensação de faz de conta ao nosso mundo, que me dava vontade de sussurrar e andar nas pontas dos pés. Os odores de cebola, laranja e querosene tinham ficado se misturando a noite toda e só seriam perturbados quando a ripa de madeira fosse tirada da porta e o ar da manhã abrisse caminho até os grupos de pessoas que tinham caminhado quilômetros para chegar ao ponto de coleta.

"Irmã, quero duas latas de sardinha."

"Vou trabalhar tão rápido hoje que vou fazer você parecer um poste."

"Me dá um pedaço desse queijo e uns biscoitos salgados."

"Só me dá dois pedaços gordos de pé de moleque." Isso dito por um catador que estava pegando o almoço. O saco de papel marrom oleoso estava preso por dentro da aba do macacão. Ele usava o doce como petisco antes do sol do meio-dia obrigar os trabalhadores a descansar.

Naquelas manhãs suaves, o Mercado ficava cheio de gargalhadas, brincadeiras, vanglórias e fanfarronices.

Um homem ia colher noventa quilos de algodão, e outro cento e quarenta. Até as crianças prometiam levar para casa cinquenta ou setenta e cinco centavos.

Quem mais colhesse no dia anterior era o herói do amanhecer. Se ele profetizasse que o algodão seria esparso naquele dia e grudaria no casulo como cola, todo mundo que ouvisse grunhia em concordância vigorosa.

O som dos sacos vazios de algodão arrastados no chão e o murmúrio das pessoas recém-acordadas eram cortados pela caixa registradora conforme registrávamos as vendas de cinco centavos.

Se os sons e cheiros da manhã tinham um toque de sobrenatural, o final da tarde tinha todas as características de uma vida normal do

Arkansas. Na luz do sol poente, as pessoas se arrastavam em vez de arrastarem os sacos vazios de algodão.

Levados de volta ao Mercado, os catadores saíam das caçambas dos caminhões e saltavam para o chão, decepcionados com a terra. Por melhor que tivesse sido a colheita, não era suficiente. O pagamento não os tirava nem da situação de dívida com a minha avó, isso sem mencionar a conta gigantesca que os esperava no mercado branco do centro.

Os sons da nova manhã tinham sido substituídos por resmungos sobre casas trapaceiras, balanças alteradas, cobras, algodão fino e filas empoeiradas. Em anos seguintes, eu confrontaria a imagem estereotipada dos alegres catadores cantarolantes de algodão com uma fúria tão excessiva que até colegas Negros me disseram que minha paranoia era constrangedora. Mas eu tinha visto os dedos cortados pelos cruéis casulinhos de algodão, e tinha testemunhado as costas, os ombros, os braços e as pernas resistindo a qualquer outra exigência.

Alguns dos trabalhadores deixavam seus sacos no Mercado, para pegá-los na manhã seguinte, mas alguns precisavam levá-los para casa para consertos. Eu me arrepiava ao imaginá-los costurando o material grosseiro embaixo de um lampião a óleo com dedos endurecidos pelo dia de trabalho. Em poucas horas, eles teriam que voltar para o Mercado da Irmã Henderson, pegar mantimentos e subir, novamente, nos caminhões. Em seguida, enfrentariam outro dia tentando ganhar o suficiente para o ano todo sabendo que terminariam a temporada da mesma forma que tinham começado. Sem dinheiro e sem o crédito necessário para sustentar uma família por três meses.

Na época da colheita de algodão, os fins de tarde revelavam a dureza da vida Negra sulista, que no começo da manhã tinha sido suavizada pela natureza, pelas bênçãos do entorpecimento, do esquecimento e da luz fraca dos lampiões.

2

Quando Bailey tinha seis anos e eu era um ano mais nova, nós percorríamos a tabuada com a velocidade que mais tarde vi as crianças chinesas de São Francisco usarem em seus ábacos. Nosso fogão cinza-verão barrigudo brilhava em vermelho-rosado durante o inverno e se tornou uma ameaça severa de castigo se fôssemos tolos a ponto de nos permitir cometer erros.

Tio Willie se sentava como um Z preto gigante (ele ficou aleijado quando criança) e nos ouvia declarar as capacidades das escolas do condado de Lafayette. O rosto era repuxado para o lado esquerdo, como se uma roldana estivesse presa nos dentes inferiores, e a mão esquerda era só um pouquinho maior do que a de Bailey, mas no segundo erro ou na terceira hesitação, a grande mão direita pegava um de nós pela gola, e no mesmo momento empurrava o culpado na direção do aquecedor vermelho, que latejava como a dor de dente do diabo. Nós nunca nos queimamos, se bem que uma vez eu podia ter me queimado, quando estava tão apavorada que tentei pular no fogão para afastar a possibilidade de ele continuar sendo uma ameaça.

Como a maioria das crianças, eu achava que, se conseguisse enfrentar voluntariamente o pior perigo e *triunfar*, teria poder sobre ele para sempre. Mas fui contida no meu sacrifício. O tio Willie segurou meu vestido com força, e só me aproximei do fogão o suficiente para sentir o cheiro limpo e seco de ferro quente. Nós aprendemos a tabuada sem entender o grande princípio, simplesmente porque tínhamos a capacidade e não tínhamos a alternativa.

A tragédia da deficiência parece tão injusta para as crianças que elas ficam constrangidas diante de uma. E, saídas mais recentemente do molde da natureza, as crianças sentem que escaparam por pouco de serem mais uma de suas piadas. Aliviadas por terem passado tão perto, elas exprimem as emoções com impaciência e críticas ao azarado aleijado.

Momma relatava vezes sem fim, e sem sinal nenhum de emoção, como tio Willie foi derrubado quando tinha três anos por uma mulher que estava cuidando dele. Ela parecia não ter rancor nenhum pela babá, pois para ela tinha sido Deus quem permitiu o acidente. Ela sentia necessidade de explicar sem parar para quem conhecia a história de cor que ele não tinha "nascido daquele jeito".

Na nossa sociedade, em que homens Negros fortes, com duas pernas e dois braços conseguiam no máximo obter as necessidades básicas da vida, o tio Willie, com as camisas engomadas, sapatos engraxados e prateleiras cheias de comida, era o bode expiatório e alvo de piadas dos mal-empregados e mal pagos. O destino não só o incapacitou, mas também colocou uma barreira dupla em seu caminho. Ele também era orgulhoso e delicado. Portanto, não podia fingir que não era aleijado, e nem podia enganar a si mesmo sobre como seu defeito causava repugnância nas pessoas.

Só uma vez em todos os anos tentando não olhar para ele foi que eu o vi fingir para si mesmo e para os outros que ele não era coxo.

Voltando da escola um dia, vi um carro escuro estacionado no nosso pátio da frente. Corri para dentro de casa e encontrei um estranho e uma estranha (tio Willie disse depois que eles eram professores de Little Rock) bebendo Dr Pepper no frescor do Mercado. Senti algo de errado à minha volta, como um alarme tocando sem ter sido armado.

Eu sabia que não podiam ser os estranhos. Não era frequente, mas às vezes viajantes paravam vindos da estrada principal para comprar tabaco ou refrigerantes no único mercado de Negros de Stamps. Quando olhei para o tio Willie, soube o que estava dando um nó na minha mente. Ele estava parado ereto atrás do balcão, não inclinado para a frente e nem apoiado na pequena prateleira que tinha sido construída para ele. Ereto. Seus olhos pareceram me encher com uma mistura de ameaças e apelos.

Cumprimentei os estranhos educadamente e passei os olhos ao redor procurando a bengala dele. Não estava em lugar nenhum. Ele disse: "Hmmm... essa essa... essa... hã, minha sobrinha. Ela... hã... acabou de chegar da escola". E, para o casal: "Vocês sabem... como, hã, as crianças são... a-a-atualmente... elas brincam o d-d-dia todo na escola e m-m-mal podem esperar para chegar em casa e b-brincar mais".

As pessoas sorriram, muito simpáticas.

Ele acrescentou: "Vá b-brincar, Irmã".

A moça riu com uma voz suave do Arkansas e disse: "Bom, você sabe, sr. Johnson, dizem que só se é criança uma vez. Você tem filhos?".

Tio Willie olhou para mim com uma impaciência que eu não via em seu rosto mesmo quando ele levava trinta minutos para amarrar o cadarço dos sapatos de cano alto. "Eu... eu achei que tinha mandado você ir... lá fora brincar."

Antes de sair, eu o vi se apoiar nas prateleiras dos tabacos de mascar, Levi Garrett, Prince Albert e Spark Plug.

"Não, senhora... não tenho f-filhos e nem esposa." Ele tentou rir. "Eu tenho uma m-m-mãe velha e os d-dois filhos do meu irmão para c-cuidar."

Não me importei de ele nos usar para passar uma boa imagem. Na verdade, teria fingido ser sua filha se ele quisesse. Além de eu não sentir nenhuma lealdade por meu próprio pai, achava que, se fosse filha do tio Willie, eu teria recebido um tratamento bem melhor.

O casal foi embora depois de alguns minutos, e dos fundos da casa eu vi o carro vermelho assustar as galinhas, levantar poeira e desaparecer na direção de Magnolia.

O tio Willie estava seguindo pelo longo corredor escuro entre as prateleiras e a bancada, uma mão sobre a outra, como um homem saindo de um sonho. Fiquei quieta e o vi pular de um lado e esbarrar no outro, até chegar ao tanque de óleo. Ele colocou a mão atrás do cantinho escuro e pegou a bengala no punho forte e apoiou seu peso nela. Achou que tinha tido sucesso.

Nunca vou saber por que era importante para ele que aquele casal (ele disse depois que nunca os tinha visto antes) levasse uma imagem de um sr. Johnson inteiro para Little Rock.

Ele devia estar cansado de ser aleijado, como prisioneiros se cansam das grades de penitenciária e os culpados se cansam da culpa. Os sapatos de cano alto e a bengala, seus músculos incontroláveis e fala arrastada e os olhares que ele recebia de desprezo ou pena o esgotaram, e por uma tarde, ou horas de uma tarde, ele não queria nenhuma parte disso.

Eu entendia, e me senti mais próxima dele naquele momento do que em qualquer outro, antes e depois.

Durante esses anos em Stamps, conheci e me apaixonei por William Shakespeare. Ele foi meu primeiro amor branco. Apesar de eu gostar e respeitar Kipling, Poe, Butler, Thackeray e Henley, guardei minha paixão jovem e leal por Paul Laurence Dunbar, Langston Hughes, James Weldon Johnson e "Litania em Atlanta" de W.E.B. Du Bois. Mas foi Shakespeare quem disse: "Quando em desgraça, sem fortuna e afastado dos homens". Era um estado com o qual eu me sentia muito familiarizada. Eu me tranquilizei quanto à sua brancura dizendo que, afinal, ele estava morto havia tanto tempo que não podia ter mais importância para ninguém.

Bailey e eu decidimos decorar uma cena de *O mercador de Veneza*, mas percebemos que Momma nos questionaria sobre o autor e que teríamos que contar que Shakespeare era branco, e não importaria para ela se ele estava morto ou não. Então, escolhemos "A criação", de James Weldon Johnson.

3

Pesar os duzentos gramas de farinha sem contar a colher e os colocar sem poeira nos sacos finos de papel era um tipo simples de aventura para mim. Desenvolvi um olho para medir como uma concha de prata cheia de farinha, ração, fubá, açúcar ou milho tinha que estar para chegar ao indicador da balança de duzentos gramas. Quando eu era precisa, nossos clientes costumavam dizer com admiração: "A Irmã Henderson tem uns netos inteligentes". Se errasse a favor do mercado, as mulheres de olhos de águia diriam: "Coloque mais nesse saco, criança. Não tente obter lucro à minha custa".

Nesses casos, eu punia a mim mesma de forma silenciosa e persistente. Para cada avaliação ruim, a multa era ficar sem Kisses embrulhados em papel prateado, as doces gotas de chocolate que eu amava mais do que tudo no mundo, menos Bailey. E talvez abacaxi em calda. Minha obsessão por abacaxis quase me deixou louca. Eu sonhava com os dias em que seria adulta e poderia comprar uma lata inteira só para mim.

Apesar de os anéis dourados e adocicados ficarem nas latas exóticas nas nossas prateleiras o ano todo, nós só os provávamos no

Natal. Momma usava o sumo para fazer bolos de fruta quase pretos. Em seguida, enchia frigideiras pesadas cobertas de fuligem de anéis de abacaxi para fazer bolos invertidos deliciosos. Bailey e eu recebíamos uma fatia cada um, e eu carregava a minha de um lado para o outro durante horas, repartindo a fruta até não ter sobrado nada além do perfume nos meus dedos. Gosto de pensar que meu desejo por abacaxis era tão sagrado que eu não me permiti roubar uma lata (o que era possível) e comê-la sozinha no jardim, mas tenho certeza de que devo ter avaliado a possibilidade do aroma me expor e não tive a coragem para uma tentativa.

Até eu ter treze anos e ir embora do Arkansas de vez, o Mercado era meu lugar favorito. Sozinho e vazio durante a manhã, parecia um presente fechado dado por um estranho. Abrir as portas da frente era soltar a fita de um presente inesperado. A luz entrava suavemente (nós estávamos virados para o norte), se espalhando pelas prateleiras de cavalinhas, salmões, tabaco, linha. Ia parar direto na bacia de banha e, na hora do almoço durante o verão, a gordura ficava mole como uma sopa densa. Sempre que entrava no Mercado à tarde, eu sentia que ele estava cansado. Só eu conseguia ouvir a pulsação lenta do trabalho parcialmente executado. Mas, pouco antes da hora de dormir, depois que numerosas pessoas tinham entrado e saído, discutido por causa das contas ou feito piadas sobre os vizinhos, ou talvez só passado "para dar um 'oi' à Irmã Henderson", a promessa de manhãs mágicas voltava ao Mercado e se espalhava pela família em ondas vitais.

Momma abria as caixas de biscoitos salgados e nós nos sentávamos em volta do bloco de carne nos fundos do mercado. Eu partia cebolas e Bailey abria duas ou até três latas de sardinhas, permitindo que o líquido composto de óleo e pedacinhos de peixe escorresse pelas laterais. Esse era o jantar. À noite, quando ficávamos sozinhos assim, o tio Willie não gaguejava nem tremia, nem dava indicação de ter passado por um "mal". Parecia que a paz do fim do dia era uma garantia de que o acordo que Deus tinha feito com as crianças, os Negros e os aleijados ainda estava valendo.

Jogar punhados de milho para as galinhas e misturar ração seca com restos de comida e água oleosa da lavagem de louça para os porcos estavam entre nossas tarefas da noite. Bailey e eu andávamos por trilhas no crepúsculo até os chiqueiros e, parados no primeiro degrau da cerca, virávamos a mistura desagradável no comedor para os agradecidos animais. Eles enfiavam os focinhos rosados e macios na gosma, remexiam e grunhiam de satisfação. Nós sempre grunhíamos uma resposta, como uma meia brincadeira. Também estávamos agradecidos de termos terminado a mais suja das tarefas e só estarmos com fedor nos sapatos, meias, pés e mãos.

No fim de um dia, quando estávamos cuidando dos porcos, ouvi um cavalo no pátio da frente (devia se chamar estradinha, mas não havia nada para se dirigir nela) e corri para descobrir quem tinha ido a cavalo até lá em uma noite de quinta-feira, quando até o sr. Stewart, o homem amargo que tinha um cavalo de montaria, estaria descansando junto ao fogo quente até a manhã o chamar para revolver o campo.

O antigo xerife estava montado no cavalo. A indiferença dele tinha a intenção de passar autoridade e poder até sobre os animais irracionais. Do que mais ele seria capaz com Negros? Isso nem precisava ser dito.

A voz anasalada percorreu o ar seco. Da lateral do Mercado, Bailey e eu o ouvimos dizer para Momma: "Annie, diga para Willie que é melhor ele se esconder esta noite. Um crioulo maluco se meteu com uma moça branca hoje. Alguns dos garotos vêm aqui mais tarde". Mesmo depois do passar dos anos, eu me lembro do sentimento de medo que encheu minha boca de ar quente e seco e deixou meu corpo leve.

"Garotos"? Aqueles rostos de cimento e olhos de ódio que queimavam suas roupas no seu corpo se por acaso vissem você passeando na rua principal do centro do sábado. Garotos? Parecia que a juventude nunca tinha acontecido para eles. Garotos? Não, homens cobertos de pó de túmulo e idade sem beleza nem aprendizado. A feiura e a podridão de velhas abominações.

Se no Julgamento Final eu fosse convocada por São Pedro para dar testemunho sobre o ato de gentileza do antigo xerife, seria incapaz de dizer qualquer coisa a favor dele. A confiança que ele tinha de que meu tio e todos os outros homens Negros que ouvissem a caravana da Klan chegando correriam para debaixo de casa para se esconderem no meio de cocô de galinha era humilhante demais para ouvir.

Sem esperar o agradecimento de Momma, ele saiu cavalgando do pátio, seguro de que as coisas estavam como deviam ser e de que ele era um cavalheiro gentil, poupando os servos merecedores das leis da terra, com as quais ele compactuava.

Imediatamente, enquanto os cascos do cavalo ainda batiam com barulho alto no chão, Momma apagou os lampiões a óleo. Ela teve uma conversa baixa e dura com o tio Willie, e chamou a mim e Bailey para o Mercado.

Recebemos a ordem de tirar as batatas e cebolas dos cestos e derrubar as paredes divisórias que as separavam. Em seguida, com lentidão tediosa e temerosa, o tio Willie me deu a bengala com ponta de borracha e se inclinou para entrar no cesto agora maior. Demorou uma eternidade para ele conseguir se deitar, e depois o cobrimos de batatas e cebolas, uma camada atrás da outra, como uma caçarola. Vovó se ajoelhou e ficou orando no Mercado escuro.

Foi nossa sorte que os "garotos" não cavalgaram até nosso pátio naquela noite e nem insistiram que Momma abrisse o Mercado. Teriam encontrado o tio Willie e o teriam linchado. Ele gemeu a noite toda como se fosse mesmo culpado de um crime hediondo. Os sons pesados subiam pela cobertura de legumes, e eu imaginei sua boca caída de um lado e a saliva escorrendo nos olhos das novas batatas, para esperar como gotas de orvalho esperam pelo calor da manhã.

4

O que diferencia uma cidade sulista de outra, ou de uma cidade ou povoado do norte, ou de uma cidade com prédios? A resposta deve ser a experiência compartilhada entre a maioria desconhecida (ela) e a minoria conhecida (você). Todas as perguntas não respondidas da infância precisam finalmente ser passadas para a cidade e respondidas lá. Heróis e bichos-papões, valores e desgostos são primeiro encontrados e rotulados nesse ambiente inicial. Em anos posteriores, eles mudam de face, lugar e talvez raça, tática, intensidade e objetivo, mas por baixo dessas máscaras penetráveis eles usam para sempre os rostos com capuz da infância.

O sr. McElroy, que morava na casa grande e espalhada ao lado do Mercado, era muito alto e muito largo, e apesar de os anos terem lhe consumido a carne dos ombros, não tinham, quando eu o conheci, chegado ao estômago, nem às mãos e aos pés.

Exceto pelo diretor da escola e pelos professores visitantes, ele era o único Negro que eu conhecia que usava calça e paletó combinando. Quando soube que roupas de homens eram vendidas assim e se chamavam terno, eu me lembro de ter pensado que alguém tinha sido muito inteligente, pois deixava os homens menos masculinos, menos ameaçadores e um pouco mais parecidos com mulheres.

O sr. McElroy nunca ria e raramente sorria, e a seu favor estava o fato de que gostava de conversar com o tio Willie. Nunca ia à igreja, o que Bailey e eu achávamos que também provava que ele era uma pessoa muito corajosa. Como seria ótimo crescer assim, ser capaz de olhar a religião com desprezo, principalmente morando ao lado de uma mulher como Momma.

Eu o observava com a empolgação de quem esperava que ele fizesse qualquer coisa a qualquer momento. Nunca me cansava disso, nem me decepcionava ou me desencantava com ele, embora, com a idade, eu o veja agora como um homem muito simples e desinteressante que vendia remédios e tônicos patenteados para as pessoas menos sofisticadas das cidades (povoados) que cercavam a metrópole de Stamps.

Parecia haver um acordo entre o sr. McElroy e a vovó. Isso era óbvio para nós porque ele nunca nos expulsava de seu terreno. No sol tardio do verão, eu costumava me sentar embaixo do cinamomo no quintal dele, cercada pelo aroma amargo da fruta e atraída pelo zumbido de moscas que se alimentavam delas. Ele ficava sentado em um balanço na varanda, se balançando no terno marrom de três peças e o chapéu Panamá de aba larga balançando no ritmo do zumbido dos insetos.

Um cumprimento por dia era o que se podia esperar dele. Depois do "bom dia, criança" ou "boa tarde, criança", ele nunca dizia uma palavra, mesmo que eu o encontrasse novamente na estrada na frente de sua casa ou perto do poço, ou esbarrasse nele atrás da casa, fugindo em uma brincadeira de esconde-esconde.

Ele permaneceu sendo um mistério da minha infância. Um homem que era dono das próprias terras e da casa grande com muitas janelas e uma varanda que contornava a casa toda. Um homem Negro independente. Quase um anacronismo em Stamps.

Bailey era a pessoa mais importante do meu mundo. E o fato de ele ser meu irmão, meu único irmão, e de eu não ter irmãs com quem dividi-lo, era uma sorte tão grande que me fazia querer viver uma vida cristã só para mostrar a Deus que eu estava agradecida. Enquanto eu era grande, desengonçada e barulhenta, ele era pequeno, gracioso e suave. Enquanto eu era descrita pelos nossos amigos de brincadeiras como sendo da cor de merda, ele era elogiado pela pele negra de veludo. O cabelo dele caía em cachos pretos, e minha cabeça era coberta de palha de aço preta. Mas ele me amava.

Quando os mais velhos diziam coisas grosseiras sobre minhas feições (minha família era bonita a ponto de me provocar sofrimento), Bailey piscava para mim do outro lado da sala, e eu sabia que era questão de tempo até ele se vingar. Ele deixava que as senhoras terminassem de questionar como era possível eu ter nascido e perguntava, com voz melosa como gordura de bacon: "Ah, sra. Coleman, como está seu filho? Eu vi ele outro dia, e ele parecia doente a ponto de morrer".

Chocada, a velha senhora perguntava: "Morrer? De quê? Ele não está doente".

E, com voz mais lubrificada do que antes, ele respondia de cara séria: "De feiura".

Eu segurava o riso, mordia a língua, trincava os dentes e apagava até um toque de sorriso do rosto. Mais tarde, atrás da casa, junto da nogueira-preta, nós morríamos de rir até uivar.

Bailey podia contar com pouquíssimos castigos por seu comportamento consistentemente ofensivo, pois ele era o orgulho da família Henderson/Johnson.

Seus movimentos, como ele descreveria mais tarde os de um conhecido, eram ativados com precisão milimétrica. Também era capaz de encontrar mais horas no dia do que eu achava que existiam. Ele terminava tarefas, deveres, lia mais livros do que eu e brincava de jogos coletivos na lateral da colina com os melhores. Até podia rezar em voz alta na igreja, e era capaz de roubar picles do barril que ficava embaixo da bancada de frutas debaixo do nariz do tio Willie.

Uma vez, quando o Mercado estava cheio de clientes no horário de almoço, ele enfiou a peneira que nós também usávamos para tirar gorgulho de fubá e farinha no barril e pegou dois picles gordos. Pegou-os e prendeu a peneira na lateral do barril, onde os picles ficaram pingando até ele estar pronto para comê-los. Quando finalmente o sinal da escola tocou, ele pegou os picles quase secos na peneira, enfiou nos bolsos e jogou a peneira atrás das laranjas. Nós saímos correndo do Mercado. Era verão e sua calça era curta, então o sumo dos picles deixaram marcas limpas nas pernas poeirentas, e ele pulou com os bolsos cheios de pilhagem e os olhos rindo com um "Que tal isso?". Ele cheirava a barril de vinagre ou a bebida amarga.

Depois que nossas primeiras tarefas estavam feitas, enquanto tio Willie ou Momma cuidavam do Mercado, podíamos brincar como crianças desde que ficássemos à distância de um grito, caso precisassem nos chamar.

Quando brincávamos de pique-esconde, a voz de Bailey era facilmente identificável cantarolando "Ontem à noite, na noite anterior, vinte e quatro ladrões na minha porta. Quem está escondido? Me peçam para deixar entrar, acertar a cabeça deles com o rolo de massa. Quem está escondido?". Brincando de Seu Mestre mandou, naturalmente ele era quem criava as coisas mais ousadas e interessantes para fazer. E quando estava na ponta do chicotinho, ele fugia com rapidez, girando, gritando, rindo e finalmente parando pouco antes de meu coração deixar de bater. E aí ele voltava para a brincadeira, ainda rindo.

De todas as necessidades (e nenhuma é imaginária) que uma criança solitária tem, a que tem que ser satisfeita, se vai haver esperança e uma esperança de totalidade, é a necessidade inabalada de um Deus inabalável. Meu lindo irmão Negro era meu reino dos céus.

Em Stamps, o costume era enlatar tudo que podia ser preservado. Durante a temporada de caça, depois da primeira geada, todos os vizinhos se ajudavam a matar porcos e até as vacas silenciosas de olhos grandes, se elas tivessem parado de dar leite.

As missionárias da Igreja Metodista Episcopal Cristã ajudavam Momma a preparar a carne de porco para salsicha. Elas enfiavam os braços gordos até os cotovelos na carne moída misturada com o pó cinza que abria as vias nasais feito de sálvia, pimenta e sal, e davam amostras deliciosas para todas as crianças obedientes que levassem madeira para o fogão preto. Os homens cortavam os pedaços maiores de carne e as colocavam no defumadouro para começar o processo de cura. Abriam a articulação dos pernis com facas de aparência mortal, tiravam um certo osso redondo inofensivo ("pode fazer a carne estragar") e esfregavam na carne o sal, um sal marrom grosso que parecia cascalho fino, fazendo o sangue subir à superfície.

Ao longo do ano, até a próxima geada, nós pegávamos nossas refeições do defumadouro, do pequeno jardim que ficava pertinho do Mercado e das prateleiras de comida enlatada. Havia opções nas prateleiras que podiam deixar a boca de uma criança faminta aguando. Vagem, sempre cortada no comprimento certo, couve, repolho, conservas vermelhas e suculentas de tomate que vinham com pãezinhos amanteigados, e salsichas, beterrabas, frutas silvestres e todas as outras frutas plantadas no Arkansas.

Mas pelo menos duas vezes por ano Momma achava que, como crianças, devíamos ter carne fresca em nossa dieta. Nós recebíamos dinheiro — moedas de um, de dez e de vinte e cinco centavos que eram confiadas a Bailey — e éramos enviados à cidade para comprar fígado.

Como os brancos tinham geladeira, os açougueiros deles compravam a carne de abatedouros comerciais em Texarkana e vendiam para os ricos mesmo no auge do verão.

Para atravessar a área Negra de Stamps, que na medida estreita da infância parecia um mundo inteiro, nós éramos forçados pelo costume a parar e falar com todas as pessoas que encontrávamos, e Bailey se sentia obrigado a passar alguns minutos brincando com cada amigo.

Havia uma alegria em ir para a cidade com dinheiro no bolso (os bolsos de Bailey eram a mesma coisa que se fossem meus) e tempo nas mãos. Mas o prazer sumia quando chegávamos na parte branca da cidade.

Depois que saíamos do Do Drop Inn, do sr. Willie Williams, a última parada antes da terra dos brancos, nós tínhamos que cruzar o lago e nos aventurar pelos trilhos da ferrovia. Éramos como exploradores andando sem armas pelo território de animais comedores de gente.

Em Stamps, a segregação era tão completa que a maioria das crianças Negras não tinha a menor ideia de como os brancos eram. Fora isso, eles eram diferentes, deviam ser temidos, e nesse medo estavam incluídas a hostilidade do impotente contra o poderoso, do pobre contra o rico, do trabalhador contra o patrão e do maltrapilho contra o bem-vestido.

Eu me lembro de nunca acreditar que os brancos eram muito reais.

Muitas mulheres que trabalhavam nas cozinhas deles compravam no nosso Mercado, e, quando carregavam a roupa lavada de volta para a cidade, elas costumavam colocar as cestas grandes na nossa varanda da frente para tirar uma única peça da coleção engomada e mostrar ou como elas passavam bem a roupa ou como a propriedade dos seus empregadores era rica e opulenta.

Eu olhava as coisas que não estavam à mostra. Sabia, por exemplo, que homens brancos usavam short, como o tio Willie usava, e que tinham uma abertura para eles botarem as "coisas" para fora e fazerem xixi, e que os seios das mulheres brancas não ficavam dentro dos vestidos, como algumas pessoas diziam, porque eu via os sutiãs delas nas cestas. Mas eu não conseguia me obrigar a pensar nelas como pessoas. Pessoas eram a sra. LaGrone, a sra. Hendricks, Momma, o reverendo Sneed, Lillie B, Louise e Rex. Os brancos não podiam ser pessoas, porque os pés deles eram pequenos demais, a pele deles era branca e transparente demais, e eles não andavam sobre a parte da frente dos pés como as pessoas faziam; caminhavam nos calcanhares, como os cavalos.

Pessoas eram quem morava do meu lado da cidade. Eu não gostava de todas, na verdade nem gostava muito de nenhuma delas, mas elas eram pessoas. Esses outros, as criaturas estranhas e pálidas que viviam sua não vida alienígena, não eram considerados gente, eram os brancos.

5

"Não serás sujo" e "Não serás insolente" eram os dois mandamentos da vovó Henderson dos quais dependia nossa total salvação.

Em cada noite do inverno mais frio, nós éramos obrigados a lavar os rostos, os braços, os pescoços, as pernas e os pés antes de irmos para a cama. E, com um sorrisinho na cara que as pessoas não profanas não conseguem controlar quando se arriscam na profanidade, ela acrescentava: "e lavem o máximo possível, depois lavem o possível".

Nós íamos até o poço e nos lavávamos na água gelada e limpa, passávamos vaselina sólida igualmente fria nas pernas e voltávamos nas pontas dos pés para casa. Limpávamos a poeira dos dedos dos pés e nos preparávamos para os deveres de casa, pão de milho, coalhada, orações e cama, sempre nessa ordem. Momma era famosa por puxar as cobertas depois que pegávamos no sono para examinar nossos pés. Se não estivessem limpos o bastante para ela, ela pegava a vara (deixava uma atrás da porta do quarto para emergências) e acordava o transgressor com alguns lembretes ardentes estrategicamente aplicados.

À noite, a área em volta do poço ficava escura e escorregadia, e os garotos falavam que cobras amavam água. Então, qualquer um que tivesse que pegar água durante a noite e ficar ali parado sozinho para se lavar sabia que mocassins d'água e cascavéis, biútas e jiboias estavam rastejando até o poço e chegariam assim que a pessoa ficasse com sabão nos olhos. Mas Momma nos convenceu não só que a limpeza era quase divina, mas que a sujeira era a inventora da infelicidade.

A criança insolente era detestada por Deus e uma vergonha para os pais, e podia trazer destruição para a casa e sua linhagem. Todos os adultos tinham que ser chamados de senhor, senhora, senhorita, tia, primo, tio, titio, vovô, irmã, irmão e mil outras apelações indicando um relacionamento familiar e a inferioridade do falante.

Todo mundo que eu conhecia respeitava essas leis de costume, exceto as crianças lixentas da pobreza branca.

Algumas famílias lixentas da pobreza branca moravam no terreno da fazenda de Momma atrás da escola. Às vezes, um amontoado delas ia para o Mercado, ocupava o único aposento, tirava o ar do ambiente e até mudava os odores conhecidos. As crianças subiam umas nas outras e nos cestos de batatas e cebolas, falando o tempo todo com as vozes agudas como violões cigar box. Elas tomavam liberdades no meu Mercado que eu jamais ousaria ter. Como Momma nos dizia que quanto menos se falasse para os brancos (mesmo os lixentos da pobreza branca), melhor, Bailey e eu ficávamos parados, solenes e quietos, no ar deslocado. Mas se uma das aparições brincalhonas chegasse perto de nós, eu a beliscava. Em parte por frustração irritada e em parte porque eu não acreditava na realidade de carne e osso.

Elas chamavam meu tio pelo primeiro nome e davam ordens a ele no Mercado. Ele, para minha grande vergonha, obedecia no seu jeito manco-reto-manco.

Minha avó também seguia as ordens delas, só que não parecia servil, porque previa suas necessidades.

"Aqui tem açúcar, srta. Potter, e aqui tem fermento. Você não comprou fermento mês passado, deve estar precisando."

Momma sempre direcionava suas declarações aos adultos, mas às vezes, ah, dolorosas vezes, as garotas sujas e de nariz melequento respondiam.

"Não, Annie..."? Para Momma? Que era dona da terra onde elas moravam? Que relevava mais coisas do que eles aprenderiam a vida toda? Se houvesse justiça no mundo, Deus devia acertar todas elas com um raio para que ficassem mudas! "Só dá pra gente mais uns biscoitos salgados e mais umas cavalinhas."

Pelo menos elas nunca a encaravam, ou nunca as vi fazendo isso. Ninguém com o mínimo de educação, nem mesmo o pior moleque, olharia na cara de uma pessoa adulta. Queria dizer que a pessoa estava tentando tirar as palavras antes de elas estarem formadas. As criancinhas sujas não faziam isso, mas davam ordens pelo Mercado como chicotadas.

Quando eu tinha uns dez anos, essas crianças maltrapilhas me fizeram passar pela experiência mais sofrida e confusa que já tive com a minha avó.

Uma manhã de verão, depois de eu ter varrido o pátio de terra para tirar as folhas, os papéis de chiclete e os rótulos de salsicha Viena, passei o ancinho na terra amarelo-avermelhada e fiz semicírculos com cuidado, para que o desenho se destacasse claramente, como uma máscara. Coloquei o ancinho atrás do Mercado e entrei pelos fundos, encontrando minha avó na varanda da frente com o avental branco enorme. O avental estava tão duro por causa da goma que podia ficar de pé sozinho.

Momma estava admirando o pátio, e me juntei a ela. Parecia mesmo uma cabeleira ruiva achatada penteada com um pente de dentes largos. Momma não disse nada, mas eu sabia que ela tinha gostado. Ela olhou na direção da casa do diretor da escola e para a direita, para a do sr. McElroy. Estava com esperanças que um desses pilares da comunidade visse o desenho antes que a movimentação do dia o apagasse. Em seguida, ela olhou para a escola. Minha cabeça acompanhou a dela e, mais ou menos na mesma hora, nós vimos uma tropa de crianças lixentas da pobreza branca andando pela colina e descendo pela lateral da escola.

Olhei para Momma pedindo orientação. Ela fez um trabalho excelente de encolher o corpo da cintura para baixo, mas da cintura para cima pareceu estar se esticando para o alto do carvalho do outro lado da rua. Em seguida, começou a gemer um hino. Talvez não gemer, mas a melodia era tão lenta e a métrica tão estranha que ela poderia estar gemendo. Ela não olhou para mim de novo. Quando as crianças chegaram na metade da colina, na metade do caminho até o Mercado, ela disse sem se virar: "Irmã, entre".

Senti vontade de implorar: "Momma, não fique esperando elas. Entre comigo. Se elas entrarem no Mercado, você pode ir para o quarto e me deixar atendê-las. Elas só me assustam quando você está perto. Sozinha, eu sei lidar com elas". Mas é claro que eu não podia dizer nada, então eu entrei e fiquei parada atrás da porta de tela.

Antes que as garotas chegassem à varanda, ouvi suas risadas estalando como toras de pinheiro em um fogão à lenha. Acho que minha paranoia de vida nasceu nesses minutos lentos e arrastados como melaço. Elas finalmente pararam na frente de Momma. Primeiro, fingiram seriedade. Então, uma delas enfiou o braço direito na dobra do esquerdo, empurrou a boca para fora e começou a murmurar. Eu percebi que ela estava imitando minha avó. Outra disse: "Não, Helen, você não está parada como ela. É assim". Ela estufou o peito, cruzou os braços e imitou aquela postura estranha que era a de Annie Henderson. Outra riu. "Não, você não sabe fazer. Sua boca não é frouxa o bastante. É assim."

Pensei no rifle atrás da porta, mas sabia que nunca conseguiria segurar direito, e a calibre 410, nossa pistola, que ficava carregada e era disparada em todas as noites de ano-novo, estava trancada no baú, e o tio Willie carregava a chave na corrente dele. Pela porta de tela pontilhada de moscas, eu conseguia ver que os braços do avental de Momma se balançavam pelas vibrações do seu cantarolar. Mas os joelhos pareciam ter travado como se nunca mais fossem se dobrar.

Ela continuou cantando. Não mais alto do que antes, mas também não mais baixo. Nem mais devagar e nem mais rápido.

A sujeira nos vestidos de algodão das garotas continuava nas pernas, nos pés, nos braços e nos rostos, deixando todas parecidas. Os cabelos oleosos e sem cor caíam sem pentear, com uma finalidade suja. Eu me ajoelhei para vê-las melhor, para me lembrar de todas para sempre. As lágrimas que escorreram até meu vestido fizeram manchas escuras nada surpreendentes e deixaram o pátio da frente borrado e ainda mais irreal. O mundo tinha respirado fundo, e estava tendo dúvidas sobre continuar a girar.

As garotas se cansaram de debochar de Momma e passaram a usar outros meios de agitação. Uma envesgou os olhos, colocou os polegares dos dois lados da boca e disse: "Olha aqui, Annie". Vovó continuou cantarolando, e os cordões do avental tremeram. Eu queria jogar um punhado de pimenta-do-reino na cara delas, jogar lixívia nelas, gritar que elas eram branquelas sujas e nojentas, mas sabia que estava tão aprisionada nos bastidores quanto os atores lá fora estavam confinados a seus papéis.

Uma das garotas menores fez uma espécie de dança de marionetes enquanto suas amigas palhaças riam dela. Mas a alta, que era quase uma mulher, disse alguma coisa muito baixo, que eu não consegui ouvir. Todas recuaram para longe da varanda, ainda olhando para Momma. Por um segundo horrível, achei que elas iam jogar uma pedra em Momma, que parecia (exceto pelas cordinhas do avental) ter virado pedra. Mas a garota grande se virou de costas, se inclinou e apoiou as mãos no chão. Ela não pegou nada. Só deslocou seu peso e plantou bananeira.

Os pés sujos e descalços e as pernas compridas apontaram para o céu. O vestido caiu até os ombros, e ela não estava de calcinha. Os pelos pubianos densos formavam um triângulo marrom onde as pernas se encontravam. Ela ficou parada naquela manhã sem vida só por alguns segundos, depois oscilou e caiu. As outras garotas deram tapinhas nas costas dela e bateram palmas.

Momma mudou a música para "Pão do Céu, pão do Céu, me alimente até eu não querer mais". Percebi que eu também estava orando. Quanto tempo Momma conseguiria aguentar? A que nova indignidade elas pensariam em sujeitá-la? Eu conseguiria ficar de fora? O que Momma realmente gostaria que eu fizesse?

De repente, elas foram embora do pátio, a caminho da cidade. Balançaram as cabeças e sacudiram os traseiros murchos e se viraram, uma de cada vez.

"Adeus, Annie."

"Adeus, Annie."

"Adeus, Annie."

Momma não virou a cabeça nem descruzou os braços, mas parou de cantar e disse: "Adeus, srta. Helen, adeus, srta. Ruth, adeus, srta. Eloise."

Eu explodi. Uma explosão de estalinho em Quatro de Julho. Como Momma podia chamá-las de senhoritas? As coisinhas malvadas e cruéis. Por que ela não pôde entrar no Mercado doce e fresco quando viu que elas estavam descendo a colina? O que ela provou? E, se eram sujas, más e insolentes, por que Momma tinha que chamá-las de senhoritas?

Ela ficou lá parada por mais uma música inteira e abriu a porta de tela. Deu de cara comigo chorando de raiva. Ficou me olhando até eu olhar para ela. Seu rosto era uma lua marrom que brilhava em mim. Ela estava linda. Alguma coisa tinha acontecido lá fora, uma coisa que eu não conseguia entender completamente, mas vi que ela estava feliz. Ela se inclinou e me tocou como as mães da igreja "colocam as mãos nos doentes e aflitos", e eu me acalmei.

"Vá lavar seu rosto, irmã." E ela foi para trás do balcão de doces e cantarolou: "Glória, glória, aleluia, quando eu me livro do peso que carrego".

Joguei água do poço no rosto e usei o lenço do dia da semana para assoar o nariz. Sabia que a competição que aconteceu lá fora tinha sido vencida por Momma.

Levei o ancinho de volta para o pátio. As pegadas manchadas foram fáceis de apagar. Trabalhei por bastante tempo no meu novo desenho e coloquei o ancinho atrás da bacia de lavagem. Quando voltei para o Mercado, segurei a mão de Momma e nós duas andamos até lá fora para olhar o desenho.

Era um coração grande com muitos corações ficando menores dentro, e indo da beirada externa até o menor coração havia uma flecha. Momma disse: "Irmã, isso é muito bonito". Em seguida, se virou para o Mercado e retomou a cantoria: "Glória, glória, aleluia, quando eu me livro do peso que carrego".

6

O reverendo Howard Thomas era o responsável pelo distrito do Arkansas que incluía Stamps. A cada três meses, ele visitava nossa igreja, ficava na casa de Momma na noite de sábado e fazia um sermão alto e apaixonado no domingo. Ele coletava o dinheiro que tinha sido recebido nos meses anteriores, ouvia relatos de todos os grupos da igreja e apertava as mãos dos adultos e beijava todas as crianças pequenas. Depois, ia embora. (Eu achava que ele ia para o oeste, para o céu, mas Momma explicou as coisas. Ele só ia para Texarkana.)

Bailey e eu o odiávamos sem reservas. Ele era feio, gordo e ria como um porco com cólica. Nós provocávamos gargalhadas um no outro quando fazíamos imitações do pastor insensível.

Bailey era particularmente bom nisso. Ele conseguia imitar o reverendo Thomas na frente do tio Willie e nunca ser pego porque o fazia sem emitir qualquer ruído. Ele estufava as bochechas até parecerem pedras marrons molhadas e balançava a cabeça de um lado para o outro. Só nós sabíamos, mas era o velho reverendo Thomas à perfeição.

A obesidade, apesar de repugnante, não era suficiente para provocar o ódio intenso que sentíamos dele. O fato de ele nunca se dar ao trabalho de lembrar nossos nomes era um insulto, mas esse escorregão somente também não era o bastante para nos fazer desprezá-lo. O crime que pesou na balança e tornou nosso ódio não só justo como imperativo foram seus atos à mesa de jantar. Ele comia as maiores partes da galinha, mais tostadas e melhores, em todas as refeições de domingo.

A única coisa boa de suas visitas era o fato de que ele sempre chegava tarde nas noites de sábado, depois de jantarmos. Muitas vezes eu me perguntava se ele tentava nos pegar à mesa. Acredito que sim, pois quando ele chegava na varanda da frente, seus olhinhos cintilavam na direção da sala de jantar vazia, e o rosto dele despencava de decepção. Então, imediatamente uma cortina fina caía sobre suas feições, e ele dava algumas gargalhadas. "Ha, hah, ha, hah, irmã Henderson, assim como uma moeda com buraco no meio, eu sempre apareço."

Bem na hora todas as vezes, Momma respondia: "Isso mesmo, reverendo Thomas, graças ao abençoado Jesus. Pode entrar".

Ele passava pela porta da frente, e colocava sua Gladstone no chão (era assim que ele chamava) e me procurava e a Bailey. Em seguida, abria os braços e grunhia: "Deixem vir a mim as crianças e não as impeçam; pois delas é o Reino dos Céus".

Bailey ia até ele todas as vezes com a mão esticada, pronto para um aperto de mão masculino, mas o reverendo Thomas afastava a mão e envolvia meu irmão com os braços por alguns segundos. "Você ainda é garoto, amigo. Lembre-se disso. Dizem que o Livro do Senhor diz 'Quando eu era criança, eu falava como criança, mas quando me tornei homem, afastei as coisas infantis'". Só então ele abria os braços e soltava Bailey.

Eu nunca tive coragem de ir até ele. Eu tinha medo de engasgar pelo pecado de debochar dele se eu tentasse dizer "Oi, reverendo Thomas". Afinal, a Bíblia dizia "Não se debocha de Deus", e o homem era o representante de Deus. Ele dizia para mim: "Venha, irmãzinha. Venha e receba essa bênção". Mas eu tinha tanto medo e também o odiava tanto que minhas emoções se misturavam, e era o suficiente para eu começar a chorar. Momma dizia para ele todas as vezes: "Não dê atenção a ela, reverendo Thomas, você sabe como tem o coração mole".

Ele comia os restos do nosso jantar, e ele e o tio Willie discutiam os desenvolvimentos dos programas da igreja. Falavam sobre como o pastor atual cuidava de seu rebanho, quem tinha se casado, quem tinha morrido e quantas crianças tinham nascido desde a última visita dele.

Bailey e eu ficávamos como sombras nos fundos do Mercado, perto do tanque de óleo de lampião, esperando as partes escabrosas. Mas, quando eles estavam prontos para falar do mais recente escândalo, Momma nos mandava para o quarto com lembretes sobre saber o que esperar se não estivéssemos com as aulas da escola dominical perfeitamente decoradas.

Tínhamos um sistema que nunca falhava. Eu me sentava na grande cadeira de balanço junto ao fogão, e balançava de vez em quando e batia os pés. Mudava as vozes, agora baixa e infantil, depois mais grave do que a de Bailey. Enquanto isso, ele voltava para o Mercado. Muitas vezes, voltava correndo para se sentar na cama e segurar o livro aberto pouco antes de Momma entrar de repente.

"Crianças, estudem sua lição direito. Vocês sabem que todas as outras crianças se inspiram em vocês." Em seguida, quando ela voltava para o Mercado, Bailey ia logo atrás, se agachava nas sombras e ouvia a fofoca proibida.

Uma vez, ele ouviu que o sr. Coley Washington tinha uma garota de Lewisville na casa dele. Eu não achei isso tão ruim, mas Bailey explicou que o sr. Washington provavelmente estava "fazendo aquilo" com ela. Ele disse que apesar de "aquilo" ser ruim, praticamente todo mundo no mundo fazia com alguém, mas ninguém podia saber. E uma vez nós descobrimos sobre um homem que foi morto por brancos e jogado no lago. Bailey disse que as coisas do homem foram cortadas e colocadas no bolso e ele levou um tiro na cabeça, tudo porque os brancos disseram que ele "fez aquilo" com uma mulher branca.

Por causa dos tipos de notícias que nós pescávamos dessas conversas sussurradas, eu estava convencida de que sempre que o reverendo Thomas vinha e Momma nos mandava para a sala dos fundos, eles iam discutir sobre os brancos e sobre "fazer aquilo". Dois assuntos sobre os quais eu não sabia nada.

Nas manhãs de domingo, Momma servia um café da manhã que era preparado para nos deixar quietos das nove e meia às três da tarde. Ela fritava fatias grossas e rosadas de presunto curado em casa e jogava a gordura em cima de tomates vermelhos fatiados. Ovos com gema mole, batatas fritas e cebola, canjica amarela e perca frita tão crocante que nós colocávamos o peixinho na boca e mastigávamos ossos, nadadeiras e tudo. Os pãezinhos caseiros tinham pelo menos oito centímetros de diâmetro e cinco de espessura. O truque para comer esses pãezinhos era passar manteiga antes de esfriarem, e eles ficavam deliciosos. Quando por azar nós deixávamos esfriar, eles ficavam meio gosmentos, não muito diferentes de um pedaço de chiclete mastigado.

Nós podíamos reafirmar nossas descobertas sobre os pãezinhos a cada domingo que o reverendo Thomas passava conosco. Naturalmente, ele era requisitado a abençoar a mesa. Nós todos ficávamos de pé; meu tio encostava a bengala na parede e apoiava o peso na mesa. O reverendo Thomas então começava: "Abençoado Pai, nós agradecemos esta manhã..." e assim por diante. Eu parava de ouvir depois de um tempo, até Bailey me chutar e eu abrir de leve os olhos para espiar o que prometia ser uma refeição que daria orgulho a qualquer domingo. Mas, conforme o reverendo continuava falando com um deus que eu achava que devia estar entediado de ouvir as mesmas coisas sem parar, eu via que a gordura do presunto tinha ficado branca nos tomates. Os ovos tinham recuado da beirada do prato e se amontoavam no meio, como crianças esquecidas no frio. E os pãezinhos tinham encolhido com a determinação de uma mulher gorda sentada em uma poltrona. E ele continuava falando. Quando finalmente parava, nosso apetite tinha passado, mas ele se banqueteava com a comida fria com um gosto mudo e barulhento ao mesmo tempo.

Na Igreja Metodista Episcopal Cristã, a seção das crianças ficava à direita, na diagonal do banco onde ficavam as ameaçadoras mulheres chamadas Mães da Igreja. Na parte dos jovens, os bancos ficavam próximos uns dos outros, e quando as pernas de uma criança não cabiam mais confortavelmente no espaço apertado, era indicação para os adultos que essa pessoa podia ir para a área intermediária (centro da igreja). Bailey e eu só podíamos sentar com as outras crianças quando havia reuniões informais, encontros sociais da igreja ou eventos parecidos. Mas, nos domingos em que o reverendo Thomas pregava, era obrigatório que ocupássemos a primeira fila, chamada de banco dos lamentosos. Eu achava que ficávamos na frente porque Momma sentia orgulho de nós, mas Bailey me garantia que ela só queria ficar de olho nos netos.

O reverendo Thomas tirava seus textos do Deuteronômio. E eu ficava dividida entre odiar sua voz e querer ouvir o sermão. O Deuteronômio era meu livro favorito da Bíblia. As leis eram tão absolutas, tão claramente determinadas, que eu sabia que se uma pessoa quisesse verdadeiramente evitar o inferno e o fogo e ser eternamente torrada nas chamas do diabo, ela só precisava decorar o Deuteronômio e seguir seus ensinamentos, palavra por palavra. Também gostava da forma como a palavra rolava na língua.

Bailey e eu estávamos sentados sozinhos no banco da frente, as tábuas de madeira apertando nossos traseiros e a parte de trás da coxa. Eu queria me contorcer um pouco, mas, a cada vez que olhava para Momma, ela parecia ameaçar: "Se mexa e acabo com você". Então, obediente à ordem não enunciada, eu ficava parada. As mulheres da igreja estavam em aquecimento atrás de mim com alguns aleluias e louvado seja o Senhor e améns, e o pastor ainda não tinha chegado à essência do sermão.

Seria um culto animado.

No caminho da igreja, vi a irmã Monroe, a coroa de ouro vazada do dente cintilando quando ela abria a boca para retribuir um cumprimento. Ela morava no campo e não conseguia ir à igreja todos os domingos, então compensava suas ausências gritando tanto que sacudia a igreja inteira. Assim que ela se sentava, todas as ajudantes iam para perto dela na igreja, porque era preciso três mulheres e às vezes um homem ou dois para segurá-la.

Uma vez, quando não ia à igreja havia alguns meses (ela deixou de ir para ter um filho), ela incorporou o espírito e começou a gritar, balançando os braços e sacudindo o corpo. As ajudantes foram segurá-la, mas ela se soltou e correu até o púlpito. Parou na frente do altar, se balançando como uma truta recém-pescada. Gritou para o reverendo Taylor: "Pregue. Eu digo que pregue". Naturalmente, ele continuou pregando como se ela não estivesse parada ali dizendo para ele o que fazer. Em seguida, ela gritou um altíssimo "Eu digo que pregue" e subiu no altar. O reverendo continuou arremessando frases como bolas de beisebol, e a irmã Monroe fez um movimento rápido e tentou segurá-lo. Por um segundo, tudo e todo mundo na igreja, exceto o reverendo Taylor e a irmã Monroe, ficaram imóveis como meias em um varal. Então, ela segurou o pastor pela manga e pela cauda da casaca e o sacudiu de um lado para o outro.

Tenho que dizer uma coisa a favor do pastor, ele não parou de nos dar seu sermão. As ajudantes seguiram para o púlpito, subindo os dois corredores com um pouco mais de rapidez do que costuma ser visto na igreja. Para falar a verdade, elas praticamente correram para ajudar o pastor. E então, dois diáconos, em seus brilhantes ternos de domingo, se juntaram às mulheres de branco no púlpito. Cada vez que eles soltavam a irmã Monroe do pastor, ele respirava fundo e continuava pregando, e a irmã Monroe o segurava em outro lugar, e com mais firmeza. O reverendo Taylor estava ajudando seus salvadores o máximo possível, pulando sempre que tinha oportunidade. Sua voz em determinado momento ficou tão grave que parecia um trovão, e então o "Pregue" da irmã Monroe cortou o som, e nós todos nos perguntamos (eu, pelo menos) se alguma hora acabaria. Eles continuariam assim para sempre ou finalmente se cansariam como um jogo de cabra-cega que durava tempo demais, sem ninguém ligando para quem era a cabra?

Eu nunca vou saber o que poderia ter acontecido, porque magicamente o pandemônio passou. O espírito contaminou o diácono Jackson e a irmã Wilson, a presidente das ajudantes, ao mesmo tempo. O diácono Jackson, um homem alto, magro e silencioso que também era professor da escola dominical, deu um grito como uma árvore caindo, curvou o corpo para trás e deu um soco no braço do reverendo Taylor. Deve ter doído tanto quanto deve ter surpreendido o reverendo. Houve uma breve interrupção nos sons, e o reverendo se virou com surpresa, puxou o braço e deu um soco no diácono Jackson. No mesmo segundo, a irmã Wilson segurou a gravata dele, enrolou no pulso algumas vezes e o puxou. Não houve tempo para rir nem chorar antes que os três caíssem no chão atrás do altar. As pernas deles se levantaram como gravetos.

A irmã Monroe, que foi a causa dessa agitação toda, desceu da plataforma andando, tranquila e cansada, e ergueu a voz rígida no ritmo do hino: "Eu vim até Jesus, pois estava preocupada, cansada e triste, eu O encontrei em um lugar de descanso e Ele me fez feliz".

O pastor tirou vantagem de já estar no chão e perguntou, em uma vozinha engasgada, se a igreja se ajoelharia com ele para oferecer uma oração de graças. Ele disse que tínhamos sido visitados por um espírito poderoso e convidou a igreja toda a dizer amém.

No domingo seguinte, ele tirou o texto do décimo oitavo capítulo do Evangelho segundo São Lucas e falou com voz baixa e séria sobre os fariseus, que oravam nas ruas para que o público ficasse impressionado com sua devoção religiosa. Duvido que qualquer um tivesse captado a mensagem — certamente não aqueles a quem era dirigida. O comitê de diáconos, no entanto, angariou fundos para comprar um terno novo para ele. O outro tinha ficado destruído.

Nosso representante tinha ouvido a história do reverendo Taylor e da irmã Monroe, mas eu tinha certeza de que ele não a conhecia pessoalmente. Então, meu interesse no potencial da missa e minha aversão ao reverendo Thomas me fizeram me desligar de sua figura. Afastar ou me desligar das pessoas era minha arte mais desenvolvida. O costume de deixar crianças obedientes serem vistas, mas não ouvidas, era tão agradável para mim que eu ia um passo mais longe. Crianças obedientes não deviam ver nem ouvir se preferissem assim. Coloquei uma expressão de atenção no rosto e me liguei nos sons da igreja.

O pavio da irmã Monroe já estava aceso, e ela chiava em algum lugar à direita atrás de mim. O reverendo Thomas pulou para o sermão, acho que determinado a dar aos frequentadores o que eles tinham ido ver. Eu vi as ajudantes do lado esquerdo da igreja perto das grandes janelas começarem a se mover discretamente, como carregadores de caixão, na direção do banco da irmã Monroe. Bailey balançou meu joelho. Quando o incidente com a irmã Monroe, que nós só chamávamos de "o incidente", aconteceu, nós ficamos atônitos demais para rir. Mas, durante semanas depois, bastava um "Pregue" sussurrado para nós termos ataques violentos de risadas. Ele empurrou meu joelho, cobriu a boca e sussurrou: "Eu digo que pregue".

Eu olhei para Momma por cima do quadrado de tábuas manchadas, por cima da mesa do ofertório, torcendo para que um olhar dela fosse me manter com segurança na sanidade. Mas, pela primeira vez na minha memória, Momma estava olhando para trás de mim, para a irmã Monroe. Eu achava que ela estava contando em dar um basta naquela senhora emotiva com um ou dois olhares severos. Mas a voz da irmã Monroe já tinha chegado ao ponto de perigo.

"Pregue!"

Houve algumas risadas sufocadas da seção das crianças, e Bailey me cutucou de novo. "Eu digo que pregue", em um sussurro. A irmã Monroe o ecoou em voz alta: "Eu digo que pregue!"

Dois diáconos se posicionaram ao lado do irmão Jackson como medida preventiva e dois homens grandes com expressão determinada seguiram pelo corredor na direção da irmã Monroe.

Enquanto os sons na igreja iam aumentando, o reverendo Thomas cometeu o lamentável erro de aumentar o volume da voz também. De repente, como uma chuva de verão, a irmã Monroe saiu do meio das pessoas que tentavam segurá-la e correu para o púlpito. Ela não parou desta vez, mas seguiu direto para o altar, na direção do reverendo Thomas, gritando: "Eu digo que pregue".

Bailey disse em voz alta "Olha só" e "Caramba" e "Ela vai bater na bunda dele".

Mas o reverendo Thomas não pretendia esperar que isso acontecesse. Então, quando a irmã Monroe se aproximou do púlpito pela direita, ele começou a descer pela esquerda. Ele não se deixou intimidar por essa mudança de local. Continuou pregando e se movendo. Finalmente parou bem na frente da mesa do ofertório, o que o colocou quase no nosso colo, e a irmã Monroe contornou o altar atrás dele, seguida pelos diáconos, pelas ajudantes e por alguns frequentadores e algumas das crianças maiores.

Na hora que o reverendo abriu a boca, a língua rosada se balançando, e disse "Grande Deus do Monte Nebo", a irmã Monroe bateu na nuca dele com a bolsa. Duas vezes. Antes que ele pudesse juntar os lábios, seus dentes caíram, não, na verdade seus dentes pularam da boca.

A parte de cima e a de baixo do sorriso caíram do lado do meu sapato direito, parecendo vazias e ao mesmo tempo parecendo conter todo o vazio do mundo. Eu poderia ter esticado o pé e as chutado para debaixo do banco ou para trás da mesa.

A irmã Monroe estava lutando com o paletó dele, e os homens praticamente a pegaram no colo para tirá-la da igreja. Bailey me beliscou e disse, sem mover os lábios: "Queria ver ele comer o jantar agora".

Olhei para o reverendo Thomas com desespero. Se ele parecesse só um pouco triste ou constrangido, eu poderia sentir pena dele e não conseguiria rir. Minha solidariedade por ele me impediria de dar risada.

Eu tinha medo de rir na igreja. Se eu perdesse o controle, duas coisas aconteceriam com certeza. Eu faria xixi e certamente levaria uma surra. E dessa vez eu provavelmente morreria, porque tudo estava engraçado: a irmã Monroe e Momma tentando fazê-la ficar quieta com aqueles olhares ameaçadores, e Bailey sussurrando "Pregue", e o reverendo Thomas com os lábios moles como elástico velho.

Mas o reverendo se soltou da mão fraca da irmã Monroe, pegou um lenço branco extragrande e o abriu em cima dos dentinhos horríveis. Enquanto os colocava no bolso, ele disse: "Nu eu vim ao mundo, e nu irei embora".

A gargalhada de Bailey tinha subido pelo corpo e estava escapando pelo nariz em roncos curtos e roucos. Não tentei mais segurar a gargalhada, só abri a boca e libertei o som. Ouvi a primeira risadinha pular no ar acima da minha cabeça, passar pelo púlpito e sair pela janela. Momma disse em voz alta "Irmã!", mas o banco estava encerado e eu escorreguei para o chão. Havia mais gargalhadas em mim tentando sair. Eu não sabia que havia tantas no mundo. Pressionava todas as minhas aberturas corporais, forçando tudo que havia no caminho. Eu chorei e berrei, soltei gases e urina. Não vi Bailey cair no chão, mas rolei uma vez, e ele também estava chutando e gritando. Cada vez que nos olhávamos, berrávamos mais alto do que antes, e apesar de ele ter tentado dizer alguma coisa, as gargalhadas o atacaram, e ele só conseguiu dizer: "Eu digo que pregue". Em seguida, rolei até a bengala com ponta de borracha do tio Willie. Meus olhos seguiram a bengala até sua mão marrom na curva e subindo a manga bem comprida até o rosto dele. Um lado estava puxado para baixo como sempre ficava quando ele chorava (também se puxava para baixo quando ria). Ele gaguejou: "Eu mesmo vou bater em vocês dessa vez".

Não tenho lembrança de como saímos da igreja e entramos na casa do pastor ao lado, mas, naquela sala cheia de móveis, Bailey e eu recebemos a surra das nossas vidas. Tio Willie nos mandava parar de chorar entre açoites. Eu tentei, mas Bailey se recusou a cooperar. Mais tarde, ele explicou que quando uma pessoa está batendo em você, você deve gritar o mais alto possível. Isso faz a pessoa dando a surra ficar constrangida, ou quem sabe uma alma solidária pode aparecer para salvar você. Nossa salvação não veio de nenhum desses dois casos, e sim porque Bailey gritou tão alto que perturbou o que restava da missa, e a esposa do pastor veio pedir para que o tio Willie nos calasse.

Gargalhadas viram histeria com facilidade em crianças criativas. Durante semanas depois, tive a sensação de que fui muito, muito errada, e até recuperar completamente a força, fiquei na beirada do penhasco da gargalhada, e qualquer coisa engraçada poderia me jogar na morte abaixo.

Cada vez que Bailey dizia "Pregue" para mim, eu batia nele com o máximo de força que conseguia e chorava.

7

Momma se casou três vezes: com o sr. Johnson, meu avô, que a deixou na virada do século com dois filhos pequenos para criar; com o sr. Henderson, de quem não sei nada (Momma nunca respondeu às perguntas feitas diretamente a ela sobre qualquer coisa que não fosse religião); e finalmente com o sr. Murphy. Eu o vi rapidamente uma vez. Ele foi a Stamps em uma noite de sábado, e vovó me deu a tarefa de fazer a cama dele no chão. Ele era um homem escuro e corpulento que usava um chapéu de aba dura como George Raft. Na manhã seguinte, ele ficou no Mercado até voltarmos da igreja. Isso marcou o primeiro domingo em que eu soube que o tio Willie faltou à igreja. Bailey disse que ele tinha ficado em casa para impedir que o sr. Murphy nos roubasse. Ele saiu no meio da tarde depois de um dos longos banquetes de domingo de Momma. Com o chapéu empurrado para trás na testa, saiu assoviando pela rua. Observei as costas largas até ele virar a curva junto à grande igreja branca.

As pessoas falavam de Momma como uma mulher de boa aparência, e algumas, que se lembravam dela na juventude, diziam que era muito bonita. Eu só via seu poder e sua força. Ela era mais alta do que qualquer mulher do meu mundo pessoal, e suas mãos eram tão grandes que podiam fazer um arco sobre a minha cabeça que ia de uma orelha à outra. A voz era suave só porque ela preferia que fosse assim. Na igreja, quando era chamada para cantar, ela parecia soltar as mandíbulas, e o som alto e quase rouco se espalhava pelos ouvintes e latejava no ar.

A cada domingo, depois de ela se sentar, o pastor anunciava: "Agora a irmã Henderson vai nos guiar em um hino". E, a cada domingo, ela olhava com expressão surpresa para o pastor e perguntava, silenciosamente: "Eu?". Depois de um segundo garantindo a si mesma que realmente estava sendo chamada, ela colocava a bolsa no banco e dobrava o lenço lentamente, que era colocado em cima da bolsa. E se inclinava na direção do banco da frente e se botava de pé, depois abria a boca e a música pulava, como se estivesse esperando a hora certa para fazer a aparição. Semana após semana e ano após ano, a performance nunca mudava, mas não me lembro de ninguém comentando sobre a sinceridade dela e nem sobre a prontidão para cantar.

Momma pretendia ensinar a Bailey e a mim a usar os caminhos da vida que ela e a geração dela e todos os Negros anteriores encontraram e achavam seguros. Ela não gostava da ideia de que se podia falar com os brancos sem botar a vida em risco. E sem dúvida não se podia falar com eles com insolência. Na verdade, mesmo na ausência deles, não se podia falar sobre eles com rispidez, a não ser que usássemos o pronome "eles". Se lhe perguntassem e ela decidisse responder se era covarde ou não, ela diria que era realista. Ela não "os" enfrentava ano após ano? Ela não era a única mulher Negra em Stamps já chamada de senhora?

Esse incidente se tornou uma das pequenas lendas de Stamps. Alguns anos antes de Bailey e eu chegarmos à cidade, um homem foi caçado por agredir uma mulher branca. Ao tentar fugir, ele correu para o Mercado. Momma e tio Willie o esconderam atrás do armário até a noite, deram suprimentos para uma longa viagem e o mandaram embora. Mas ele foi apreendido, e no tribunal, quando foi interrogado sobre seus movimentos no dia do crime, respondeu que, depois que soube que estava sendo procurado, refugiou-se no Mercado da sra. Henderson.

O juiz pediu que a sra. Henderson fosse intimada, e quando Momma chegou e disse que era a sra. Henderson, o juiz, o meirinho e os outros brancos da plateia riram. O juiz realmente cometeu uma gafe ao chamar uma mulher Negra de senhora, mas ele era de Pine Bluff e não tinha como saber que uma mulher que era dona de um mercado naquele vilarejo também seria de cor. Os brancos riram do incidente durante muito tempo, e os Negros acharam que ele provava o valor e a majestade da minha avó.

8

Stamps, Arkansas, era Fim do Mundo, Geórgia; Enforquem Todos, Alabama; Não Esteja Aqui ao Pôr do Sol, Negro, Mississipi; ou qualquer outro nome tão descritivo quanto esses. As pessoas de Stamps diziam que os brancos da nossa cidade tinham tanto preconceito que um Negro não podia comprar sorvete de baunilha. Exceto no Quatro de Julho. Nos outros dias, nós tínhamos que nos satisfazer com chocolate.

Uma barreira leve tinha sido colocada entre a comunidade Negra e tudo branco, mas dava para ver através dela o bastante para desenvolver um medo-admiração-desprezo pelas "coisas" brancas: carros de brancos e casas brancas reluzentes e seus filhos e suas mulheres. Mas, acima de tudo, a riqueza que permitia que eles desperdiçassem o que era mais invejável. Eles tinham tantas roupas que podiam dar vestidos perfeitamente bons, gastos só embaixo dos braços, para a aula de costura na nossa escola, para as garotas maiores treinarem.

Embora sempre houvesse generosidade no bairro Negro, tudo era feito com a dor do sacrifício. Tudo que era dado por pessoas Negras para outros Negros era provavelmente tão necessário para o dono quanto para o beneficiário. Esse era um fato que tornava o dar e o receber uma troca rica.

Eu não conseguia entender os brancos e onde eles conseguiam o direito de gastar dinheiro com tanta extravagância. Claro que eu sabia que Deus também era branco, mas ninguém poderia me fazer acreditar que Ele tinha preconceito. Minha avó tinha mais dinheiro do que todos os lixentos da pobreza branca. Nós éramos donos de terras e casas, mas todos os dias Bailey e eu ouvíamos o aviso: "Quem guarda, tem".

Momma comprava dois rolos de tecido todos os anos, para roupas de inverno e de verão. Ela fazia meus vestidos da escola, os vestidos de baixo, as calçolas, os lenços, as camisas de Bailey, os shorts, seus próprios aventais, vestidos caseiros e saias dos rolos enviados para Stamps pela Sears and Roebuck. Tio Willie era a única pessoa na família que usava roupas compradas prontas o tempo todo. A cada dia, ele usava camisas brancas limpas e suspensórios floridos, e seus sapatos especiais custavam vinte dólares. Eu achava o tio Willie pecaminosamente vaidoso, principalmente porque eu tinha que passar sete camisas duras e engomadas sem deixar uma ruguinha sequer.

Durante o verão, nós ficávamos descalços, exceto no domingo, e aprendemos a refazer a sola dos sapatos quando eles "cediam", como Momma dizia. A Depressão também deve ter afetado a parte branca de Stamps com impacto de ciclone, mas penetrou na área Negra lentamente, como um ladrão apreensivo. O país estava mergulhado na Depressão havia dois anos quando os Negros de Stamps a conheceram. Acho que todo mundo pensava que a Depressão, como todo o resto das coisas, era para os brancos e não tinha nada a ver com eles. Nosso povo vivia da terra e contava com as temporadas de colheita de algodão, de usar a enxada e de tirar ervas daninhas para obter o dinheiro necessário para comprar sapatos, roupas, livros e equipamento de fazenda. Foi quando os donos de campos de algodão diminuíram o pagamento de dez centavos por meio quilo de algodão para oito, sete e finalmente cinco, que a comunidade Negra finalmente percebeu que ao menos a Depressão não discriminava.

Agências beneficentes davam comida para as famílias pobres, Negras e brancas. Galões de gordura, farinha, sal, ovos em pó e leite em pó. As pessoas pararam de tentar criar porcos porque era muito difícil conseguir uma mistura nutritiva o suficiente para alimentá-los, e ninguém tinha dinheiro para comprar pirão ou farinha de peixe.

Momma passou muitas noites tentando fazer conversões, lentamente. Ela estava tentando encontrar um jeito de manter o negócio funcionando, apesar de os clientes não terem dinheiro. Quando chegou às suas conclusões, ela disse: "Bailey, quero que você faça um cartaz bem claro. Bonito e caprichado. E, Irmã, você pode colorir com seus gizes de cera. Quero que diga:

1 LATA DE 2 KG DE LEITE EM PÓ VALE 50 CENTAVOS DE TROCA
1 LATA DE 2 KG DE OVO EM PÓ VALE 1 DÓLAR DE TROCA
10 LATAS Nº 2 DE CAVALINHA VALEM 1 DÓLAR DE TROCA".

E assim por diante. Momma manteve o Mercado funcionando. Nossos clientes nem precisavam levar os itens que recebiam para casa. Eles os pegavam no centro beneficente na cidade e deixavam no Mercado. Se não quisessem uma troca no momento, eles registravam em um dos livros grandes de capa cinza a quantidade de crédito correspondente. Nós éramos uma das poucas famílias Negras que não recebiam ajuda do governo, mas Bailey e eu éramos as únicas crianças da cidade em si que sabíamos quem comia ovos em pó todos os dias e bebia leite em pó.

As famílias dos nossos amiguinhos trocavam a comida que não queriam por açúcar, óleo de lampião, especiarias, carne enlatada, salsicha Viena, creme de amendoim, biscoitos salgados, sabonete e até sabão de lavar roupa. Nós sempre recebíamos comida suficiente, mas odiávamos o leite caroçudo e os ovos esponjosos, e às vezes parávamos na casa de uma das famílias mais pobres para comer creme de amendoim com biscoitos. Stamps demorou para sair da Depressão tanto quanto demorou para entrar. A Segunda Guerra Mundial já estava no meio quando houve uma mudança considerável na economia daquele povoado quase esquecido.

Um Natal, recebemos presentes da nossa mãe e do nosso pai, que moravam separadamente em um paraíso chamado Califórnia, onde nos diziam que eles podiam comer todas as laranjas que conseguissem. E o sol brilhava o tempo todo.

Eu tinha certeza de que não era verdade. Não conseguia acreditar que nossa mãe poderia rir e comer laranjas no sol sem os filhos. Até aquele Natal em que recebemos os presentes, eu estava confiante de que os dois estavam mortos. Eu podia chorar quando quisesse imaginando minha mãe (eu não sabia bem como ela era) deitada no caixão.

O cabelo dela, que era preto, estava espalhado em um travesseirinho branco, e o corpo coberto com um lençol branco. O rosto era marrom como um grande O, e, como eu não conseguia lembrar as feições, escrevia MÃE em cima da cara dela, e lágrimas escorriam pelas minhas bochechas como leite quente.

Aí chegou aquele Natal horrível com os presentes horríveis quando nosso pai, com a vaidade que eu descobriria que era típica, enviou a fotografia dele. O presente da minha mãe era um jogo de chá — um bule, quatro xícaras com pires e colherinhas — e uma boneca com olhos azuis e bochechas rosadas e cabelo amarelo pintado na cabeça. Eu não sabia o que Bailey tinha recebido, mas depois que abri minhas caixas, fui para o quintal atrás do cinamomo. O dia estava frio e o ar estava límpido como água. Ainda havia gelo no banco, mas eu me sentei e chorei. Levantei o rosto, e Bailey estava saindo da casinha, secando os olhos. Ele também chorou. Eu não sabia se ele também dizia para si mesmo que eles estavam mortos e tinha sido arrancado do devaneio para a realidade ou se ele só estava se sentindo solitário.

Os presentes abriram a porta para as perguntas que nenhum de nós queria fazer. Por que eles nos mandaram embora? O que nós fizemos de tão errado? Tão errado? Por que, aos três e quatro anos, colocaram etiquetas nos nossos braços para sermos enviados de trem sozinhos de Long Beach, Califórnia, para Stamps, Arkansas, só com um funcionário da ferrovia para cuidar de nós? (Que aliás, desceu no Arizona.)

Bailey se sentou ao meu lado, e naquela vez não me mandou não chorar. Então chorei, e ele fungou um pouco, mas ficamos sem falar até Momma nos chamar para dentro de casa.

Momma estava na frente da árvore que tínhamos decorado com fios prateados e bolas coloridas lindas e disse: "Vocês, crianças, são as coisas mais ingratas que eu já vi. Vocês acham que a mamãe e o papai tiveram o trabalho de mandar esses brinquedinhos lindos para fazer vocês irem para o frio chorar?".

Nenhum de nós disse nada. Momma continuou: "Irmã, eu sei que você tem coração mole, mas Bailey Junior, não há motivo para você sair miando como um gato só porque recebeu uma coisa de Vivian e Big Bailey". Como continuamos sem nos obrigar a responder, ela perguntou: "Vocês querem que eu diga para o Papai Noel levar essas coisas de volta?". Um sentimento horrível de estar sendo despedaçada tomou conta de mim. Eu queria gritar "Sim. Diz pra ele levar de volta". Mas não me mexi.

Mais tarde, Bailey e eu conversamos. Ele disse que se as coisas vieram mesmo da nossa mãe, talvez isso quisesse dizer que ela estava se preparando para vir nos buscar. Talvez só estivesse com raiva de alguma coisa que nós fizemos, mas estava nos perdoando e mandaria nos buscar em breve. Bailey e eu tiramos o enchimento da boneca no dia depois do Natal, mas ele me avisou que eu tinha que guardar o jogo de chá em boas condições porque a qualquer dia ou qualquer noite ela podia aparecer.

9

Um ano depois, nosso pai foi a Stamps sem avisar. Foi horrível para Bailey e para mim encontrar a realidade em uma abrupta manhã. Nós — eu, pelo menos —, tínhamos construído fantasias tão elaboradas sobre ele e nossa mãe ilusória que o ver em carne e osso destruiu minhas invenções como um puxão em uma corrente de papel. Ele chegou ao Mercado em um carro cinza limpo (ele devia ter parado fora da cidade para limpá-lo em preparação à "grande entrada"). Bailey, que sabia dessas coisas, disse que era um De Soto. O tamanho dele me chocou. Os ombros eram tão largos que achei que ele teria dificuldade de passar pela porta. Ele era mais alto do que qualquer pessoa que eu já tivesse visto, e se não era gordo, que eu sabia que não era, então era meio gordinho. As roupas eram pequenas demais também. Eram mais apertadas e mais grossas do que o costumeiro em Stamps. E ele era incrivelmente lindo. Momma gritou: "Bailey, meu bebê. Meu bom Deus, Bailey". E tio Willie gaguejou: "Bã-Bã-Bailey." Meu irmão disse: "Macacos me mordam. É ele. É nosso papai". E meu mundo de sete anos despencou, e nunca voltaria para o lugar.

A voz dele soou como uma concha de metal batendo em um balde, e ele falava inglês. Inglês direito, como o diretor da escola, e até melhor. Nosso pai pronunciava as palavras com tanto gosto quanto dava os sorrisos de boca torta. Os lábios se viravam não para baixo, como os do tio Willie, mas para o lado, e a cabeça ficava para um lado ou para o outro, mas nunca reta sobre o pescoço. Ele tinha o ar de um homem que não acreditava no que ouvia e nem no que ele mesmo estava dizendo. Foi o primeiro cínico que conheci. "Então, esse é o homenzinho do papai? Garoto, alguém já disse que você se parece comigo?". Ele estava com Bailey em um braço e eu no outro. "E a garotinha do papai. Vocês têm sido bonzinhos, não? Ou acho que o Papai Noel teria me contado." Senti tanto orgulho dele que foi difícil esperar que a fofoca de que ele estava na cidade se espalhasse. As crianças não ficariam surpresas com o quanto nosso papai era lindo? E que ele nos amava o bastante para ir até Stamps nos visitar? Todo mundo conseguia ver pelo jeito como ele falava e pelo carro e pelas roupas que ele era rico e talvez tivesse um castelo na Califórnia. (Mais tarde eu soube que ele era porteiro no luxuoso Breakers Hotel em Santa Monica.) Mas, de repente, a possibilidade de ser comparada com ele me ocorreu, e eu não queria que ninguém o visse. Talvez ele não fosse meu verdadeiro pai. Bailey era filho dele, isso era verdade, mas eu era uma órfã que eles pegaram para dar companhia a Bailey.

Eu sempre tinha medo quando o pegava me olhando, e queria poder ficar pequenininha como o Pequeno Polegar. Sentada à mesa um dia, eu segurei o garfo com a mão esquerda e espetei um pedaço de frango frito. Coloquei a faca na segunda abertura, como nos ensinaram, e comecei a cortar junto ao osso. Meu pai soltou uma gargalhada profunda, e olhei para ele. Ele me imitou, os dois cotovelos subindo e descendo. "O bebê do papai vai sair voando?" Momma riu, e tio Willie também, e até Bailey deu uma risadinha. Nosso pai sentia orgulho de seu senso de humor.

Durante três semanas, o Mercado ficou cheio de gente que tinha estudado com ele ou ouvido falar dele. Os curiosos e invejosos se aproximavam, e ele se exibia, lançando um monte de palavras rebuscadas para todo lado e debaixo dos olhos tristes do tio Willie. Um dia, ele disse que tinha que voltar para a Califórnia. Fiquei aliviada. Meu mundo ficaria mais vazio e mais seco, mas a agonia de tê-lo invadindo cada segundo particular acabaria. E a ameaça silenciosa que pairara no ar desde sua chegada, a ameaça de ele ir embora um dia, acabaria. Eu não teria que me questionar se o amava ou não, nem teria que responder se "O bebê do papai quer ir para a Califórnia com o papai?". Bailey tinha dito para ele que queria ir, mas eu fiquei quieta. Momma também ficou aliviada, embora tivesse se divertido cozinhando coisas especiais para ele e exibindo o filho californiano para os camponeses do Arkansas. Mas tio Willie estava sofrendo sob a bombástica pressão do nosso pai e, no estilo mamãe passarinho, Momma estava mais preocupada com o filhote aleijado do que com o que podia voar para longe do ninho.

Ele ia nos levar junto! Essa informação zumbiu nos meus dias e me fez pular inesperadamente como uma pipoca na panela. Todo dia eu encontrava tempo para andar até o lago onde as pessoas iam pegar perca-sol e robalo riscado. As horas que eu escolhia para ir lá eram cedo demais ou tarde demais para pescadores, de forma que o local ficava só para mim. Eu sentava na margem da água verde-escura e meus pensamentos deslizavam como aranhas de água. Agora por aqui, agora por ali, agora pelo outro lado. Eu devia ir com meu pai? Devia me jogar no lago e, sem poder nadar, me juntar ao corpo de L.C., o garoto que se afogou no verão anterior? Devia implorar para Momma me deixar ficar com ela? Podia dizer para ela que assumiria as tarefas de Bailey e faria as minhas também. Teria coragem de tentar a vida sem Bailey? Eu não conseguia decidir nada, então recitava alguns versos da Bíblia e ia para casa.

Momma cortou algumas roupas trocadas com ela por empregadas de mulheres brancas e ficava até tarde na sala de jantar costurando suéteres e saias para mim. Ela parecia triste, mas cada vez que eu a via me olhando, ela dizia, como se eu já tivesse desobedecido: "Seja uma boa menina agora. Está ouvindo? Não faça as pessoas acharem que não criei você direito. Está ouvindo?". Ela ficaria mais surpresa do que eu se tivesse me tomado nos braços e chorado por me perder. Seu mundo era cercado por todos os lados de trabalho, deveres, religião e a "casa dela". Acho que ela nunca soube que um amor profundo e reflexivo acompanhava tudo em que tocava. Em anos posteriores, eu perguntava se ela me amava e ela me dispensava dizendo: "Deus é amor. Só se preocupe se está sendo uma boa menina e Ele vai amar você".

Sentei no banco de trás do carro, com as malas de couro do papai e nossas caixas de papelão. Apesar de as janelas estarem abertas, o cheiro de frango frito e torta de batata-doce parecia preso ali dentro, e não havia espaço para eu me esticar. Sempre que pensava no assunto, papai perguntava: "Está confortável aí atrás, bebê do papai?". Ele nunca esperava para ouvir minha resposta, que era "Sim, senhor", para retomar sua conversa com Bailey. Ele e Bailey contaram piadas, e Bailey ria o tempo todo, apagava os cigarros do papai e colocava a mão no volante quando o papai dizia "Vamos, garoto, me ajude a dirigir essa coisa".

Depois que me cansei de passar pelas mesmas cidades uma atrás da outra, de ver as mesmas casas com aparência de vazias, pequenas e hostis, me fechei para tudo, exceto os sons de beijos dos pneus no asfalto e o gemido regular do motor. Eu estava muito contrariada com Bailey. Não havia dúvida de que ele estava tentando amolecer o papai; ele até começou a rir como ele, um Papai Noel Jr. com seu "Ho, ho, ho".

"Como vai ser ver a sua mãe? Você vai ficar feliz?", ele estava perguntando a Bailey, mas as palavras penetraram no isolamento em que eu tinha embrulhado meus sentidos. Nós íamos vê-la? Achava que íamos para a Califórnia. De repente, fiquei apavorada. E se ela risse de nós como ele riu? E se tivesse outros filhos agora, que estavam com ela? "Quero voltar para Stamps", eu disse. Papai riu. "Você quer dizer que o bebê do Papai não quer ir para St. Louis ver a própria mãe? Ela não vai comer você, sabia?"

Ele se virou para Bailey, e olhei para a lateral do rosto dele; ele era tão irreal para mim que parecia que eu estava vendo uma boneca falar.

"Bailey Junior, pergunte à sua irmã por que ela quer voltar a Stamps", ele falou, mais como um homem branco do que como um Negro. Talvez fosse o único homem branco de pele marrom do mundo. Seria típico da minha sorte que o único fosse meu pai. Mas Bailey ficou quieto pela primeira vez desde que saímos de Stamps. Acho que também estava pensando em como seria ver nossa Mãe. Como uma criança de oito anos podia conter tanto medo? Ele engole e segura o medo atrás das amídalas, aperta os pés e fecha o medo entre os dedos dos pés, contrai as nádegas e o empurra para trás da glândula da próstata.

"Junior, o gato comeu sua língua? O que você acha que sua mãe vai dizer quando eu contar que os filhos não queriam vê-la?" O pensamento de que ele *ia* contar para ela atingiu a mim e a Bailey ao mesmo tempo. Ele se inclinou por cima do encosto do banco: "My, é a Mamãe Querida. Você sabe que quer ver a Mamãe Querida. Não chore". Papai riu e se virou no banco e perguntou para si mesmo, eu acho: "O que ela vai dizer ao ouvir isso?".

Parei de chorar, pois não havia chance de voltar para Stamps e para Momma. Bailey não ia me apoiar, deu para perceber, então decidi calar a boca e parar de chorar e esperar para ver o que o encontro com a Mamãe Querida traria.

Em St. Louis fazia um tipo novo de calor, e a cidade era suja de um jeito novo. Minha lembrança não tinha imagens dos prédios espremidos e sujos de fuligem. Até onde eu sabia, nós estávamos sendo levados para o Inferno, e nosso pai era o entregador do diabo.

Só em emergências rigorosas Bailey me permitia falar a língua do pê com ele na frente de adultos, mas eu tinha que correr o risco naquela tarde. Estava certa de que nós tínhamos dobrado na mesma esquina umas cinquenta vezes. Perguntei a Bailey: "Vopocepê apachapa quepe epelepe épé nopossopo paipai oupou apachapa quepe nóspós espestapamospos senpendopo sepequespestrapradospos?". Bailey disse: "My, estamos em St. Louis e vamos ver Mamãe Querida. Não se preocupe". Papai riu e disse: "Porpo quepê eupeu ipiapa quepererper sepequespestrarpar vopocepês? Vopocepê apachapa quepe vopocespês sãopão cripianpançaspas dapa fapamípiliapa Lindpindbergperg?". Eu achava que meu irmão e os amigos dele tinham criado a língua do pê. Ouvir meu pai falá-la não me surpreendeu tanto, mas me irritou. Era apenas mais um caso das artimanhas dos adultos no que dizia respeito a crianças. Mais um caso da Traição dos Adultos.

Descrever minha mãe seria escrever sobre um furacão em seu poder perfeito. Ou as cores subindo e descendo pelo arco-íris. Nós tínhamos sido recebidos pela mãe dela e esperamos na beirada da cadeira na sala lotada de móveis (papai falava naturalmente com nossa avó, como os brancos falam com os Negros, sem constrangimento e sem remorso). Nós dois estávamos com medo da chegada da nossa mãe e impacientes com sua demora. É incrível quanta verdade existe nas duas expressões: "ficar mudo" e "amor à primeira vista". A beleza da minha mãe me massacrou. Os lábios vermelhos (Momma dizia que era pecado usar batom) se abriram e exibiram dentes brancos retos, e sua cor de manteiga fresca parecia transparente de tão limpa. Seu sorriso arreganhou a boca para além das bochechas, para além das orelhas e, aparentemente, pelas paredes até a rua lá fora. Fiquei muda. Soube imediatamente por que ela me mandou para longe. Ela era linda demais para ter filhos. Eu nunca tinha visto uma mulher tão linda quanto a que se chamava "Mãe". Bailey, por sua vez, se apaixonou instantaneamente e para sempre. Vi seus olhos brilhando como os dela; ele tinha esquecido a solidão e as noites em que choramos juntos porque éramos "crianças indesejadas". Ele nunca tinha saído do colo quente dela ou compartilhado o vento gelado da solidão comigo. Ela era a Mamãe Querida dele, e eu me resignei à sua condição. Eles eram mais parecidos do que ela e eu, ou mesmo ele e eu. Os dois tinham beleza física e personalidade, então concluí que fazia sentido.

Nosso pai foi embora de St. Louis para a Califórnia alguns dias depois, e eu não fiquei nem feliz nem triste. Ele era como um estranho para nós, e se decidia nos deixar com uma estranha, não havia problema.

10

Vovó Baxter era um quarto Negra, ou um oitavo Negra, ou, de certa maneira, era quase branca. Havia sido criada por uma família alemã em Cairo, Illinois, e tinha ido para St. Louis na virada do século para estudar enfermagem. Enquanto trabalhava no Homer G. Phillips Hospital, ela conheceu e se casou com o vovô Baxter. Ela era branca (não tinha nenhuma feição que pudesse ser remotamente chamada de Negroide) e ele era Negro. Enquanto ela falava com um gutural sotaque alemão até a morte, ele tinha o discurso picotado e apressado das Índias Ocidentais.

O casamento deles foi feliz. Vovô tinha uma frase famosa que dava grande orgulho à família: "Ora, Jesus, vivo para minha esposa, meus filhos e meu cachorro". Ele tomava um grande cuidado de provar que essa declaração era verdade ao acreditar na palavra de sua família mesmo perante evidências do contrário.

A seção Negra de St. Louis em meados dos anos 1930 tinha toda a finesse de uma cidade da corrida do ouro. Lei Seca, jogatina e as vocações relacionadas eram praticadas de forma tão óbvia que eu tinha dificuldade de acreditar que eram contra a lei. Bailey e eu, como recém-chegados, logo fomos informados por nossos colegas de escola quem eram os homens nas esquinas das ruas quando passávamos. Eu tinha certeza de que eles tinham tirado os nomes dos livros de Velho Oeste (Jimmy Duro de Bater, Duas Armas, Homem Doce, Pete Pôquer), e para provar que eu estava certa, eles ficavam na frente dos bares como caubóis sem cavalo.

Nós víamos os anotadores de apostas, os apostadores, os homens da loteria e os vendedores de uísque não só nas ruas agitadas, mas também na nossa sala arrumada. Eles costumavam estar lá quando voltávamos da escola, sentados com chapéus nas mãos, como fizemos quando chegamos à cidade grande. Esperavam silenciosamente a vovó Baxter.

A pele branca e o pince-nez que ela tirava dramaticamente do nariz e deixava pendurado em uma corrente presa ao vestido eram fatores que davam a ela uma boa quantidade de respeito. Mais ainda, a reputação dos seis filhos cruéis e o fato de que ela era representante de partido político davam-lhe poder e também a base para lidar sem medo com o criminoso mais vil. Ela era influente na delegacia de polícia, e os homens que vestiam ternos elegantes e tinham cicatrizes novas se sentavam com decoro de igreja e esperavam para pedir favores a ela. Se a vovó afastasse a polícia dos salões de jogos deles ou interferisse a favor de reduzir a fiança de um amigo aguardando na prisão, eles sabiam o que seria esperado deles. Quando chegava a eleição, eles tinham que arrumar os votos dos bairros deles. Ela costumava lhes conseguir indulgência, e eles sempre conseguiam os votos.

St. Louis também me apresentou o presunto fatiado fino (achei uma iguaria), jujubas misturadas com amendoins, alface no pão de sanduíche, vitrolas e lealdade familiar. No Arkansas, onde curávamos a própria carne, comíamos fatias de um centímetro de presunto no café da manhã, mas em St. Louis comprávamos as fatias finas como papel em uma loja alemã de cheiro estranho e comíamos em sanduíches. Se a vovó nunca perdeu o sotaque alemão, ela também nunca perdeu o gosto pelo *Brot* alemão preto e grosso, que comprávamos sem fatiar.

Em Stamps, alface era usada só para fazer a base para a salada de batata ou de repolho, e amendoins eram trazidos crus do campo e torrados no fundo do forno nas noites frias. Os aromas intensos enchiam a casa, e sempre esperavam que comêssemos demais. Mas esse era um costume de Stamps. Em St. Louis, amendoins eram comprados em sacos de papel e misturados com jujubas, o que queria dizer que comíamos sal e açúcar juntos e achávamos uma delícia. A melhor coisa que a cidade grande tinha a oferecer.

Quando nos matriculamos na Toussaint L'Ouverture Grammar School, ficamos impressionados com a ignorância dos nossos colegas e a grosseria dos nossos professores. Só o tamanho da construção nos impressionou; nem a escola branca de Stamps era tão grande.

Mas os alunos estavam chocantemente atrasados. Bailey e eu fazíamos aritmética em nível avançado por causa do nosso trabalho no Mercado, e líamos bem porque em Stamps não havia mais nada a fazer. Nós fomos adiantados um ano porque nossos professores acharam que nós, crianças do interior, faríamos nossos colegas se sentirem inferiores — e fazíamos mesmo.

Bailey não deixava de comentar sobre a falta de conhecimento dos nossos colegas. No almoço, no parquinho grande de concreto cinza, ele ficava no meio de um grupo de garotos grandes e perguntava: "Quem foi Napoleão Bonaparte?". "Quantos pés formam uma milha?". Era um combate no estilo Bailey.

Qualquer um dos garotos poderia ter dado uma surra nele só com os punhos, mas, se fizessem isso, teriam que fazer de novo no dia seguinte, e Bailey nunca teve reputação de lutar de forma justa. Ele me ensinou que se eu entrasse em uma briga, devia "apertar as bolas na mesma hora". Ele nunca respondeu quando eu perguntei: "E se eu estiver brigando com uma garota?".

Nós estudamos um ano inteiro lá, mas a única coisa de que me lembro que nunca tinha ouvido antes foi "Fazer milhares de Os em forma de ovo vai melhorar a caligrafia".

Os professores eram mais formais do que os que conhecemos em Stamps, e, apesar de não baterem com varas nos alunos, davam batidinhas nas palmas das mãos com réguas.

Em Stamps, os professores eram bem mais simpáticos, mas isso era porque foram importados das faculdades de Negros do Arkansas, e como nós não tínhamos hotéis e nem pensões na cidade, eles tinham que morar com famílias. Se uma professora arrumasse companhia ou não recebesse carta nenhuma ou chorasse sozinha no quarto à noite, até o fim da semana até as crianças discutiam a moralidade dela, a solidão e os outros fracassos em geral. Seria quase impossível manter uma formalidade com a falta de privacidade de uma cidade pequena.

Os professores de St. Louis, por outro lado, costumavam agir com muita pretensão, e falavam com superioridade aos alunos do alto de seus pedestais da educação e enunciação dos brancos. Eles, tanto mulheres quanto homens, pareciam meu pai com seu vocabulário rebuscado. Andavam de pernas fechadas e falavam com lábios apertados, como se tivessem tanto medo de deixar o som sair quanto tinham de inspirar o ar sujo que o ouvinte expirava.

Andamos até a escola contornando muros de tijolos e respiramos pó de carvão por um inverno desanimador. Aprendemos a dizer "Sim" e "Não" em vez de "Sim, senhora" e "Não, senhora".

De vez em quando, nossa mãe, que raramente víamos em casa, nos deixava encontrá-la no Louie's. Era uma taverna longa e escura no final da ponte perto da escola, e pertencia a dois irmãos sírios.

Nós entrávamos pela porta dos fundos, e a serragem, a cerveja velha, o vapor e a carne cozida me faziam sentir que tinha comido naftalina. Mamãe tinha cortado meu cabelo curto como o dela e também o alisou, então minha cabeça parecia exposta e minha nuca tão pelada que eu tinha vergonha se alguém andasse atrás de mim. Naturalmente, isso me fazia virar para trás rapidamente a toda hora, como se eu esperasse que alguma coisa acontecesse.

No Louie's, éramos recebidos pelos amigos da mamãe como "os bebês queridos da Bibbie" e ganhávamos refrigerantes e camarões cozidos. Enquanto ficávamos sentados nas cabines duras de madeira, mamãe dançava na nossa frente com a música da Seeburg. Eu a amava mais nessas horas. Ela parecia uma pipa linda que flutuava acima da minha cabeça. Se quisesse, eu podia fazer tudo parar dizendo que tinha que ir ao banheiro ou começando uma briga com Bailey. Nunca fiz nenhuma das duas coisas, mas o poder me fazia gostar dela.

Os irmãos sírios competiam por sua atenção quando ela cantava os blues que Bailey e eu quase entendíamos. Eles a observavam mesmo quando estavam conversando com outros clientes, e eu sabia que também estavam hipnotizados por aquela linda mulher que falava com o corpo todo e estalava os dedos mais alto do que qualquer pessoa do mundo. Nós aprendemos o *time step* no Louie's. Foi desse passo básico que a maioria das danças Negras americanas nasceu. É uma série de batidas, pulos e paradas, e exige atenção cuidadosa, sentimento e coordenação. Nós éramos levados para a frente dos amigos da mamãe no ar pesado do bar para mostrar nossa habilidade. Bailey aprendeu com facilidade e quase sempre dançava melhor. Mas eu também aprendi. Eu me dediquei ao *time step* com o mesmo objetivo de sucesso que me dediquei à tabuada. Não havia tio Willie nem forno a lenha chiando, mas havia a mamãe e os amigos risonhos, e no fim era a mesma coisa. Nós éramos aplaudidos e ganhávamos mais refrigerantes e mais camarões, mas só anos depois encontrei a alegria e a liberdade de dançar bem.

Os irmãos da mamãe, tios Tutti, Tom e Ira, eram jovens conhecidos em St. Louis. Todos tinham empregos na cidade, que agora entendo que não era coisa pequena para homens Negros. Os empregos e a família os destacavam, mas eles eram mais conhecidos pela maldade implacável.

Vovô tinha dito para eles: "Ora, Jesus, se vocês forem para a cadeia por roubo ou alguma tolice dessas, vou deixar que apodreçam. Mas se forem presos por brigar, vou vender a casa, cachorro, gato e papagaio para tirar vocês de lá!". Com esse tipo de encorajamento, junto com os temperamentos explosivos, não era surpresa eles terem se tornado personalidades temidas. Nosso tio mais novo, Billy, não era velho o suficiente para participar das aventuras deles. Uma das peripécias mais espalhafatosas virou uma lenda familiar motivo de orgulho.

Pat Patterson, um homem grande que era protegido pelo escudo de uma reputação ruim, cometeu o erro de xingar minha mãe uma noite, quando ela estava na rua sozinha. Ela relatou o incidente para os irmãos. Eles mandaram que um dos seus bajuladores revirasse as ruas atrás de Patterson e, quando ele fosse localizado, que telefonasse avisando.

Enquanto esperavam durante a tarde, a sala se encheu de fumaça e de murmúrio de planos. De tempos em tempos, vovô vinha da cozinha e dizia: "Não matem ele. Prestem atenção, só não matem ele". Depois, ele voltava para o café com a minha avó.

Eles foram até o bar onde Patterson estava bebendo a uma mesa pequena. Tio Tommy ficou na porta, tio Tutti se posicionou na porta do banheiro, e tio Ira, que era o mais velho e talvez o exemplo de todo mundo, andou até Patterson. Eles estavam todos carregando armas, obviamente.

Tio Ira disse para a minha mãe: "Aqui, Bibbi. Aqui está esse crioulo Patterson. Venha aqui e dê uma surra nele".

Ela bateu na cabeça do homem com um cassetete de policial com força suficiente para deixá-lo à beira da morte. Não houve investigação policial nem reprovação social.

Afinal, o vovô não encorajava os temperamentos explosivos e a vovó não era uma mulher quase branca que tinha influência na polícia?

Admito que ficava empolgada com a maldade deles. Eles batiam em brancos e Negros com a mesma dedicação, e gostavam tanto uns dos outros que nunca precisaram aprender a arte de fazer amigos fora da família. Minha mãe era a única personalidade calorosa e extrovertida entre os irmãos. Vovô ficou acamado durante nossa estada lá, e os filhos passavam o tempo livre contando piadas, fofocando com ele e demonstrando seu amor.

Tio Tommy, que era mal-humorado e mastigava as palavras como o vovô, era meu favorito. Ele juntava frases comuns, e elas saíam parecendo ou os xingamentos mais profanos ou poesia cômica. Um comediante por natureza, ele nunca esperava a gargalhada que sabia que devia seguir suas declarações cômicas. Ele nunca era cruel. Era malvado.

Quando jogávamos handebol ao lado de casa, tio Tommy dobrava a esquina voltando do trabalho. Ele fingia não nos ver, mas, com a agilidade de um gato, pegava a bola e dizia: "Concentrem a mente onde seus traseiros estão e deixo vocês entrarem no meu time". Nós crianças corríamos em volta dele, mas só quando chegava nos degraus era que ele levantava os braços e jogava a bola por cima do poste de luz e na direção das estrelas.

Ele me dizia com frequência: "Ritie, não se preocupe por não ser bonita. Já vi muitas mulheres bonitas passando sufoco ou coisa pior. Você é inteligente. Juro por Deus, eu prefiro que você tenha a cabeça boa a um traseiro bonito".

Eles se gabavam com frequência da qualidade de união presente no sangue Baxter. Tio Tommy dizia que até as crianças a sentiam antes mesmo de terem idade suficiente para aprender. Eles relembravam que Bailey me ensinou a andar quando tinha menos de três anos. Insatisfeito com meus movimentos cambaleantes, dizem que ele falou: "Ela é *minha* irmã. *Eu* tenho que ensiná-la a andar". Eles também me contaram como ganhei o nome "My". Depois que Bailey soube com certeza que eu era irmã dele, ele se recusou a me chamar de Marguerite, e toda vez se referia a mim como "Mya Sister", minha irmã, e em anos posteriores e mais articulados, depois que a necessidade de ser breve tinha diminuído o nome para "My", meu apelido evoluiu para a palavra "Maya".

Nós moramos com nossos avós em uma casa grande na Caroline Street por meio ano, até mamãe nos levar para morar com ela. Sair da casa onde a família estava centrada não quis dizer absolutamente nada para mim. Foi apenas um pequeno padrão no design maior das nossas vidas. Se outras crianças não se mudavam tanto, só mostrava que nossas vidas estavam destinadas a serem diferentes das de todas as outras pessoas no mundo. A casa nova não era mais estranha do que a outra, exceto pelo fato de que estávamos morando com a nossa mãe.

Bailey insistiu em chamá-la de Mamãe Querida até a proximidade aliviar a formalidade da expressão para "Mãe Querida" e finalmente "Ma'Querida". Nunca consegui acreditar que ela fosse real. Ela era tão linda e tão brilhante que mesmo quando tinha acabado de acordar, com os olhos sonolentos e o cabelo desgrenhado, eu achava que ela parecia a Virgem Maria. Mas que mãe e filha se entendem, ou mesmo são solidárias com a falta de compreensão da outra?

Mamãe tinha preparado um lugar para nós, e fomos para lá com gratidão. Cada um tinha um quarto com cama com dois lençóis, comida em abundância e roupas de loja para vestir. E, afinal, ela não precisava fazer nada daquilo. Se nós a irritássemos ou se fôssemos desobedientes, ela sempre podia nos mandar de volta para Stamps. A hipóstese e a ameaça, velada, de uma volta para Momma eram pesos que levavam minha astúcia infantil à apatia. Eu era chamada de velha e repreendida por me mover e falar mais devagar do que melado no inverno.

O namorado da mamãe, o sr. Freeman, morava conosco, ou nós morávamos com ele (eu nunca soube direito). Ele também era do sul, e era grande. Mas meio flácido. Os peitos dele me constrangiam quando ele andava de regata. Pareciam peitinhos achatados.

Mesmo se mamãe não fosse uma mulher tão bonita, de pele clara e cabelo liso, ele tinha tido sorte de ficar com ela e sabia disso. Ela era estudada, de uma família bem conhecida, e, afinal, não tinha nascido em St. Louis? E ela era alegre. Ria o tempo todo e fazia piadas. Ele tinha gratidão. Acho que devia ser muitos anos mais velho do que ela, mas, se não era, tinha a inferioridade indolente de homens mais velhos casados com mulheres mais novas. Ele observava cada movimento seu e, quando ela saía do aposento, seus olhos permitiam com relutância que fosse embora.

11

Eu tinha decidido que St. Louis era um país estrangeiro. Jamais me acostumaria com os sons de água escorrendo da descarga acionada, nem com as comidas embrulhadas, nem com campainhas e o barulho de carros e trens e ônibus que passava pelas paredes ou entrava por baixo de portas. Na minha mente, só fiquei algumas semanas em St. Louis. Assim que entendi que não estava em casa, passei a fugir para a floresta de Robin Hood e para as cavernas de Brucutu, onde a realidade era tão irreal quanto a minha e até isso mudava todos os dias. Eu carregava o mesmo escudo que usei em Stamps: "Não vim para ficar".

Mamãe era competente em nos sustentar. Mesmo que isso significasse arrumar outra pessoa para fornecer provisões. Embora fosse enfermeira, ela nunca trabalhou na profissão enquanto estávamos com ela. O sr. Freeman levava as necessidades básicas, e ela ganhava um dinheirinho extra trabalhando em jogos de pôquer em casas de jogo. O mundo regular das oito às cinco da tarde não tinha glamour suficiente para ela, e só vinte anos depois eu a vi pela primeira vez em um uniforme de enfermeira.

O sr. Freeman era capataz em um pátio da ferrovia Southern Pacific e voltava para casa tarde às vezes, depois que mamãe tinha saído. Ele pegava o jantar no fogão, onde ela deixava um prato coberto e nos mandava não mexer. Comia em silêncio na cozinha enquanto Bailey e eu líamos separadamente e com avidez nossas revistas *Street and Smith*. Agora que ganhávamos um dinheirinho para gastar, comprávamos os livrinhos ilustrados com figuras chamativas. Quando mamãe estava fora, tínhamos que seguir uma rotina. Terminar o dever de casa, jantar e lavar os pratos, e só depois podíamos ler ou ouvir *O cavaleiro solitário*, *Crimes Busters* ou *O Sombra*.

O sr. Freeman se movia graciosamente, como um urso pardo grande, e raramente falava conosco. Ele só esperava a mamãe, e se dedicava inteiramente a esperar. Nunca lia o jornal nem batia o pé acompanhando músicas do rádio. Ele esperava. Só isso.

Se ela voltasse para casa antes de irmos para a cama, víamos o homem ganhar vida. Ele pulava da poltrona como se estivesse saindo do sono, sorrindo. Eu lembrava então que, alguns segundos antes, tinha ouvido uma porta de carro bater; e os passos da mamãe soavam na calçada de concreto. Quando a chave dela tocava na porta, o sr. Freeman já estava fazendo sua pergunta de sempre: "Ei, Bibbi, se divertiu?".

A pergunta ficava no ar enquanto ela se esticava para dar um beijo em seus lábios. Em seguida, se virava para Bailey e para mim com os beijos de batom. "Vocês não terminaram o dever de casa?" Se tivéssemos terminado e só estivéssemos lendo, "Tudo bem, façam suas orações e vão para a cama". Se não tivéssemos terminado, "Então vão para o quarto terminar... depois façam as orações e vão para a cama".

O sorriso do sr. Freeman nunca aumentava, ficava com a mesma intensidade. Às vezes, a mamãe ia se sentar no seu colo, e o sorriso na sua cara parecia que ia ficar lá para sempre.

Dos nossos quartos, nós ouvíamos os copos batendo e o rádio ser ligado. Acho que ela devia dançar para ele nas noites boas, porque ele não sabia dançar, mas, antes de adormecer, muitas vezes eu ouvia pés se movendo em ritmos de dança.

Eu sentia muita pena do sr. Freeman. Sentia tanta pena dele quanto sentia de uma ninhada de porquinhos indefesos nascidos no nosso chiqueiro no quintal do Arkansas. Nós engordávamos os porquinhos um ano inteiro para abate na primeira boa geada, e mesmo sofrendo pelas coisinhas gordinhas e fofinhas, eu sabia o quanto ia apreciar a salsicha fresca e a cabeça de xara que eles só podiam me dar morrendo.

Por causa das histórias chocantes que líamos e da nossa imaginação vívida, e, provavelmente, de lembranças de nossas vidas curtas e agitadas, Bailey e eu sofríamos — ele fisicamente e eu mentalmente. Ele gaguejava, e eu suava tendo pesadelos horríveis. Era comum que o mandassem ficar calmo e começar de novo e, em minhas noites particularmente ruins, minha mãe me levava para dormir com ela na cama grande com o sr. Freeman.

Por uma necessidade de estabilidade, as crianças se tornam facilmente criaturas de hábitos. Depois da terceira vez na cama da mamãe, passei a não achar estranho dormir lá.

Uma manhã, ela saiu da cama para fazer alguma coisa e adormeci de novo. Mas acordei com uma pressão, uma sensação estranha na perna esquerda. Era mole demais para ser uma mão, e não era o toque de roupas. Eu não tinha tido aquela sensação, o que quer que fosse, em todos os anos que dormi com a mamãe. Não se moveu, e fiquei sobressaltada demais para me mover. Virei a cabeça um pouco para a esquerda para ver se o sr. Freeman tinha acordado e saído da cama, mas ele estava de olhos abertos e as duas mãos estavam em cima do cobertor. Eu sabia, como se sempre tivesse sabido, que era a "coisa" dele na minha perna.

Ele disse: "Fique parada aí, Ritie, não vou machucar você". Não tive medo, só fiquei um pouco apreensiva, talvez, mas não com medo. Claro que eu sabia que muitas pessoas "faziam aquilo" e que usavam suas "coisas" para executar o ato, mas ninguém que eu conhecesse já tinha feito com alguém. O sr. Freeman me puxou para perto dele e colocou a mão entre as minhas pernas. Não machucou, mas mamãe tinha enfiado na minha cabeça: "Fique com as pernas fechadas e não deixe ninguém ver sua florzinha".

"Eu não machuquei você. Não tenha medo." Ele afastou o cobertor, e a "coisa" dele estava em pé como uma espiga de milho marrom. Ele segurou minha mão e disse: "Sinta". Era gosmento e molengo como a parte de dentro de uma galinha recém-morta. Ele me puxou para cima do peito com o braço esquerdo, e a mão dele estava se mexendo tão rápido e seu coração estava batendo com tanta força que tive medo de ele morrer. Histórias de fantasmas contavam como as pessoas que morriam não soltavam o que estavam segurando. Eu me perguntei como eu me libertaria se o sr. Freeman morresse me segurando. Teriam que quebrar os braços dele para me soltar?

Então ele ficou quieto, e aí veio a parte boa. Ele me abraçou com tanto carinho que desejei que nunca me soltasse. Eu me senti em casa. Pelo jeito como ele estava me abraçando, soube que nunca me soltaria nem deixaria nada de ruim acontecer comigo. Ele devia ser meu verdadeiro pai e nós finalmente tínhamos nos encontrado. Mas aí ele rolou para o lado, me deixou em um lugar molhado e se levantou.

"Eu tenho que falar com você, Ritie." Ele vestiu a cueca que estava nos tornozelos e foi ao banheiro.

Era verdade que a cama estava molhada, mas eu sabia que não tinha tido nenhum acidente. Talvez o sr. Freeman tivesse tido um quando estava me abraçando. Ele voltou com um copo de água e me disse com voz azeda: "Levante. Você fez xixi na cama". Ele derramou água no local molhado, e ficou mesmo parecendo meu colchão em muitas manhãs.

Depois de viver na rigidez do sul, eu sabia quando ficar quieta perto de adultos, mas queria perguntar a ele por que ele disse que fiz xixi se eu tinha certeza que ele não achava isso. Se ele achava que fui malvada, isso queria dizer que ele nunca mais me abraçaria? Ou que não admitiria que era meu pai? Eu o tinha feito sentir vergonha de mim.

"Ritie, você ama Bailey?" Ele se sentou na cama e eu cheguei perto, cheia de esperanças. "Amo." Ele estava inclinado, calçando as meias, e as costas eram tão grandes e simpáticas que tive vontade de apoiar a cabeça nelas.

"Se você contar a alguém o que nós fizemos, eu vou ter que matar Bailey."

O que nós fizemos? Nós? Obviamente, ele não estava falando do meu xixi na cama. Não entendi e não ousei perguntar. Tinha alguma coisa a ver com ele ter me abraçado. Mas também não havia chance de perguntar a Bailey, porque isso seria contar o que nós fizemos. A ideia de ele matar Bailey me atordoou. Depois que ele saiu do quarto, pensei em contar para a mamãe que eu não tinha feito xixi na cama, mas se ela me perguntasse o que tinha acontecido, eu teria que contar que o sr. Freeman me abraçou, e isso não era possível.

Era o mesmo velho dilema. Eu sempre o vivia. Havia um exército de adultos cujos motivos e movimentos eu não conseguia entender e que não faziam esforço nenhum para entender os meus. Não era questão de eu não gostar do sr. Freeman, eu simplesmente não o entendia também.

Durante semanas depois disso, ele não disse nada para mim, exceto os cumprimentos secos que eram dados sem ele nem olhar na minha direção.

Esse foi o primeiro segredo que escondi de Bailey, e às vezes eu achava que ele devia conseguir ler no meu rosto, mas ele não reparou em nada.

Comecei a sentir saudade do sr. Freeman e do aconchego dos braços grandes dele. Antes, meu mundo era Bailey, comida, Momma, o Mercado, ler livros e tio Willie. Agora, pela primeira vez, incluía contato físico.

Comecei a esperar no jardim que o sr. Freeman chegasse, mas, quando chegava, ele nem reparava em mim, embora eu me dedicasse intensamente ao meu "Boa noite, sr. Freeman".

Uma noite, quando não conseguia me concentrar em nada, fui até ele e me sentei rapidamente em seu colo. Ele estava esperando mamãe de novo. Bailey estava ouvindo *O Sombra* e não sentiu minha falta. Primeiro, o sr. Freeman ficou imóvel, sem me abraçar nem nada, mas então senti um caroço macio embaixo da minha coxa começar a se mexer. Tremeu de novo e começou a endurecer. Ele me puxou para o peito. Tinha cheiro de pó de carvão e graxa, e estava tão próximo que escondi o rosto na camisa e ouvi o coração dele, estava batendo só para mim. Só eu podia ouvir a batida, só eu conseguia sentir os saltos no rosto. Ele disse: "Fique parada, pare de se mexer". Mas o tempo todo ficava me empurrando no colo. De repente, ele se levantou e eu escorreguei para o chão. Ele correu para o banheiro.

Durante meses, ele parou de falar comigo de novo. Fiquei magoada e, por um tempo, me senti mais solitária do que nunca. Mas acabei esquecendo-o, e até a lembrança dele me abraçando com carinho derreteu na escuridão geral logo além dos antolhos da infância.

Eu lia mais do que nunca e desejava de corpo e alma ter nascido menino. Horatio Alger era o melhor escritor do mundo. Os heróis dele eram sempre bons, sempre venciam e eram sempre homens. Eu conseguiria desenvolver as duas primeiras virtudes, mas me tornar homem era bem difícil, ou mesmo impossível.

Os quadrinhos de domingo me influenciaram, e apesar de admirar os heróis fortes e conquistadores, eu me identificava com o Pequeno Polegar. No banheiro, para onde eu levava o jornal, era tortuoso procurar e excluir as páginas desnecessárias para eu poder descobrir como ele finalmente venceria seu último adversário. Eu chorava de alívio todos os domingos, quando ele escapava dos homens maus e voltava de cada aparente derrota tão doce e gentil como sempre. *Os sobrinhos do capitão* eram divertidos porque faziam os adultos parecerem burros. Mas eram um pouco espertinhos demais para o meu gosto.

Quando a primavera chegou a St. Louis, fiz meu primeiro cartão de biblioteca, e como Bailey e eu parecíamos estar nos distanciando, eu passava a maior parte dos meus sábados na biblioteca (sem interrupções), inspirando o mundo dos engraxates sem dinheiro que, com bondade e perseverança, viravam homens muito ricos e davam cestas de comida para os pobres nas festas. As princesinhas que eram confundidas com empregadas e as crianças perdidas confundidas com meninos de rua se tornavam mais reais para mim do que nossa casa, nossa mãe, nossa escola e o sr. Freeman.

Durante aqueles meses, nós víamos nossos avós e nossos tios (nossa única tia tinha ido para a Califórnia fazer fortuna), mas eles normalmente faziam a mesma pergunta, "Vocês foram bons filhos?", para a qual só havia uma resposta. Nem Bailey ousaria dizer não.

12

Em um sábado do final da primavera, depois que as nossas tarefas (nada parecidas com as de Stamps) estavam concluídas, Bailey e eu estávamos saindo, ele para jogar basquete, eu para ir à biblioteca. O sr. Freeman disse para mim depois que Bailey já tinha descido: "Ritie, vá comprar leite para a casa".

Mamãe costumava levar leite quando voltava, mas, naquela manhã, enquanto Bailey e eu arrumávamos a sala, a porta do quarto dela estava aberta, e nós soubemos que ela não tinha voltado para casa na noite anterior.

Ele me deu dinheiro, e corri até o mercado e voltei para casa. Depois de colocar o leite na geladeira, me virei e estava na porta da rua quando ouvi "Ritie". Ele estava sentado na poltrona ao lado do rádio. "Ritie, venha aqui." Só pensei naquela vez em que ele me abraçou quando cheguei perto. A calça dele estava aberta e a "coisa" estava de pé para fora da cueca, sozinha.

"Não, senhor, sr. Freeman." Comecei a recuar. Não queria tocar naquela coisa molenga-dura de novo, e não queria mais que ele me abraçasse. Ele pegou meu braço e me puxou entre as pernas. O rosto dele estava imóvel e parecia gentil, mas ele não sorriu e nem piscou. Nada. Ele não fez nada, só esticou a mão esquerda para ligar o rádio sem nem olhar. Junto ao ruído da música e da estática, ele disse: "Isso não vai doer muito. Você gostou antes, não gostou?"

Eu não queria admitir que tinha gostado de quando ele me abraçou e nem que tinha gostado do cheiro dele e do coração batendo rápido, então não disse nada. E o rosto dele virou o rosto de um daqueles nativos malvados em quem o Fantasma sempre tinha que dar uma surra.

As pernas dele estavam apertando minha cintura. "Abaixe a calcinha." Hesitei por dois motivos: ele estava me apertando demais para eu conseguir me mexer, e eu tinha certeza de que a qualquer momento minha mãe ou Bailey ou o Besouro Verde entraria pela porta e me salvaria.

"A gente só estava brincando antes." Ele me soltou o bastante para abaixar minha calcinha e me puxar para mais perto. Aumentando o rádio, deixando o som alto demais, ele disse: "Se você gritar, vou matar você. E se você contar, vou matar Bailey". Percebi que ele estava falando sério. Não conseguia entender por que ele queria matar meu irmão. Nenhum de nós tinha feito nada para ele. E aí.

E aí veio a dor. Uma invasão indesejada em que até os sentidos são destruídos. O ato de estupro em um corpo de oito anos é questão da agulha deixar o camelo passar pelo seu buraco por não ter outra opção. A criança cede porque o corpo pode, e a mente do violador não consegue.

Achei que tinha morrido — acordei em um mundo de paredes brancas e só podia ser o céu. Mas o sr. Freeman estava lá e estava me lavando. As mãos dele tremiam, mas ele me segurou de pé na banheira e lavou minhas pernas. "Eu não queria machucar você, Ritie. Eu não queria. Mas não conte... Lembre-se, não conte para ninguém."

Eu me senti calma e muito limpa e só um pouco cansada. "Não, senhor, sr. Freeman, não vou contar." Eu estava em algum lugar acima de tudo. "É só que eu estou tão cansada que vou me deitar um pouco, por favor", sussurrei para ele. Achei que, se falasse em voz alta, ele poderia ficar com medo e me machucar de novo. Ele me secou e entregou minha calcinha. "Coloque isso e vá para a biblioteca. Sua mãe deve estar chegando em casa. Aja de um jeito natural."

Ao andar pela rua, senti o molhado na calcinha, e meus quadris pareciam estar se soltando. Eu não consegui ficar sentada por muito tempo nos bancos duros da biblioteca (não tinham sido construídos para crianças), então passei pelo terreno baldio onde Bailey ia jogar basquete, mas ele não estava lá. Fiquei um tempo vendo os garotos grandes jogarem na quadra suja e voltei para casa.

Depois de dois quarteirões, percebi que não conseguiria. A não ser que contasse cada passo e pisasse em cada rachadura. Eu estava sentindo a região entre as pernas arder mais do que a vez em que passei pomada Sloan's em mim mesma.

Minhas pernas latejavam, ou melhor, a parte interna das minhas coxas latejava, com a mesma força com que o coração do sr. Freeman batera. Tum... um passo... tum... um passo... pé na rachadura... tum... um passo.

Subi a escada um degrau de, um degrau de, um degrau de cada vez. Não tinha ninguém na sala, então, fui direto para a cama, depois de esconder minha calcinha vermelha e amarela manchada embaixo do colchão.

Quando minha mãe entrou, ela disse: "Ora, mocinha, acho que é a primeira vez que vejo você ir para a cama sem ninguém mandar. Você deve estar doente".

Eu não estava doente, mas o fundo da minha barriga estava pegando fogo — como eu podia contar isso? Bailey veio depois e me perguntou qual era o problema. Não havia nada para eu contar para ele. Quando mamãe nos chamou para comer e eu disse que não estava com fome, ela colocou a mão fria na minha testa e nas minhas bochechas. "Talvez seja sarampo. Dizem que está se espalhando pelo bairro." Depois de verificar minha temperatura, ela disse: "Você está com um pouco de febre. Deve ter acabado de pegar".

O sr. Freeman ocupou a porta inteira. "Então, Bailey não devia ficar aí com ela. A não ser que você queira uma casa cheia de crianças doentes." Ela respondeu por cima do ombro: "Ele pode muito bem pegar logo de uma vez. Para acabar logo com isso".

Ela passou pelo sr. Freeman como se ele fosse feito de algodão. "Venha, Junior. Pegue umas toalhas molhadas e passe no rosto da sua irmã".

Quando Bailey saiu do quarto, o sr. Freeman avançou até a cama. Ele se inclinou, o rosto todo uma ameaça que poderia ter me sufocado. "Se você contar..." E de novo, muito baixinho, quase não consegui ouvir. "Se você contar." Eu não conseguia reunir energia para responder. Ele tinha que saber que eu não ia contar nada. Bailey veio com as toalhas, e o sr. Freeman saiu andando.

Mais tarde, mamãe fez um caldo e se sentou na beirada da cama para me alimentar. O líquido desceu pela garganta como ossos. Minha barriga e meu traseiro estavam pesados como ferro frio, mas parecia que minha cabeça tinha sumido e sido substituída por ar sobre meus ombros. Bailey leu em voz alta um livro da série *The Rover Boys* até ficar com sono e ir para a cama.

Naquela noite, acordei várias vezes ouvindo mamãe e o sr. Freeman brigando. Não conseguia entender o que estavam dizendo, mas esperava que ela não o deixasse com tanta raiva a ponto de ele a machucar também. Eu sabia que ele era capaz, com o rosto frio e os olhos vazios. As vozes chegavam a mim cada vez mais rápidas, os sons altos logo atrás dos baixos. Eu gostaria de ter ido lá. Só passado, como se estivesse indo ao banheiro. Só mostrar a cara para talvez eles pararem, mas minhas pernas se recusaram a se mexer. Eu conseguia mexer os dedos dos pés e os tornozelos, mas os joelhos tinham virado madeira.

Talvez eu tivesse dormido, e logo a manhã tinha chegado e mamãe estava linda ao lado da minha cama. "Como está se sentindo, amor?"

"Bem, mamãe." Uma resposta instintiva. "Onde está Bailey?"

Ela disse que ele ainda estava dormindo, mas que ela não tinha dormido a noite toda. Tinha ido várias vezes ao meu quarto me ver. Eu perguntei onde estava o sr. Freeman, e o rosto dela ficou frio com raiva relembrada. "Ele foi embora. Se mudou hoje de manhã. Vou tirar sua temperatura depois de preparar seu mingau."

Eu podia contar agora? A dor terrível me garantia que não. O que ele fez comigo, e que eu deixei, devia ser muito ruim se Deus já me permitia sofrer tanto. Se o sr. Freeman tinha ido embora, isso queria dizer que Bailey não corria mais perigo? E, nesse caso, se eu contasse, ele ainda me amaria?

Depois que mamãe tirou minha temperatura, ela disse que ia dormir um pouco, mas que eu devia ir chamá-la se me sentisse pior. Mandou Bailey ficar de olho no meu rosto e nos meus braços para ver se apareciam pintinhas, e quando surgissem, era para cobri-las de loção de calamina.

Aquele domingo vem e vai da minha memória como uma ligação telefônica ruim para outro país. Houve um momento em que Bailey estava lendo *Os sobrinhos do capitão* para mim, e depois, sem pausa para dormir, mamãe estava olhando meu rosto com atenção, e escorreu sopa pelo meu queixo, e caiu um pouco na minha boca, e eu engasguei. Depois veio um médico que tirou minha temperatura e segurou meu pulso.

"Bailey!" Acho que gritei, porque ele se materializou de repente, e pedi que ele me ajudasse e nós fugiríamos para a Califórnia ou para a França ou para Chicago. Eu sabia que estava morrendo e, na verdade, desejava a morte, mas não queria morrer perto do sr. Freeman. Eu sabia que mesmo agora ele não permitiria que a morte me levasse a não ser que fosse vontade dele.

Mamãe disse que eu deveria ser banhada e que os lençóis tinham que ser trocados, pois eu tinha suado muito. Mas quando tentaram me retirar, eu lutei, e nem Bailey conseguiu me segurar. Ela me pegou nos braços, e o pavor passou por um tempo. Bailey começou a trocar a cama. Quando tirou os lençóis sujos, a calcinha que eu tinha escondido embaixo do colchão foi desalojada. Ela caiu aos pés da minha mãe.

13

No hospital, Bailey disse que eu tinha que contar quem fez aquilo comigo, senão o homem machucaria outra garotinha. Quando expliquei que não podia contar porque o homem o mataria, Bailey disse com segurança: "Ele não pode me matar. Não vou deixar". E é claro que acreditei nele. Bailey não mentia para mim. E contei.

Bailey chorou ao lado da minha cama até eu começar a chorar também. Quase quinze anos se passaram até que visse meu irmão chorar de novo. Usando o velho cérebro com que nasceu (essas foram as palavras dele naquele mesmo dia, mais tarde), ele passou essa informação para a vovó Baxter, e o sr. Freeman foi preso e poupado da fúria dos meus tios armados.

Eu queria passar o resto da vida no hospital. Mamãe levou flores e chocolates. Vovó levou frutas, e meus tios se reuniram em volta da minha cama, relinchando como cavalos. Quando conseguiam colocar Bailey lá dentro, ele lia para mim durante horas.

Aquilo que se diz sobre pessoas que não têm nada para fazer acabarem se tornando intrometidas não é a única verdade. A excitação é uma droga, e as pessoas cujas vidas são cheias de violência sempre se perguntam de onde vem a próxima "dose".

O tribunal estava lotado. Havia gente até atrás dos bancos tipo de igreja nos fundos. Ventiladores de teto se moviam com a indiferença de homens velhos. Os clientes da vovó Baxter estavam reunidos em alegria petulante. Os apostadores de ternos risca-de-giz e suas mulheres maquiadas sussurravam para mim com bocas vermelho-sangue que eu agora sabia tanto quanto eles.

Eu tinha oito anos e estava crescida. Até as enfermeiras do hospital disseram que eu agora não tinha nada a temer. "O pior passou para você", elas disseram. Então, coloquei as palavras em todas as bocas sorridentes.

Eu estava sentada com minha família (Bailey não pôde ir), e eles estavam parados nas cadeiras como tumbas sólidas, frias e cinzentas. Densas e eternamente imóveis.

O pobre sr. Freeman se virou na cadeira para me olhar com ameaças vazias. Ele não sabia que não podia matar Bailey... e Bailey não mentia... para mim.

"O que o réu estava usando?" Foi o advogado do sr. Freeman.

"Não sei."

"Você quer dizer que este homem estuprou você e você não sabe o que ele estava usando?" Ele riu, como se eu tivesse estuprado o sr. Freeman. "Você sabe se foi estuprada?"

Um som soou no ar do tribunal (eu tinha certeza de que eram gargalhadas). Fiquei feliz de minha mãe ter me deixado usar o casaco azul-marinho com botões de metal. Apesar de ser curto demais e de o tempo estar quente, como era típico de St. Louis, o casaco era um amigo que eu abraçava contra o corpo no lugar estranho e hostil.

"Foi a primeira vez que o acusado te tocou?" A pergunta me fez parar. O sr. Freeman tinha feito uma coisa muito errada, mas eu estava convencida de que tinha ajudado. Eu não queria mentir, mas o advogado não me deixava pensar, então usei o silêncio como fuga.

"O acusado tentou tocar em você antes da vez que ele, ou melhor, que você diz que ele estuprou você?"

Eu não podia dizer sim e contar que ele me amou uma vez por alguns minutos e que me abraçou apertado antes de achar que eu tinha feito xixi na cama. Meus tios me matariam, e a vovó Baxter pararia de falar comigo, como costumava fazer quando estava com raiva. Todas aquelas pessoas no tribunal me apedrejariam, como tinham apedrejado a meretriz da Bíblia. E mamãe, que me achava tão boa menina, ficaria tão decepcionada. Mas, o mais importante, havia Bailey. Eu tinha guardado um segredo enorme dele.

"Marguerite, responda a pergunta. O acusado tocou em você antes da ocasião em que você alega que ele a estuprou?"

Todo mundo no tribunal sabia que a resposta tinha que ser não. Todo mundo, exceto o sr. Freeman e eu. Olhei para o rosto pesado tentando parecer que gostaria que eu dissesse não. E eu respondi não.

A mentira entalou na minha garganta, e não consegui respirar. Como eu desprezava o homem por me fazer mentir. Velho, mau, cruel. Velho, preto, cruel. As lágrimas não acalmaram meu coração, como costumavam. Gritei: "Velho, cruel, sujo, você. Coisa velha e suja". Nosso advogado me tirou do banco das testemunhas e me levou para os braços da minha mãe. O fato de eu ter chegado ao meu destino desejado por meio de mentiras o tornou menos interessante para mim.

O sr. Freeman pegou um ano e um dia, mas nunca teve chance de cumprir a sentença. O advogado dele (ou alguém) o soltou naquela mesma tarde.

Na sala, onde as persianas estavam fechadas para refrescar o ambiente, Bailey e eu jogávamos Monopólio no chão. Eu estava jogando mal porque estava pensando em como poderia contar a Bailey que menti e, ainda pior para nosso relacionamento, escondi um segredo dele.

Bailey atendeu a campainha porque a vovó estava na cozinha. Um policial alto e branco pediu para falar com a sra. Baxter. Tinham descoberto sobre a mentira? Talvez o policial estivesse indo me prender porque eu tinha jurado com a mão na Bíblia que tudo que eu dissesse seria a verdade, toda a verdade, nada mais que a verdade. O homem na nossa sala era mais alto do que o céu e mais branco do que minha imagem de Deus. Ele só não tinha a barba.

"Sra. Baxter, achei que a senhora gostaria de saber. Freeman foi encontrado morto no terreno baldio atrás do abatedouro."

Suavemente, como se estivesse discutindo um programa de igreja, ela disse: "Pobre homem". Secou as mãos no pano de prato e perguntou com a mesma voz baixa: "Sabem quem o matou?".

O policial disse: "Parece que ele foi largado lá. Alguns dizem que foi chutado até morrer".

A cor no rosto da vovó mudou só um pouco. "Tom, obrigada por me contar. Pobre homem. Bom, talvez seja melhor assim. Ele *era* um cão raivoso. Quer um copo de limonada? Ou uma cerveja?"

Apesar de parecer inofensivo, ele era um anjo terrível contando meus muitos pecados.

"Não, obrigado, sra. Baxter. Estou de serviço. Tenho que voltar."

"Bem, diga para a sua mãe que vou lá quando minha cerveja estiver pronta, e lembre a ela de guardar chucrute para mim."

E o anjo investigador foi embora. Ele foi embora, e um homem estava morto porque eu menti. Onde estava o equilíbrio nisso? Uma mentira não valia a vida de um homem. Bailey poderia ter explicado tudo, mas não ousei perguntar. Obviamente, eu tinha perdido meu lugar no céu para sempre, e estava tão vazia quanto a boneca que destruí muito tempo antes. Até o Próprio Cristo tinha dado as costas para Satanás. Ele não viraria as costas para mim? Eu sentia a maldade se espalhando pelo meu corpo e esperando, alerta para fugir pela minha língua se eu tentasse abrir a boca. Fechei bem os dentes para segurá-la. Se fugisse, não se espalharia pelo mundo e por todas as pessoas inocentes?

Vovó Baxter disse: "Ritie e Junior, vocês não ouviram nada. Eu nunca quero ouvir sobre essa situação e nem o nome daquele homem horrível mencionado na minha casa. Estou falando sério". Ela voltou para a cozinha para fazer *strudel* de maçã, para a minha comemoração.

Até Bailey ficou com medo. Ele ficou sentado sozinho, olhando a morte de um homem — um gatinho olhando para um lobo. Sem entender direito, mas parecendo assustado mesmo assim.

Naqueles momentos, decidi que apesar de Bailey me amar, ele não podia ajudar. Eu tinha me vendido ao Diabo e não podia haver saída. A única coisa que eu podia fazer era parar de falar com outras pessoas além de Bailey. Instintivamente, ou de alguma forma, eu sabia que, como o amava tanto, eu nunca faria mal a ele, mas se falasse com qualquer outra pessoa, essa pessoa podia morrer também. Só meu hálito, carregando minhas palavras, podia envenenar as pessoas, e elas murchariam e morreriam como as lesmas pretas e gordas que só fingiam.

Eu tinha que parar de falar.

Descobri que para alcançar o silêncio pessoal perfeito eu só precisava me agarrar como uma sanguessuga aos sons. Comecei a ouvir tudo. Provavelmente tinha esperanças de que, depois de ter ouvido todos os sons, ouvido de verdade e armazenado todos no fundo dos meus ouvidos, o mundo ficaria quieto à minha volta. Eu entrava em salas em que as pessoas estavam rindo, as vozes batendo nas paredes como pedras, e ficava parada no meio de toda a agitação do barulho. Depois de um ou dois minutos, o silêncio surgia no aposento vindo do seu esconderijo, porque eu tinha consumido todos os sons.

Nas primeiras semanas, minha família aceitou meu comportamento como mal pós-estupro e pós-hospital. (Nem o termo e nem a experiência foram mencionados na casa da vovó, onde Bailey e eu estávamos novamente.) Eles entendiam que eu podia falar com Bailey, mas mais ninguém.

Depois veio a última visita da enfermeira, e o médico disse que eu estava curada. Isso queria dizer que eu devia voltar para as calçadas, para jogar handebol ou os jogos que ganhei quando estava doente. Como me recusei a ser a criança que eles conheciam e aceitavam que eu era, fui chamada de insolente, e minha mudez, de mau humor. Por um tempo, fui punida por ser tão arrogante que não queria falar; depois vieram as surras, dadas por qualquer parente que se sentisse ofendido.

Estávamos no trem voltando para Stamps, e desta vez fui eu que tive que consolar Bailey. Ele chorou como um bebê nos corredores do vagão e apertou o corpo de garotinho na vidraça tentando ter um último vislumbre da sua Mamãe Querida.

Não sei se Momma mandou nos chamar ou se a família de St. Louis ficou cansada da minha presença sombria. Não tem nada mais desconcertante do que uma criança constantemente taciturna.

Eu me importava menos com a viagem e mais com o fato de Bailey estar infeliz, e não pensei mais sobre nosso destino tanto quanto não pensaria em uma simples ida ao banheiro.

14

A aridez de Stamps era exatamente o que eu queria, sem percepção ou consciência. Depois de St. Louis, com o barulho e atividade, caminhões e ônibus e reuniões agitadas de família, recebi de braços abertos as vielas obscuras e bangalôs solitários no fundo de pátios sujos.

A resignação dos habitantes me encorajou a relaxar. Eles me mostraram uma satisfação baseada na crença de que mais nada aconteceria a eles, embora merecessem muito mais. A decisão deles de ficarem satisfeitos com as injustiças da vida era uma lição para mim. Ao entrar em Stamps, tive a sensação de que estava atravessando as fronteiras do mapa e cairia sem medo da beirada do mundo. Nada mais poderia acontecer, pois, em Stamps, nada acontecia.

Penetrei nesse casulo.

Por um tempo indeterminado, nada foi exigido de mim e de Bailey. Nós éramos, afinal, os netos da Califórnia da sra. Henderson, e tínhamos ficado distantes em uma viagem glamourosa para o norte, na fabulosa St. Louis. Nosso pai tinha aparecido no ano anterior dirigindo um automóvel grande e brilhante e falando inglês correto com sotaque da cidade, então só precisamos ficar quietos durante meses e aproveitar os lucros das nossas aventuras.

Fazendeiros e criadas, cozinheiros e quebra-galhos, carpinteiros e todas as crianças da cidade faziam peregrinações regulares ao Mercado. "Só para ver os viajantes."

Eles ficavam parados como figuras de papelão e perguntavam: "Bom, e como é no norte?".

"Vocês viram algum daqueles prédios grandes?"

"Andaram em algum elevador?"

"Ficaram com medo?"

"Os brancos são diferentes, como dizem?"

Bailey assumiu a responsabilidade de responder todas as perguntas, e, em um canto de sua imaginação vívida, teceu uma tapeçaria de entretenimento para as pessoas que eu tinha certeza que era tão desconhecida sua quanto era minha.

Ele, como sempre, falava com precisão.

"No norte, tem prédios tão altos que, durante meses, no inverno, não dá para ver os andares de cima."

"Fale a verdade."

"Tem melancias com o dobro do tamanho da cabeça de uma vaca e mais doces que xarope."

Eu me lembro distintamente do seu rosto atento e dos rostos fascinados dos ouvintes. "E, se vocês conseguirem acertar a quantidade de sementes da melancia antes de ela ser aberta, podem ganhar cinco zilhões de dólares e um carro novo."

Momma, conhecendo Bailey, avisou: "Ju, tome cuidado para não escorregar em uma não verdade". (Pessoas do bem não diziam "mentira".)

"Todo mundo usa roupas novas e tem banheiro dentro de casa. Se você cair dentro da privada, é levado pelo rio Mississipi. Algumas pessoas têm geladeira, só que o nome correto é Cold Spot ou Frigidaire. A neve é tão funda que você pode ficar enterrado na porta da sua casa e as pessoas só vão encontrar você depois de um ano. Nós fizemos sorvete com a neve." Esse era o único fato que eu poderia ter confirmado. Durante o inverno, nós pegamos uma tigela de neve e colocamos leite Pet em cima, polvilhamos açúcar e chamamos de sorvete.

Momma sorria largamente e tio Willie ficava orgulhoso quando Bailey presenteava os clientes com as nossas explorações. Nós éramos uma atração do Mercado e objetos da adoração da cidade. Nossa viagem a lugares mágicos sozinhos era o ponto colorido na tela acinzentada da cidade, e nosso retorno nos tornou ainda mais as pessoas mais invejáveis.

Os pontos altos de Stamps costumavam ser negativos: secas, enchentes, linchamentos e mortes.

Bailey brincava com a necessidade de distração das pessoas. Logo depois da nossa volta, ele passou a usar o sarcasmo, pegou o hábito como se pega uma pedra e enfiou na boca com arrogância. Os duplos sentidos, as frases dúbias, escorregavam por sua língua para perfurar como uma rapieira qualquer coisa que estivesse no caminho. Mas nossos clientes geralmente tinham um modo de pensamento e de fala tão limitado que nunca se magoavam com os ataques. Eles não os compreendiam.

"Bailey Junior fala igual ao Big Bailey. Tem língua inteligente. Igual ao pai."

"Eu soube que não colhem algodão lá. Como eles vivem, então?"

Bailey disse que o algodão no norte era tão alto que, se as pessoas comuns tentassem colhê-lo, teriam que subir em escadas, então os fazendeiros usavam máquinas na colheita.

Por um tempo, fui a única a receber gentileza de Bailey. Não que ele sentisse pena de mim, mas sentia que estávamos no mesmo barco por motivos diferentes, e que eu conseguia entender a frustração dele assim como ele podia tolerar meu distanciamento.

Nunca soube se tio Willie foi informado sobre o incidente em St. Louis, mas às vezes eu o pegava me olhando com expressão distante com seus olhos grandes. Ele logo me mandava fazer alguma coisa que me tiraria do mesmo ambiente que ele. Quando isso acontecia, eu sentia alívio e vergonha.

Eu não queria a pena de um aleijado (seria como um cego guiando outro cego), e também não queria que o tio Willie, que eu amava do meu jeito, pensasse em mim como sendo pecaminosa e suja. Se ele achava isso, pelo menos eu não queria saber.

Os sons chegavam abafados a mim, como se as pessoas estivessem falando através do lenço ou com as mãos sobre a boca. As cores também não eram reais, mas uma vaga variação dos tons pastel que indicavam não tanto cores, mas familiaridades desbotadas. Os nomes das pessoas me fugiam, e comecei a me preocupar com minha sanidade. Afinal, nós tínhamos passado menos de um ano longe, e os clientes de cujas contas eu me lembrava antes sem consultar o livro agora eram completos estranhos.

As pessoas, exceto Momma e o tio Willie, aceitavam minha indisposição de falar como um resultado natural de um retorno relutante ao sul. E uma indicação que eu estava com saudades dos momentos que tivemos na cidade grande. Eu também era conhecida por ter "coração mole". Os Negros do sul usavam esse termo querendo dizer sensível, e costumavam ver uma pessoa com esse mal como meio doente ou com saúde delicada. Então, não fui exatamente perdoada, mas mais compreendida.

15

Durante quase um ano, fiquei pela casa, pelo Mercado, pela escola e pela igreja como um pãozinho velho, sujo e impossível de comer. Então, conheci, ou passei a conhecer, a moça que jogou a primeira boia salva-vidas da minha vida.

A sra. Bertha Flowers era a aristocrata da Stamps Negra. Era tão graciosa que conseguia parecer aquecida no tempo mais frio, e, nos dias de verão do Arkansas, parecia ter uma brisa particular soprando, refrescando-a. Ela era magra sem o aspecto quebrável das pessoas esqueléticas, e os vestidos estampados de voal e chapéus floridos eram tão adequados para ela quanto um macacão de brim para um fazendeiro. Era a resposta do nosso lado para a mulher branca mais rica da cidade.

Sua pele era de um negro profundo que teria descascado como uma ameixa se rasgada, mas ninguém pensaria em chegar perto o bastante da sra. Flowers para amassar seu vestido, e menos ainda rasgar a pele. Ela não encorajava intimidade. E usava luvas.

Acho que nunca vi a sra. Flowers gargalhar, mas sorria com frequência. Era um alargamento lento dos lábios pretos finos para mostrar dentes brancos, pequenos e regulares, depois o esforço lento de fechá-los. Quando ela escolhia sorrir para mim, eu sempre sentia vontade de agradecer. O ato era tão gracioso, benevolente até.

Ela foi uma das poucas damas que conheci e permanece em toda a minha vida como medida do que um ser humano pode ser.

Momma tinha um relacionamento estranho com ela. Em geral, quando passava pela rua na frente do Mercado, ela falava com Momma com aquela voz baixa, mas potente: "Bom dia, sra. Henderson". Momma respondia com um "Como tá, Irmã Flowers?".

A sra. Flowers não frequentava nossa igreja e nem era da família de Momma. Por que ela insistia em chamá-la de Irmã Flowers? A vergonha me deixava com vontade de esconder o rosto. A sra. Flowers merecia coisa melhor do que ser chamada de irmã. Além disso, Momma abreviava o verbo. Por que não perguntar "Como *está*, *sra. Flowers?*". Com a paixão desequilibrada dos jovens, eu a odiava por demonstrar ignorância para a sra. Flowers. Só passou pela minha cabeça muitos anos depois que elas eram tão parecidas quanto irmãs, separadas apenas por uma educação formal.

Apesar de eu ficar chateada, nenhuma das duas mulheres se abalava pelo que eu considerava um cumprimento íntimo demais. A sra. Flowers continuava a caminhada fácil colina acima até seu bangalô, e Momma continuava descascando ervilhas ou fazendo o que quer que a tivesse levado para a varanda.

Mas, eventualmente, a sra. Flowers saía da rua e entrava no Mercado, e Momma dizia para mim: "Irmã, saia para brincar". Quando eu saía, ouvia o começo de uma conversa íntima. Momma usava persistentemente o verbo do modo errado ou omitia ele completamente.

"O Irmão e a Irmã Wilcox é os pior..." "É", Momma? "É?" Ah, por favor, não se usa "é", Momma, para duas pessoas ou mais. Mas elas conversavam, e, da lateral da casa onde esperava que o chão se abrisse e me engolisse, eu ouvia a voz suave da sra. Flowers e a voz cheia de texturas da minha avó se misturando e se mesclando. Eram interrompidas de tempos em tempos por risadinhas que deviam ser da sra. Flowers (Momma nunca dava risadinhas na vida). E então ela ia embora.

Ela chamou minha atenção porque era como pessoas que eu nunca tinha visto pessoalmente. Como as mulheres dos romances ingleses que andavam pelas charnecas (o que quer que isso fosse) com seus cães leais correndo em distância respeitável. Como as mulheres que se sentavam em frente a lareiras chamejantes, tomando chá sem parar de bandejas de prata cheias de pães de minuto e brevidades. Mulheres que andavam pela "urze" e liam livros encadernados em couro marroquino e que tinham dois sobrenomes separados por hífen. Seria seguro dizer que ela me deixava orgulhosa de ser Negra só por ser quem ela era.

Ela agia de forma tão refinada quanto os brancos dos filmes e livros e era mais bonita, porque nenhum deles chegaria perto daquela cor calorosa sem parecer cinza em comparação.

Era uma alegria eu nunca tê-la visto na companhia da lixenta pobreza branca. Pois, como eles costumam pensar em sua brancura como fator de igualdade, tenho certeza de que eu teria que os ouvir se referindo a ela comumente como Bertha, e minha imagem dela ficaria distorcida como a de uma impossível bruxa.

Em uma tarde de verão, fresca como leite doce na minha memória, ela parou no Mercado para comprar mantimentos. Outra mulher

Negra com a saúde e a idade dela teria que carregar as próprias sacolas de papel para casa, mas Momma disse: "Irmã Flowers, vou mandar Bailey até sua casa com essas coisas".

Ela abriu lentamente aquele sorriso. "Obrigada, sra. Henderson. Mas prefiro Marguerite." Meu nome era lindo quando ela o dizia. "Eu estava mesmo querendo falar com ela." Elas trocaram olhares de adulto.

Momma disse: "Ah, tudo bem. Irmã, vá trocar o vestido. Você vai para a casa da Irmã Flowers".

O armário parecia um labirinto. O que se usava para ir à casa da sra. Flowers? Eu sabia que não devia botar um vestido de domingo. Podia ser sacrilégio. Sem dúvida não um vestido de ficar em casa, pois eu já estava usando um limpo. Escolhi um vestido de ir à escola, naturalmente. Era formal sem sugerir que ir à casa da sra. Flowers era como ir à igreja.

Fui com confiança para dentro do Mercado.

"Ora, como você está linda." Eu tinha escolhido a coisa certa, ao menos daquela vez.

"Sra. Henderson, você faz a maioria das roupas das crianças, não é?"

"Sim, senhora. Faço. Roupas compradas prontas não valem a linha usada para costurá-las."

"Mas você faz um belo trabalho, tão caprichado. Esse vestido parece profissional."

Momma estava apreciando os elogios raramente recebidos. Como todas as pessoas que conhecíamos (exceto a sra. Flowers, claro) costuravam bem, elogios sobre esse trabalho comum raramente eram feitos.

"Eu tento, com a ajuda do Senhor, Irmã Flowers, dar o mesmo acabamento na parte de dentro como eu faz na parte de fora. Vem aqui, Irmã."

Eu tinha abotoado a gola e amarrado o cinto como um avental, atrás. Momma mandou me virar. Com uma das mãos, ela puxou os cordões, e o cinto caiu dos dois lados da minha cintura. Em seguida, as mãos grandes estavam no meu pescoço, abrindo os aros dos botões. Fiquei apavorada. O que estava acontecendo?

"Tire, Irmã." Ela estava com as mãos na barra do vestido.

"Não preciso ver a parte de dentro, sra. Henderson. Dá para ver..." Mas o vestido já tinha passado pela minha cabeça e meus braços ficaram presos nas mangas. Momma disse: "Já está bom. Olhe aqui, Irmã Flowers, eu faço costura francesa em volta das mangas". Pelo tecido vi a sombra se aproximar. "Faz com que dure mais tempo. As crianças de hoje rasgariam roupas de folha de metal. Elas são tão estabanadas."

"É um ótimo trabalho, sra. Henderson. Você devia ficar orgulhosa. Pode colocar o vestido, Marguerite."

"Não, senhora. O orgulho é pecado. E de acordo com o Bom Livro, precede uma queda."

"Isso mesmo. É o que a Bíblia diz. É uma boa coisa para ter em mente."

Não olhei para nenhuma das duas.

Momma nem pensou que tirar meu vestido na frente da sra. Flowers me deixaria mortinha. Se eu tivesse me recusado, ela teria achado que eu estava tentando ser "mulher" e talvez lembrasse St. Louis. A sra. Flowers sabia que eu ficaria constrangida, e isso era bem pior. Peguei as compras e saí para esperar no sol quente. Seria adequado se eu tivesse uma insolação e morresse antes mesmo de elas saírem. Caísse durinha na varanda.

Havia um caminho estreito ao lado da estrada pedregosa, e a sra. Flowers andou na frente balançando os braços e evitando pisar nas pedras.

Sem virar a cabeça para mim, ela disse: "Soube que você está se saindo muito bem na escola, Marguerite, mas só por escrito. Os professores dizem que têm dificuldade de fazer você falar na aula".

Nós passamos pela fazenda triangular que ficava à nossa esquerda, e o caminho se alargou, permitindo que andássemos juntas. Fiquei para trás, presa nas perguntas não perguntadas e impossíveis de responder.

"Venha andar comigo, Marguerite." Eu não podia ter recusado nem se quisesse. Ela pronunciava meu nome tão lindamente. Ou, mais precisamente, ela falava cada palavra com tanta clareza que eu tinha certeza de que um estrangeiro que não falasse inglês seria capaz de entendê-la.

"Ninguém vai fazer você falar — possivelmente ninguém é capaz. Mas tenha em mente que a linguagem é a forma do homem de se comunicar com os outros homens, e é só a linguagem que o separa dos animais inferiores." Essa era uma ideia totalmente nova para mim, e eu precisaria de tempo para pensar nela.

"Sua avó diz que você lê muito. Em todas as oportunidades que tem. Isso é bom, mas não o suficiente. Palavras significam mais do que é colocado no papel. É preciso a voz humana para dar a elas as nuances do significado mais profundo."

Decorei essa parte sobre a voz humana dar nuances às palavras. Pareceu muito válido e poético.

Ela disse que me daria alguns livros e que eu devia não só lê-los, mas lê-los em voz alta. Sugeriu que eu tentasse fazer uma frase soar do máximo de jeitos diferentes possível.

"Não aceito desculpas se você me entregar um livro malcuidado." Minha imaginação travou com a punição que eu mereceria se de fato estragasse um livro da sra. Flowers. A morte seria gentil e breve.

Os odores da casa me surpreenderam. De alguma forma, eu nunca havia ligado a sra. Flowers à comida e alimentação, ou mesmo a qualquer experiência comum das pessoas comuns. Devia haver uma casinha também, mas minha mente não registrou.

O doce aroma de baunilha nos recebeu quando ela abriu a porta.

"Fiz biscoitos hoje de manhã. Sabe, eu tinha planejado convidar você para comer biscoitos e tomar limonada, para podermos ter uma conversinha. A limonada está na geladeira."

Acontece que a sra. Flowers tinha gelo em um dia comum, enquanto a maioria das famílias da nossa cidade comprava gelo no fim dos sábados só algumas vezes durante o verão, para ser usado nas sorveteiras de madeira.

Ela tirou as sacolas da minha mão e sumiu pela porta da cozinha. Olhei para uma sala que nunca imaginei que veria, nem nas minhas maiores fantasias. Fotografias escurecidas pareciam espiar ou fazer ameaças nas paredes, e as cortinas brancas e novas voavam no vento. Eu queria engolir a sala toda e levar para Bailey, que me ajudaria a analisá-la e apreciá-la.

"Sente-se, Marguerite. Ali, perto da mesa." Ela estava carregando um prato coberto por um pano de copa. Apesar de avisar que não fazia doces havia muito tempo, eu tinha certeza de que tudo nos biscoitos estaria perfeito.

Eram bolachas redondas e achatadas, um pouco escuras nas beiradas e amarelo-manteiga no meio. Com a limonada fria, eram suficientes para a dieta de uma infância. Lembrando-me dos bons modos, dei mordidinhas de mocinha nas beiradas. Ela disse que os fez especialmente para mim e que tinha alguns na cozinha que eu podia levar para casa, para o meu irmão. Assim, enfiei um biscoito inteiro na boca, e as beiradas mordidas arranharam o interior da minha boca, e se eu não tivesse precisado engolir, teria sido um sonho que virou realidade.

Enquanto eu comia, ela começou a primeira do que mais tarde viemos a chamar de "minhas lições de vida". Disse que eu devia sempre ser intolerante com a ignorância, mas compreensiva com o analfabetismo. Que algumas pessoas, mesmo sem poderem ir à escola, eram mais educadas e até mais inteligentes do que professores universitários. Ela me encorajou a ouvir com atenção o que as pessoas do interior chamavam de bom senso. Que nos ditados populares havia a sabedoria coletiva de gerações.

Quando terminei os biscoitos, ela limpou a mesa e pegou um livro pequeno e grosso na estante. Eu tinha lido *Um conto de duas cidades* e achei digno do meu padrão como romance. Ela abriu a primeira página, e ouvi poesia pela primeira vez na vida.

"Foi o melhor dos tempos, o pior dos tempos..." Sua voz deslizava e se curvava pelas palavras. Ela estava quase cantando. Eu queria olhar as páginas. Eram as mesmas que eu tinha lido? Ou havia notas, música nas páginas, como meu livro de hinos religiosos? Os sons começaram a cascatear delicadamente. Eu sabia, por ouvir mil pregadores, que ela estava chegando perto do final da leitura, mas não ouvi de verdade, a ponto de entender, uma única palavra.

"O que você achou disso?"

Passou pela minha cabeça que ela esperava uma resposta. O doce sabor de baunilha ainda estava na minha língua, e sua leitura foi uma bênção para os meus ouvidos. Eu tinha que falar.

"Sim, senhora." Era o mínimo que eu podia fazer, mas também era o máximo.

"Tem mais uma coisa. Pegue este livro de poemas e decore um para mim. Na próxima vez que vier me visitar, quero que você o recite."

Tentei muitas vezes procurar atrás da sofisticação dos anos o encantamento que encontrava com tanta facilidade naqueles presentes. A essência escapa, mas a aura permanece. Ter permissão, não, ser convidada a compartilhar das vidas particulares de estranhos, compartilhar suas alegrias e medos, era uma chance de trocar o vermute amargo sulista por uma caneca de hidromel com Beowulf ou uma xícara quente de chá com leite com Oliver Twist. Quando falei em voz alta "Esta é, com certeza, a melhor coisa que eu faço, que eu já fiz...", lágrimas de amor encheram meus olhos pelo meu altruísmo.

Naquele primeiro dia, corri colina abaixo e pela estrada (poucos carros passavam por ela) e tive o bom senso de parar de correr antes de chegar ao Mercado.

Gostavam de mim, e que diferença isso fez. Eu era respeitada não só por ser neta da sra. Henderson e irmã de Bailey, mas por ser Marguerite Johnson.

A lógica da infância nunca pede para ser provada (todas as conclusões são absolutas). Não questionei por que a sra. Flowers me escolheu, nem passou pela minha cabeça que Momma podia ter pedido que ela falasse comigo. Eu só me importava de ela ter feito biscoitos para *mim* e ter lido para *mim* trechos do seu livro favorito. Era o suficiente para provar que ela gostava de mim.

Momma e Bailey estavam esperando dentro do Mercado. Ele disse: "O que ela deu a você?". Ele tinha visto os livros, mas fiquei segurando o saco de papel com os biscoitos nos braços, protegido pelos poemas.

Momma disse: "Irmã, eu sei que você se comportou como uma mocinha. Faz bem ao meu coração ver pessoas bem estabelecidas gostarem de você. Estou me esforçando, o Senhor sabe, mas ultimamente...". Ela parou de falar.

"Entre e troque de vestido."

No quarto, seria uma alegria ver Bailey receber seus biscoitos. Eu disse: "A propósito, Bailey, a sra. Flowers mandou biscoitos para você...".

Momma gritou: "O que você disse, Irmã? Você, Irmã, o que você disse?". Tinha raiva fervente estalando na voz dela.

Bailey disse: "Ela falou que a sra. Flowers mandou para mim...".

"Não estou falando com você, Ju." Ouvi os passos pesados no piso na direção do nosso quarto. "Irmã, você me ouviu. O que foi que você disse?" Ela pareceu crescer e ocupar toda a porta.

Bailey disse: "Momma." A voz dele era pacificadora. "Momma, ela..."

"Cale a boca, Ju. Estou falando com a sua irmã."

Eu não sabia no pé de qual vaca sagrada eu tinha pisado, mas era melhor descobrir a ficar pendurada como um fiapo em cima de uma fogueira. Repeti: "Eu disse 'Bailey, a propósito, a sra. Flowers mandou...'"

"Foi o que eu achei que você tinha dito. Vá tirar o vestido. Vou pegar uma vara."

No começo, achei que ela estivesse brincando. Que talvez fosse uma piada que terminaria com "tem certeza de que ela não mandou nada para mim?". Mas em um minuto ela voltou para o quarto com uma vara comprida e cheia de nós de pessegueiro, o sumo com cheiro amargo de ter sido arrancada agora. Ela disse: "Fique de joelhos. Bailey Junior, você também."

Nós três nos ajoelhamos, e ela começou: "Pai nosso, você sabe as atribulações da sua humilde serva. Com sua ajuda, criei dois garotos adultos. Em muitos dias achei que não conseguiria seguir em frente, mas você me deu força para ver o caminho com clareza. Agora, Senhor, veja esse coração pesado hoje. Estou tentando criar os filhos do meu filho do jeito que eles deveriam ser criados, mas, ah, Senhor, o Diabo tenta me atrapalhar sempre. Nunca pensei que viveria para ouvir blasfêmias debaixo deste teto, pelo jeito como tento me dedicar à glorificação de Deus. E saindo da boca de bebês. Mas você disse, nos últimos dias irmão viraria contra irmão, e filhos contra os pais. Que haveria morder de dentes e destruição da carne. Pai, perdoe essa criança, eu imploro de joelhos".

Eu estava chorando alto agora. A voz de Momma tinha chegado ao tom de um grito, e eu sabia que o que eu tinha feito de errado era muito sério. Ela até deixou o Mercado vazio para acertar meu problema com Deus. Quando terminou, estávamos todos chorando. Ela me puxou com uma das mãos e me bateu algumas poucas vezes com a vara.

O choque do meu pecado e a libertação emocional da oração a exauriram.

Momma não quis falar na hora, mas depois, à noite, descobri que minha violação foi em usar a expressão "a propósito". Momma explicou que "Jesus tinha um Propósito, era a Verdade e a Luz", e qualquer um que diga "a propósito" está dizendo "por Jesus" ou "por Deus", e o nome do Senhor não seria dito em vão na casa dela.

Quando Bailey tentou interpretar as palavras dizendo "Os brancos usam 'a propósito' com a ideia de quem diz já que estamos falando nisso", Momma nos lembrou que "as bocas dos brancos eram frouxas e as palavras deles eram uma abominação perante Cristo".

16

Recentemente, uma mulher branca do Texas, que rapidamente se descreveria como liberal, me perguntou sobre minha cidade. Quando contei que em Stamps minha avó era dona do único mercado geral de Negros desde a virada do século, ela exclamou: "Ora, você foi uma debutante". Ridículo e até absurdo. Mas garotas Negras em pequenas cidades do sul, fossem acometidas de pobreza ou só tendo o básico das necessidades da vida, recebiam preparações extensivas e irrelevantes para a idade adulta, da mesma forma que as garotas brancas das revistas.

Era verdade que o treinamento não era o mesmo. Enquanto as garotas brancas aprendiam a dançar valsa e a se sentarem graciosamente com uma xícara de chá equilibrada nos joelhos, nós ficávamos para trás e aprendíamos valores de meados da era vitoriana com pouco dinheiro para podermos nos entregar a eles. (Imagine Edna Lomax gastando o dinheiro que ganhou colhendo algodão em cinco rolos de linha bege de bordar *frivolité*. Os dedos dela são capazes de arrebentar o fio e ela ter que repetir os pontos várias vezes. Mas ela sabia disso quando comprou a linha.)

Nós tínhamos que bordar, e eu tinha baús de panos de prato coloridos, fronhas, caminhos de mesa e lenços. Dominei a arte do crochê e do *frivolité*, e havia suprimento para uma vida de paninhos delicados que nunca seriam usados em gavetas de cômoda com sachê perfumado. Nem é preciso dizer que todas as garotas sabiam passar e lavar, mas os toques mais delicados da casa, como pôr a mesa sem pratarias de verdade, fazer assados e cozinhar legumes sem carne, tinham que ser aprendidos em outro lugar. Normalmente, na fonte desses hábitos. Durante meu décimo ano, a cozinha de uma mulher branca virou minha escola de boas maneiras.

A sra. Viola Cullinan era uma mulher gorducha que morava em uma casa de três quartos em algum ponto atrás da agência dos correios. Ela era singularmente feia até sorrir, aí as linhas em volta dos olhos e da boca que faziam com que ela parecesse sempre suja sumiam, e seu rosto ficava parecendo o de um elfo levado. Ela costumava deixar o sorriso descansando até o final da tarde, quando as amigas apareciam e a srta. Glory, a cozinheira, servia bebidas geladas na varanda fechada.

A precisão da casa não era humana. Esse copo ficava aqui e só aqui. Aquela xícara tinha um lugar certo, e era ato de rebelião insolente colocá-la em qualquer outro lugar. Ao meio-dia, a mesa estava posta. Ao meio-dia e quinze, a sra. Cullinan se sentava para fazer a refeição (quer o marido tivesse chegado ou não). Ao meio-dia e dezesseis a srta. Glory levava a comida.

Demorei uma semana para aprender a diferença entre um prato de salada, um prato de pão e um prato de sobremesa.

A sra. Cullinan mantinha a tradição de seus pais ricos. Ela era da Virgínia. A srta. Glory, que era descendente de escravos que tinham trabalhado para os Cullinans, me contou a história. Ela se casou com uma pessoa de posição inferior (de acordo com a srta. Glory). A família do marido não tinha dinheiro havia muito tempo e o que tinha "não chegava a muita coisa".

Por mais feia que ela fosse, eu pensava em particular, tinha sorte de ter um marido acima ou abaixo dela. Mas a srta. Glory não me deixaria dizer nada contra a patroa dela. Ela era muito paciente comigo em relação ao trabalho de casa. Explicou sobre a louça, os talheres e os sinos dos criados.

A tigela grande e redonda na qual a sopa era servida não era uma sopeira, era uma terrina. Havia cálices, taças para doces, taças de sorvete, taças de vinho, xícaras de café de vidro verde com pires combinando e taças de água. Eu tinha um copo, que ficava com o da srta. Glory em uma prateleira separada do resto. Colheres de sopa, molheiras, facas de manteiga, garfos de salada e bandejas de carne foram acréscimos ao meu vocabulário e a maioria representava mesmo uma nova linguagem. Fiquei fascinada com as novidades, com a agitada sra. Cullinan e sua casa de Alice no País das Maravilhas.

O marido dela permanece indefinido na minha memória. Eu o aglomerei junto com todos os outros homens brancos que já tinha visto e tentado não ver.

No caminho para casa, uma noite, a srta. Glory me contou que a sra. Cullinan não podia ter filhos. Dizia que era por ter ossos delicados demais. Era difícil imaginar ossos embaixo de tantas camadas de gordura. A srta. Glory disse que o médico tinha tirado todos os órgãos femininos dela. Argumentei que os órgãos de um porco incluíam os pulmões, o coração e o fígado, então se a sra. Cullinan andava por aí sem esses órgãos essenciais, era uma boa explicação de por que ela tomava álcool de garrafas sem rótulo. Ela estava se mantendo embalsamada.

Quando contei para Bailey sobre isso, ele concordou comigo, mas também me informou que o sr. Cullinan tinha duas filhas com uma moça de cor que eu conhecia muito bem. Acrescentou que as garotas eram a imagem cuspida do pai.

Eu não conseguia lembrar como ele era, apesar de ter saído de perto dele poucas horas antes, mas pensei nas garotas Coleman. Elas tinham pele muito clara e não eram muito parecidas com a mãe (e ninguém falava sobre um sr. Coleman).

Minha pena da sra. Cullinan me precedeu na manhã seguinte como o sorriso do gato Cheshire. Aquelas garotas, que podiam ser filhas dela, eram lindas. Não precisavam alisar o cabelo. Mesmo quando a chuva as pegava de surpresa, suas tranças continuavam para baixo como cobras domadas. As bocas eram curvinhas rechonchudas. A sra. Cullinan não sabia o que estava perdendo. Ou talvez soubesse. Pobre sra. Cullinan.

Durante semanas, cheguei cedo, saí tarde e tentei compensar a esterilidade dela. Se ela tivesse filhos próprios, não precisaria me pedir para correr de um lado para o outro, das portas dos fundos da sua casa até a das amigas. Pobre sra. Cullinan.

Mas uma noite a srta. Glory me mandou servir as damas na varanda. Depois que coloquei a bandeja na mesa e me virei para a cozinha, uma das mulheres perguntou: "Qual é seu nome, garota?". Foi a que tinha sardas. A sra. Cullinan disse: "Ela não fala muito. O nome dela é Margaret".

"Ela é muda?"

"Não. Pelo que sei, ela consegue falar quando quer, mas costuma ser muda como um ratinho. Não é, Margaret?"

Sorri para ela. Pobrezinha. Sem órgãos e nunca conseguiu pronunciar meu nome direito. "Mas ela é um amorzinho."

"Ah, pode ser, mas o nome é grande demais. Eu nunca me daria esse trabalho. Eu a chamaria de Mary se fosse você."

Fui para a cozinha furiosa. Aquela mulher horrível nunca teria a chance de me chamar de Mary porque, mesmo que estivesse passando fome, eu nunca trabalharia para ela. Decidi que não mijaria nela nem se o seu coração estivesse pegando fogo. Risadinhas vieram da varanda até as panelas da srta. Glory. Eu me perguntei de que elas podiam estar rindo. Os brancos eram tão estranhos. Elas poderiam estar falando sobre mim? Todo mundo sabia que eles eram mais unidos do que os Negros. Era possível que a sra. Cullinan tivesse amigos de St. Louis que souberam de uma garota de Stamps que foi ao tribunal e escreveu para ela. Talvez ela soubesse sobre o sr. Freeman. Meu almoço voltou todo para a boca. Fui lá fora e me aliviei no canteiro de maravilhas. A srta. Glory achou que eu podia estar pegando alguma coisa e me mandou para casa, disse que Momma me daria algum chá de ervas e que ela explicaria para a patroa. Percebi como estava sendo tola antes mesmo de chegar ao lago. Claro que a sra. Cullinan não sabia. Senão ela não teria me dado os dois vestidos lindos que Momma cortou, e não teria me chamado de "amorzinho". Meu estômago pareceu bem, e não falei nada para Momma. Naquela noite, decidi escrever um poema sobre ser branca, gorda, velha e sem filhos. Seria uma balada trágica. Eu teria que observá-la com atenção para capturar a essência da solidão e da dor.

No dia seguinte, ela me chamou pelo nome errado. A srta. Glory e eu estávamos lavando a louça do almoço quando a sra. Cullinan apareceu na porta. "Mary?"

A srta. Glory perguntou: "Quem?".

A sra. Cullinan, hesitando um pouco, sabia, e eu sabia. "Quero que Mary vá até a casa da sra. Randall e leve um pouco de sopa. Ela não anda se sentindo bem há alguns dias."

O rosto da sra. Glory foi uma maravilha de se ver. "Você quer dizer Margaret, senhora. O nome dela é Margaret."

"Esse nome é comprido demais. Ela é Mary de agora em diante. Esquente a sopa de ontem e coloque na terrina de porcelana, e, Mary, quero que você carregue com cuidado."

Todo mundo que eu conhecia tinha um horror infernal de ser "chamado pelo nome errado". Era uma prática perigosa chamar um Negro de qualquer coisa que pudesse ser encarada como insultante por causa dos séculos em que foram chamados de pretos, negrinhos, crioulos, neguinhos, pretinhos, escurinhos.

A srta. Glory teve um segundo de pena de mim. Mas quando me deu a terrina quente, ela disse: "Não ligue, não dê atenção a isso. Paus e pedras podem machucar seu corpo, mas as palavras... Você sabe, trabalho para ela há vinte anos". Ela segurou a porta dos fundos aberta para mim. "Vinte anos. Eu não era muito mais velha do que você. Meu nome era Hallelujah. Era como minha mãe me chamava, mas minha patroa me deu 'Glory', e pegou. Também gosto mais."

Eu estava no caminho estreito que passava por trás das casas quando a srta. Glory gritou: "E também é menor".

Por alguns segundos, fiquei dividida entre rir (imagine se chamar Hallelujah) ou chorar (imagine deixar uma mulher branca mudar seu nome para a conveniência dela). Minha raiva me salvou das duas explosões. Eu tinha que sair daquele emprego, mas o problema seria como fazer isso. Momma não me deixaria sair por nenhum motivo.

"Ah, ela é um amor. Aquela mulher é um amor." A empregada da sra. Randall ficou repetindo isso algumas vezes enquanto pegava a sopa comigo, e eu me perguntei qual era o seu nome e ao qual ela atendia agora.

Por uma semana, olhei na cara da sra. Cullinan enquanto ela me chamava de Mary. Ela ignorou meus atrasos na hora de chegar e os dias que saí mais cedo. A srta. Glory estava um pouco irritada porque eu tinha começado a deixar gema de ovo nos pratos e não estava me dedicando muito a polir a prataria. Eu esperava que fosse reclamar com a chefe, mas ela não falou nada.

Então, Bailey resolveu meu dilema. Ele me mandou descrever o conteúdo do armário de louças e os pratos de que ela mais gostava. O favorito era uma caçarola com formato de peixe e as xícaras de café de vidro verde. Mantive as instruções dele em mente, e no dia seguinte, quando a srta. Glory estava pendurando as roupas e recebi novamente a ordem de servir as mulheres na varanda, deixei a bandeja vazia cair. Quando ouvi a sra. Cullinan gritar "Mary!", peguei a caçarola e duas xícaras de vidro verde e me preparei. Quando ela apareceu na porta da cozinha, deixei tudo cair no chão.

Nunca consegui descrever direito para Bailey o que aconteceu em seguida, porque cada vez que eu chegava na parte em que ela caiu no chão e retorceu o rosto feio para chorar, nós caíamos na gargalhada. Ela se arrastou pelo chão e pegou cacos das xícaras e gritou: "Ah, mamãe. Ah, meu bom Deus. É a porcelana da Virgínia da mamãe. Ah, mamãe, me desculpe".

A srta. Glory veio correndo do quintal, e as mulheres da varanda apareceram. A srta. Glory ficou quase tão arrasada quanto a patroa. "Você quer dizer que ela quebrou nossa louça da Virgínia? O que vamos fazer?"

A sra. Cullinan gritou mais alto: "Aquela crioula estabanada. Crioulinha estabanada".

A de sardas na cara se inclinou e perguntou: "Quem foi, Viola? Foi Mary? Quem foi?".

Tudo estava acontecendo tão rápido que não consigo lembrar se o ato dela precedeu as palavras, mas sei que a sra. Cullinan disse: "O nome dela é Margaret, droga, o nome dela é Margaret!". E ela jogou um pedaço de prato quebrado em mim. Pode ter sido a histeria que afetou a mira, mas o caco voador acertou a srta. Glory acima da orelha, e ela começou a gritar.

Deixei a porta da frente bem aberta para todos os vizinhos ouvirem.

A sra. Cullinan estava certa quanto a uma coisa. Meu nome não era Mary.

17

As semanas se moviam na roda da mesmice. Giravam com tanta regularidade e inevitabilidade que cada uma parecia ser o original do rascunho do dia anterior. Mas os sábados sempre rompiam com o modelo e ousavam ser diferentes.

Fazendeiros iam para a cidade com seus filhos e esposas em volta. Suas calças cáqui e camisas engomadas revelavam o cuidado exaustivo de uma filha ou esposa caprichosa. Eles costumavam parar no Mercado para trocar dinheiro e poderem dar moedas às crianças, que tremiam de ansiedade para chegar à cidade. As crianças menores se ressentiam abertamente da demora dos pais no Mercado, e o tio Willie as chamava e dava para elas pedaços de pé de moleque que tinham se quebrado no transporte. Elas comiam os doces e saíam novamente, chutando a terra da estrada e se preocupando se haveria tempo de chegar à cidade.

Bailey brincava de arremessar uma faca na grama em volta do cinamomo com os garotos mais velhos, e Momma e tio Willie ouviam as notícias que os fazendeiros traziam do campo. Eu pensava em mim mesma como pairando no Mercado, uma bolota de poeira flutuando em um raio de sol. Empurrada e puxada por qualquer movimento de ar, mas nunca caindo na escuridão tentadora.

Nos meses quentes, as manhãs começavam com uma lavagem rápida com água do poço não aquecida. A água com espuma era jogada em um pedaço de terra ao lado da porta da cozinha. Era chamado de jardim de iscas (Bailey criava minhocas).

Depois das orações, o café da manhã no verão costumava ser cereal desidratado com leite fresco. Em seguida, nós fazíamos nossas tarefas (que no sábado incluíam trabalhos de dia de semana): esfregar o chão, varrer folhas dos jardins, engraxar nossos sapatos para domingo (os do tio Willie tinham que ser polidos com um pãozinho) e receber os clientes que chegavam sem fôlego, também na correria de sábado.

Ao olhar para trás, fico impressionada do sábado ser meu dia favorito da semana. Que prazeres podiam ser espremidos entre as tarefas infinitas? O talento das crianças para aguentar as coisas vem da ignorância sobre as alternativas.

Depois de nosso retorno de St. Louis, Momma passou a nos dar mesada semanal. Como ela raramente mexia com dinheiro além de receber e pagar o dízimo da igreja, eu achava que os dez centavos semanais eram para nos dizer que até ela percebia que uma mudança tinha acontecido para nós, e que nossa nova estranheza a fazia nos tratar com distanciamento.

Eu costumava dar meu dinheiro para Bailey, que ia ao cinema quase todos os sábados. Ele trazia livros de Street & Smith caubói para mim.

Um sábado, Bailey estava demorando a voltar do Rye-al-toh. Momma tinha começado a esquentar água para os banhos da noite, e todas as tarefas de fim de dia estavam feitas. Tio Willie estava sentado na varanda no crepúsculo, resmungando ou talvez cantando, fumando um cigarro comprado pronto. Estava bem tarde. As mães já tinham chamado os filhos que brincavam na rua, e os sons distantes de "Ah... ha... você não me pegou" ainda pairavam no ar e chegavam ao Mercado.

Tio Willie disse: "Irmã, é melhor acender a luz". Aos sábados, nós usávamos as luzes elétricas, para que clientes de último minuto pudessem olhar da colina e ver se o Mercado ainda estava aberto. Momma não tinha me mandado acendê-las porque não queria acreditar que a noite tinha caído e Bailey ainda estava na rua, no escuro horrível.

A apreensão dela ficou evidente nos movimentos apressados pela cozinha e nos olhos solitários e temerosos. A mulher Negra do sul que cria filhos, netos e sobrinhos estava com o coração pendurado em uma forca. Qualquer quebra de rotina podia trazer notícias insuportáveis. Por esse motivo, os Negros do sul até a geração atual podiam ser vistos como extremamente tradicionais.

Como a maioria das pessoas egoístas demais, eu tinha pouca pena da ansiedade dos meus parentes. Se alguma coisa realmente tivesse acontecido com Bailey, o tio Willie sempre teria Momma, e Momma tinha o Mercado. Afinal, não éramos filhos deles. Mas seria eu quem mais perderia se Bailey aparecesse morto. Pois ele era tudo que eu reclamava para mim, além de tudo que eu tinha.

A água do banho estava fervendo no fogão, mas Momma estava esfregando a mesa da cozinha pela enésima vez.

"Momma", chamou tio Willie, e ela pulou. "Momma." Esperei nas luzes fortes do Mercado, com ciúmes de alguém ter aparecido e contado àqueles estranhos alguma coisa sobre o meu irmão e eu ser a última a saber.

"Momma, por que você e a Irmã não seguem pela rua para se encontrarem com ele?"

Até onde eu sabia, o nome de Bailey não era mencionado havia horas, mas nós todos sabíamos de quem ele estava falando.

Claro. Por que isso não tinha passado pela minha cabeça? Eu queria sair. Momma disse: "Espere um minuto, mocinha. Vá buscar seu suéter e traga meu xale".

Estava mais escuro na rua do que eu imaginava que estaria. Momma passava o arco da lanterna pelo caminho e pelo mato e pelos troncos assustadores. A noite de repente virou território inimigo, e eu soube que se meu irmão se perdesse naquela terra, ficaria perdido para sempre. Ele tinha onze anos e era muito inteligente, isso eu admitia, mas ele era tão pequeno, afinal. Os Barba Azul e tigres e Estripadores podiam comê-lo antes de ele conseguir gritar pedindo ajuda.

Momma me mandou pegar a lanterna e segurou minha mão. Sua voz vinha de uma colina alta acima de mim, e na escuridão minha mão ficou coberta pela dela. Eu a amei demais naquele momento. Ela não disse nada — nem "Não se preocupe", e nem "Não fique de coração mole". Só a pressão delicada da mão áspera me passava a sua preocupação e a sua tranquilidade.

Nós passamos por casas que eu conhecia bem durante o dia, mas não consegui reconhecer na escuridão.

"Boa noite, sra. Jenkins." Andando e me puxando.

"Irmã Henderson? Algum problema?" Isso veio de um contorno mais preto que a noite.

"Não, senhora. Nadinha. Que o Senhor abençoe." Quando ela terminou de falar, nós já tínhamos deixado os vizinhos preocupados bem para trás.

O Do Drop Inn do sr. Willie Williams estava iluminado com luzes vermelhas ao longe, e o odor de peixe do lago nos envolveu. A mão de Momma apertou e soltou, e vi a pequena figura se aproximando, cansada e com jeito de velha. As mãos nos bolsos e a cabeça baixa, ele andava como um homem subindo a colina atrás de um caixão.

"Bailey." O nome pulou de mim na mesma hora que Momma disse "Ju", e comecei a correr, mas a mão dela segurou a minha de novo e apertou como um torno. Puxei, mas ela me puxou de volta para o lado dela. "Nós vamos continuar andando como estávamos andando, mocinha." Não houve chance de avisar a Bailey que ele estava perigosamente atrasado, que todo mundo tinha ficado preocupado e que ele devia criar uma boa mentira, ou melhor, uma ótima mentira.

Momma disse: "Bailey Junior", e ele levantou o rosto sem surpresa. "Você sabe que está de noite e só agora está voltando para casa?"

"Sim, senhora." Ele estava vazio. Onde estava o seu álibi?

"O que você estava fazendo?"

"Nada."

"É tudo que você tem a dizer?"

"Sim, senhora."

"Muito bem, meu jovem. Vamos ver quando você chegar em casa."

Ela havia me soltado, e tentei segurar a mão de Bailey, mas ele a puxou. Eu disse "Ei, Bail", torcendo para lembrar a ele que eu era sua irmã e sua única amiga, mas ele resmungou alguma coisa do tipo "Me deixa em paz".

Momma não acendeu a lanterna na volta, nem respondeu aos "boa noite" questionadores que chegaram a nós conforme passamos pelas casas escuras.

Eu estava confusa e com medo. Ele ia levar uma surra e talvez tivesse feito uma coisa horrível. Se ele não podia falar comigo, devia ter sido sério. Mas ela não estava com ares de quem tinha feito a farra. Só parecia triste. Eu não sabia o que pensar.

Tio Willie disse: "Está ficando grande demais para sua calça, é? Você não pode voltar para casa. Quer matar sua avó de preocupação?".

Bailey estava tão distante que nem sentia medo. Tio Willie estava com um cinto de couro na mão boa, mas Bailey não reparou ou não ligou. "Eu vou bater em você desta vez."

Nosso tio só tinha batido em nós uma vez, e só com uma vara de pessegueiro, então talvez agora ele fosse matar meu irmão. Gritei e tentei pegar o cinto, mas Momma me segurou. "Não se agite, mocinha, a não ser que queira a mesma coisa. Ele vai ter uma lição. Venha tomar seu banho."

Da cozinha, ouvi o cinto bater, seco e áspero na pele nua. O tio Willie estava ofegante, mas Bailey não emitiu som nenhum. Eu estava com medo de derramar água ou até de chorar e correr o risco de sufocar os pedidos de ajuda de Bailey, mas os pedidos não aconteceram e a surra acabou.

Fiquei deitada uma eternidade, esperando um sinal, um choramingo ou um sussurro do quarto ao lado, indicando que ele ainda estava vivo. Antes de cair em um sono exausto, ouvi Bailey: "Agora que vou me deitar, rezo para o Senhor minha alma guardar; se eu morrer antes de acordar, que o Senhor possa minha alma levar".

Minha última lembrança daquela noite foi a pergunta: Por que ele está dizendo a oração infantil? Nós rezávamos o "Pai nosso, que estais no céu" havia anos.

Durante dias, o Mercado foi uma terra estrangeira, e nós éramos todos imigrantes recém-chegados. Bailey não falou, sorriu nem pediu desculpas. Seus olhos estavam tão vazios que parecia que a alma dele tinha fugido, e nas refeições eu tentava dar os melhores pedaços de carne para ele e a maior porção de sobremesa, mas ele recusava tudo.

Uma noite, no chiqueiro, ele disse sem aviso: "Eu vi a Mamãe Querida".

Se ele disse, devia ser verdade. Ele não mentiria para mim. Acho que não perguntei onde nem quando.

"No cinema." Ele encostou a cabeça na amurada de madeira. "Não era ela de verdade. Era uma mulher chamada Kay Francis. Ela é uma estrela de cinema branca que é igual à Mamãe Querida."

Não havia dificuldade em acreditar que uma estrela de cinema branca era parecida com nossa mãe e que Bailey a tinha visto. Ele me contou que os filmes mudavam toda semana, mas quando outro filme com Kay Francis chegasse a Stamps, ele me avisaria, e nós iríamos juntos. Até prometeu se sentar comigo.

Ele tinha ficado até tarde no sábado anterior para ver o filme de novo. Eu entendia, e também entendia por que ele não podia contar para Momma nem para o tio Willie. Ela era nossa mãe e pertencia a nós. Nunca era mencionada para ninguém porque nós não tínhamos o suficiente dela para compartilhar.

Tivemos que esperar quase dois meses até que Kay Francis voltasse a Stamps. O humor de Bailey tinha melhorado consideravelmente, mas ele vivia em um estado de expectativa, que o deixava mais nervoso do que ele costumava ser. Quando ele me contou que o filme seria exibido, nós nos comportamos da melhor forma possível e fomos as crianças exemplares que a Vovó merecia e queria que fôssemos.

Era uma comédia leve, e Kay Francis usava camisas de seda branca de mangas compridas com abotoaduras grandes. O quarto dela era todo de cetim com flores em vasos, e a empregada dela, que era Negra, andava de um lado para o outro dizendo "Ora, senhorita" o tempo todo. Também havia um chofer Negro, que revirava os olhos e coçava a cabeça, e eu me perguntei como um idiota daqueles podia ser responsável pelos lindos carros dela.

Os brancos na parte de baixo riam em intervalos de minutos, olhando com deboche para os Negros na parte de cima, o ninho do abutre. O som pairava no ar por um segundo indeciso até que os ocupantes do balcão o aceitavam e espalhavam suas risadas, que se chocavam com as paredes do cinema.

Também ri, mas não das piadas horríveis sobre a minha gente. Eu ri porque, exceto pelo fato de ela ser branca, a estrela de cinema era igual à minha mãe. Exceto pelo fato de ela morar em uma grande mansão com mil criados, ela vivia como a minha mãe. E era engraçado pensar nos brancos não sabendo que a mulher que eles estavam admirando podia ser irmã gêmea da minha mãe, exceto por ser branca e minha mãe ser mais bonita. Bem mais bonita.

A estrela de cinema me deixou feliz. Era uma sorte extraordinária poder guardar dinheiro e ir ver a mãe sempre que se queria. Saí saltitando do cinema como se tivesse ganhado um presente inesperado. Mas Bailey estava desanimado de novo. (Tive que implorar para ele não ficar para a exibição seguinte.) A caminho de casa, ele parou no trilho do trem e esperou o trem de carga noturno. Antes que chegasse ao cruzamento, ele disparou e atravessou os trilhos.

Fiquei do outro lado em estado de histeria. Talvez as rodas gigantes estivessem esmagando os ossos dele e fazendo um mingau de sangue. Talvez ele tivesse tentado pegar um vagão e tenha sido jogado no lago e se afogado. Ou pior, ele podia ter entrado no trem e ido embora para sempre.

Quando o trem passou, ele se afastou do poste onde estava encostado, me repreendeu por fazer tanto barulho e disse: "Vamos para casa".

Um ano depois, ele pegou um trem, mas por causa da juventude dele e dos meios inescrutáveis do destino, ele não encontrou a Califórnia e sua Mamãe Querida — ficou preso em Baton Rouge, Louisiana, por duas semanas.

18

Mais um dia tinha se passado. Na escuridão suave, o caminhão espalhou os catadores de algodão e saiu rugindo pelo pátio como o som do peido de um gigante. Os trabalhadores andaram em círculos por alguns segundos, como se tivessem ido parar inesperadamente em um lugar desconhecido. Suas mentes estavam exaustas.

No Mercado, os rostos dos homens eram o que havia de mais sofrido para ver, mas eu parecia não ter escolha. Quando eles tentavam sorrir para afastar o cansaço como se não fosse nada, o corpo não ajudava na tentativa de disfarce da mente. Os ombros pendiam mesmo quando eles riam, e, quando colocavam as mãos nos quadris para demonstrar confiança, as palmas escorregavam como se a calça estivesse encerada.

"Boa noite, irmã Henderson. Voltamos para o começo, não é?"

"Sim, senhor, irmão Stewart. Voltamos para o começo, com a bênção do Senhor." Momma não deixava a menor das conquistas passar em branco. As pessoas cuja história e cujo futuro eram ameaçados diariamente de extinção achavam que só podiam estar vivas por intervenção divina. Acho interessante que a menor das vidas, a mais pobre das existências, seja atribuída à vontade de Deus. Mas, conforme os seres humanos ficam mais abastados, conforme o padrão e o estilo de vida começam a ascender na escala material, Deus diminui a escala de responsabilidade em velocidade proporcional.

"O crédito é todo Dele. Sim, senhora. O abençoado Senhor." Os macacões e camisas pareciam rasgados de propósito, e os fiapos de algodão e a sujeira no cabelo davam a eles a aparência de pessoas que tinham acabado de ficar grisalhas.

Os pés das mulheres tinham inchado a ponto de preencher os sapatos masculinos descartados que usavam, e elas lavavam os braços no poço para soltar sujeira e farpas que tinham penetrado nas mãos durante a colheita do dia.

Eu achava todos odiosos por se permitirem ser postos para trabalhar como touros, e ainda mais vergonhosos por tentarem fingir que as coisas não estavam tão ruins quanto estavam. Quando eles se apoiavam com força demais na bancada de doces que tinha uma parte de vidro, eu tinha vontade de mandar que se endireitassem e "assumissem postura de homem", mas Momma me daria uma surra se eu abrisse a boca. Ela ignorava os estalos da bancada sob aquele peso e andava de um lado para o outro pegando as mercadorias solicitadas, sem parar de conversar. "Vai preparar o jantar, irmã Williams?" Bailey e eu ajudávamos Momma enquanto o tio Willie ficava sentado na varanda ouvindo o relato do dia.

"Louvado seja o Senhor, não, senhora. Tenho o suficiente da sobra de ontem. Nós vamos para casa nos limpar para irmos à reunião de renovação."

Ir para a igreja naquela aura de cansaço? Não ir para casa pousar os ossos torturados em uma cama de penas? Passou pela minha cabeça a ideia de que o meu povo talvez fosse uma raça de masoquistas, e que não só era nosso destino viver a vida mais pobre e difícil, como nós gostávamos assim.

"Sei o que você quer dizer, irmã Williams. É preciso alimentar a alma tanto quanto o corpo. Vou levar as crianças se o Senhor permitir. O Bom Livro diz: 'Crie uma criança da forma como ela deve viver e ela não vai sair do caminho'."

"É isso que diz mesmo. Claro que é."

A tenda de pano tinha sido montada na planície, no meio de um campo perto dos trilhos do trem. A terra estava coberta por uma camada sedosa de grama seca e caules de algodão. Cadeiras de montar tinham sido armadas na terra ainda macia, e uma cruz grande de madeira estava pendurada na viga central dos fundos da tenda. Luzes elétricas tinham sido penduradas atrás do púlpito até a aba de entrada e continuavam do lado de fora, em postes feitos de vigas.

Ao nos aproximarmos pela escuridão, as lâmpadas pareciam solitárias e sem sentido. Não que estivessem lá para oferecer luz nem qualquer outra coisa importante.

E a tenda, aquele A tridimensional luminoso e indefinido, ficava tão estranha naquele campo de algodão que era capaz de levantar voo na minha frente.

As pessoas, visíveis de repente à luz das lâmpadas, seguiam na direção da igreja temporária. As vozes dos adultos transmitiam a intenção séria da missão. Cumprimentos foram trocados, sussurrados.

"Boa noite, irmã, como vai?"

"Com a bênção do Senhor, só tentando chegar."

As mentes se concentravam no encontro vindouro, alma a alma, com Deus. Não era hora de se permitirem preocupações humanas nem questões pessoais.

"O bom Senhor me deu mais um dia, e estou agradecido." Não havia nada de pessoal nisso. O crédito era de Deus, e não havia ilusão sobre a mudança na Sua Posição Central nem de Ele se tornar menos importante.

Os adolescentes gostavam da renovação tanto quanto os adultos. Eles usavam a noite do lado de fora das reuniões para brincar de cortejar. A impermanência de uma igreja desmontável aumentava a sensação de frivolidade, e os olhos brilhavam e piscavam, e as garotas riam como gotinhas prateadas no crepúsculo enquanto os garotos faziam pose e fingiam não reparar. As garotas quase crescidas usavam as saias mais apertadas do que o costume permitia e os rapazes esticavam o cabelo com pomada Moroline e água.

Mas, para as crianças pequenas, a ideia de louvar o Senhor em uma tenda era confusa, no mínimo. Parecia blasfêmia. As luzes penduradas no alto, o chão macio embaixo e a parede de lona que balançava levemente com a brisa, como bochechas cheias de ar, criavam uma atmosfera de feira. Os cutucões, tremores e piscadelas das crianças maiores não tinham espaço em uma igreja. Mas a tensão dos mais velhos — sua expectativa, que pesava como um cobertor grosso sobre as pessoas — era o mais impressionante de tudo.

O gentil Jesus se daria ao trabalho de entrar naquele ambiente transitório? O altar balançava e ameaçava virar, e a mesa de ofertas estava em um ângulo duvidoso. Uma perna tinha entrado na terra solta. Deus Pai permitiria que Seu único Filho se misturasse com esse grupo de catadores de algodão e empregadas, lavadeiras e faz-tudo? Eu sabia que Ele enviava seu espírito para a igreja aos domingos, mas era uma igreja, afinal, e as pessoas tiveram o sábado todo para se livrarem do peso do trabalho e da camada de desespero.

Todo mundo ia às reuniões de renovação.

Os integrantes da arrogante Igreja Batista do Monte Sião se misturavam com os integrantes intelectuais da Metodista Episcopal Africana e da Metodista Episcopal Africana Sião, e com os trabalhadores simples da Metodista Episcopal Cristã. Essas reuniões proporcionavam o único momento do ano em que todas as boas pessoas do vilarejo se associavam aos seguidores da Igreja de Deus em Cristo. Esses últimos eram vistos com certa desconfiança, porque eram barulhentos e agitados durante a missa. A explicação de que "o Bom Livro diz 'Reverberem alegria para o Senhor e encham-se de felicidade'" não minimizava a condescendência dos companheiros cristãos. Sua igreja ficava longe das outras, mas eles eram ouvidos aos domingos a oitocentos metros de distância, cantando e dançando, às vezes até caírem desmaiados. Os integrantes das outras igrejas questionavam se os Holy Rollers iam para o céu depois de tanta gritaria. A insinuação era de que eles estavam tendo na Terra o seu Céu.

Aquela era a renovação anual deles.

A sra. Duncan, uma mulherzinha com cara de pássaro, iniciou a missa. "Sei que sou testemunha do meu Senhor... Sei que sou testemunha do meu Senhor, sei que sou testemunha..."

Sua voz, um dedo magrelo, perfurou o ar, e a igreja respondeu. De algum lugar na frente soou o toque de um pandeiro. Duas batidas no "sei", duas batidas no "sou" e duas batidas no final de "testemunha".

Outras vozes se juntaram ao grito da sra. Duncan. Reunindo-se e aliviando seu tom as palmas bateram no teto e solidificaram a batida. Quando a música chegou ao auge de som e fervor, um homem alto e magro, que estava ajoelhado ao lado do altar o tempo todo, se levantou e cantou com a plateia por algumas notas. Ele esticou os braços compridos e segurou a plataforma. Demorou um tempo para os cantores saírem do nível de exaltação, mas o pastor ficou parado, decidido, até a música ir parando, como um brinquedo de criança, e haver silêncio nos corredores.

"Amém." Ele olhou para as pessoas.

"Sim, senhor, amém." Quase todo mundo repetiu o que ele disse.

"Eu peço que a igreja diga 'Amém'."

Todo mundo disse: "Amém".

"Graças ao Senhor. Graças ao Senhor."

"Isso mesmo, graças ao Senhor. Sim, Senhor. Amém."

"Vamos fazer uma oração guiada pelo irmão Bishop."

Outro homem alto de pele marrom usando óculos quadrados andou até o altar a partir da fila da frente. O pastor se ajoelhou à direita e o irmão Bishop à esquerda.

"Pai nosso" — ele estava cantando — "Você que tirou meus pés do lodo e do barro..."

A igreja gemeu: "Amém".

"Você que salvou minha alma. Um dia. Olhe, doce Jesus. Olhe agora para esses filhos em sofrimento..."

A igreja suplicou: "Olhe, Senhor".

"Nos dê forças quando estivermos destruídos... Abençoe os doentes e atormentados..."

Era a oração de sempre.

Mas aquela voz dava às palavras algo de novo. A cada duas ele ofegava e inspirava ar sobre as cordas vocais, fazendo um som de grunhido invertido. "Você que" — grunhido — "salvou minha" — grunhido — "alma um" — inspiração — "dia" — humf.

A congregação, liderada novamente pela sra. Duncan, iniciou: "Precioso Deus, segure minha mão, me guie, me permita ficar de pé". Foi cantado em ritmo mais veloz do que o habitual da Igreja Metodista Episcopal Cristã, mas naquele ritmo funcionou. Havia uma alegria na melodia que mudava o significado da letra triste. "Quando a escuridão surgir e a noite se aproximar e minha vida estiver quase no fim..." Parecia haver uma entrega que sugeria que, mesmo com tudo, aquele devia ser um momento de grande alegria.

Os gritadores já tinham se manifestado, e seus leques (propagandas de papelão da maior funerária de Negros de Texarkana) e lenços brancos de renda eram balançados no ar. Nas mãos escuras, pareciam pipas pequenas sem a estrutura de madeira.

O pastor alto continuou parado no altar. Esperou que a música acabasse e a agitação passasse.

Ele disse: "Amém. Glória".

A igreja foi acabando a música lentamente. "Amém. Glória."

Ele continuou esperando enquanto as últimas notas soavam no ar, uma amontoada na outra. "No rio eu paro..." "Eu paro, guie meus pés..." "Guie meus pés, pegue minha mão." Cantado como o último trecho de uma rodada.

Diminuindo lentamente.

A leitura da Escritura foi Mateus, vigésimo quinto capítulo, do versículo trinta ao quarenta e seis.

O texto do sermão foi "Meus pequeninos irmãos".

Depois de ler os versículos com o acompanhamento de alguns améns, ele disse: "Primeiro Coríntios me diz: 'Ainda que eu falasse a língua dos homens e dos anjos, se não tiver caridade, não sou nada. Mesmo que eu desse todas as minhas roupas para os pobres, se não tiver caridade, não sou nada. Mesmo que eu desse meu corpo para ser queimado, se não tiver caridade, não me serve de nada. Queimado, eu digo, sem ter caridade, não serve de nada'. Tenho que me perguntar, o que é essa coisa chamada Caridade? Bons atos não são caridade?..."

A igreja concordou rapidamente. "Isso mesmo, Senhor."

"... dar minha carne e meu sangue não é caridade?"

"Sim, Senhor."

"Tenho que me perguntar o que é essa Caridade de que falam tanto."

Eu nunca tinha ouvido um pastor entrar no cerne do sermão tão rapidamente. O murmúrio já soava na igreja, e os que entenderam estavam atentos, na expectativa da agitação que se aproximava. Momma estava sentada imóvel como uma árvore, mas tinha amassado o lenço na mão, e o único canto que eu tinha bordado estava aparecendo.

"Na minha compreensão, a caridade não se vangloria. Não é arrogante." Ele se inflou de ar para nos dar a imagem do que a Caridade não era. "A Caridade não sai por aí dizendo 'Eu lhe dou comida e lhe dou roupas e por direito você tem que me agradecer'."

A congregação sabia de quem ele estava falando e emitiu uma concordância com a análise dele. "Diga a verdade, Senhor."

"A caridade não diz 'Porque eu lhe dei um emprego, você tem que se submeter a mim'." A igreja estava se sacudindo a cada frase. "Não diz 'Porque eu pago o que você deve, você tem que me chamar de senhor'. Não me pede para me humilhar e me diminuir. Caridade não é isso."

Na frente, à direita, o sr. e a sra. Stewart, que poucas horas antes tinham desmoronado no nosso pátio, derrotados pela plantação de algodão, agora estavam sentados na beirada das cadeiras bambas. Seus rostos brilhavam com o prazer da alma. Os brancos maus teriam retribuição. Não era isso que o pastor tinha dito, e não estava citando as palavras do Próprio Deus? Eles estavam renovados de esperança de vingança e promessa de justiça.

"Aaah. Raaah. Eu disse... Caridade. Uau, uma Caridade. Não quer nada para si. Não quer ser chefe... Uááá... Não quer ser líder... Uááá... Não quer ser capataz... Uááá... Ela... Estou falando da Caridade... Não quer... Ó, Senhor... me ajude hoje... não quer reverências nem rastejos..."

Os reverenciadores e rastejadores históricos dos Estados Unidos se moviam com tranquilidade e alegria na igreja improvisada. Tranquilos porque, apesar de talvez ser o pior dos piores, pelo menos não eram indignos de caridade e "naquela grande Manhã, Jesus separaria as ovelhas (eles) dos bodes (os brancos)".

"A Caridade é simples." A igreja concordou, vocalmente.

"A Caridade é pobre." Era de nós que ele estava falando.

"A Caridade é direta." Acho que é isso mesmo. Direta e simples.

"A Caridade é... Ó, ó, ó. Ca-ri-da-de. Onde está você? Uau... Caridade... Hã."

Uma cadeira cedeu, e o som de madeira quebrando partiu o ar no fundo da igreja.

"Eu chamo e você não responde. Uau, ó Caridade."

Outro grito soou à minha frente, e uma mulher grande se sacudiu, os braços acima da cabeça como uma candidata a batismo. A libertação emocional era contagiosa. Gritinhos soaram por todo o aposento como bombinhas de Quatro de Julho.

A voz do pastor era um pêndulo. Oscilava para a esquerda, passava pelo centro e ia para a direita, voltava para o centro e ia para a esquerda e... "Como você pode alegar ser meu irmão e me odiar? Isso é Caridade? Como você pode alegar ser minha irmã e me desprezar? Isso, por acaso, é Caridade? Como você pode alegar ser meu amigo e me explorar e abusar de mim? Isso é Caridade? Ah, meus filhos, eu parei aqui..."

A igreja se balançava no final de cada frase. Pontuando. Confirmando. "Pare aqui, Senhor."

"... para dizer para abrir seu coração e deixar a Caridade reinar. Perdoe seus inimigos pelo bem Dele. Mostre à Caridade que Jesus estava falando desse mundo velho e doente. Esse mundo precisa do caridoso." Sua voz estava baixando, e as explosões ficaram menos frequentes e mais suaves.

"E agora repito as palavras do Apóstolo Paulo, 'agora, pois, permanecem a fé, a esperança e o amor, estes três, mas o maior destes é o amor'."

A congregação murmurou com satisfação.

Mesmo sendo os párias da sociedade, eles seriam anjos em um céu branco de mármore e sentariam do lado direito de Jesus, o filho de Deus. O Senhor amava os pobres e odiava os que estavam em posição alta no mundo. Ele Mesmo não disse que seria mais fácil um camelo passar pelo buraco de uma agulha do que um rico entrar no céu? Eles tinham a garantia de que seriam os únicos habitantes daquela terra de leite e mel, exceto, claro, alguns brancos como John Brown, que os livros de história diziam que era maluco. Só o que os Negros tinham que fazer, principalmente os que estavam na renovação, era aguentar as dificuldades e provações dessa vida, porque um lar abençoado os esperava no fim das contas.

"Em algum momento, quando a manhã chegar, quando todos os santos de Deus estiverem reunidos em casa, nós vamos contar a história de como superamos as adversidades e vamos entendê-las melhor no fim."

Algumas pessoas que tinham desmaiado estavam sendo reanimadas nos corredores laterais quando o evangelista abriu as portas da igreja.

Acima dos sons de "Obrigado, Jesus", ele iniciou um hino:

"Fui até Jesus como eu estava,
Preocupado, ferido e triste,
E encontrei Nele um local de descanso,
E Ele me fez feliz."

As senhoras se juntaram ao hino e o cantaram em harmonia. A plateia murmurante começou a parecer abelhas cansadas, inquietas e ansiosas para chegarem em casa.

"Todos que estão ouvindo o som da minha voz e não têm lar espiritual, cujos corações carregam pesos e fardos, que venham. Venham antes que seja tarde demais. Não peço que entrem para a Igreja de Deus em Cristo. Não. Sou um servo de Deus, e nesta renovação queremos levar almas perdidas para Ele. Assim, se você decidir entrar esta noite, só diga a que igreja quer se afiliar, e vamos encaminhar você a um representante dessa igreja. Um diácono de cada uma das igrejas pode se apresentar?"

Isso foi um ato revolucionário. Ninguém nunca tinha ouvido falar de um pastor convocar membros para outra igreja. Foi nosso primeiro vislumbre da Caridade entre pastores. Homens das igrejas Metodista Episcopal Africana, Metodista Episcopal Africana Sião, Batista e Metodista Episcopal Cristã foram até a frente e assumiram posição com pequenas distâncias entre si.

Pecadores convertidos desceram pelos corredores para apertar as mãos do evangelista e ficaram do lado dele ou foram direcionados para um dos homens na fila. Mais de vinte pessoas foram salvas naquela noite.

Houve quase tanta comoção pelo salvamento dos pecadores quanto durante o sermão melódico de agradecimento.

As Mães da Igreja, senhoras idosas com discos de renda branca presos no cabelo ralo, tinham uma cerimônia só delas. Foram até os novos convertidos, cantando:

"Antes desta data no ano que vem,
Eu posso ter partido,
Para algum cemitério solitário,
Ah, Senhor, por quanto tempo?"

Quando a coleta de ofertas terminou e o último hino de louvor ao Senhor tinha sido cantado, o evangelista pediu que todos na presença dele dedicassem novamente a alma a Deus e o trabalho de vida à Caridade.

Em seguida, fomos dispensados.

Do lado de fora e a caminho de casa, as pessoas davam continuidade à magia, assim como crianças cutucam bolos de lama, relutantes em dizer para si mesmas que a cerimônia tinha acabado.

"O Senhor o tocou esta noite, não foi?"

"Sem dúvida. Tocou com uma chama poderosa."

"Que o Senhor abençoe. Estou feliz pelo meu salvamento."

"É verdade. Faz muita diferença."

"Queria que as pessoas para quem eu trabalho pudessem ter ouvido o sermão. Elas não sabem em que estão se metendo."

"A Bíblia diz: 'Quem tem ouvidos para ouvir, que ouça. Se não ouvir, azar'."

Eles se regozijaram com a honradez dos pobres e a exclusividade dos oprimidos. Que os brancos tivessem seu dinheiro e poder e segregação e sarcasmo e casas grandes e escolas e gramados como tapetes, e livros e, principalmente — principalmente —, que tivessem sua brancura. Era melhor ser manso e humilde, ser cuspido e abusado por esse pouco tempo do que passar a eternidade fritando no fogo do inferno. Ninguém teria admitido que as pessoas cristãs e caridosas estavam felizes em pensar nos seus opressores girando para sempre no espeto do Diabo sobre as chamas e o mármore do inferno.

Mas isso era o que a Bíblia dizia, e a Bíblia não cometia erros. "Não dizia em algum lugar lá que 'o céu e a terra passarão, mas minhas palavras não passarão'? As pessoas vão ter o que merecem."

Quando os fiéis chegaram à curta ponte sobre o lago, o som irregular de música agitada chegou a eles. Uma banda de blues estava tocando, e pés batendo em um piso de madeira a acompanhavam. A srta. Grace, a mulher de vida fácil, estava recebendo seus habituais clientes de sábado à noite. A grande casa branca estava cheia de luzes e barulho. As pessoas lá dentro tinham deixado suas consternações de lado por um tempo.

Ao passar perto da agitação, as pessoas de Deus baixaram a cabeça, e as conversas foram interrompidas. A realidade começou a voltar tediosamente a seus argumentos. Afinal, eles eram necessitados e famintos e desprezados e desprovidos, e os pecadores do mundo todo estavam no banco do motorista. Por quanto tempo, misericordioso Pai? Por quanto tempo?

Quem não conhecesse as músicas não conseguiria fazer distinção entre as cantadas alguns minutos antes e as que estavam sendo tocadas para dança na casa da alegria perto dos trilhos do trem. Todas faziam as mesmas perguntas. Por quanto tempo, ó Senhor? Por quanto tempo?

19

O último espacinho foi preenchido, mas as pessoas continuavam a se espremer junto às paredes do Mercado. Tio Willie tinha sintonizado o rádio no volume mais alto, para que os jovens na varanda não perdessem uma palavra. Havia mulheres sentadas em cadeiras de cozinha, em cadeiras de sala de jantar, em bancos e em caixas de madeira viradas. Havia crianças pequenas e bebês em todos os colos disponíveis, e os homens estavam apoiados nas prateleiras ou uns nos outros.

O humor apreensivo era quebrado com gracejos, assim como um céu negro é cortado por relâmpagos.

"Não estou preocupado com essa luta. Joe vai acabar com aquele sujeito como se ele fosse de papel."

"Vai bater nele até o garoto branco o chamar de mamãe."

Finalmente a falação acabou, a música da propaganda das lâminas de barbear acabou e a luta começou.

"Um soco rápido na cabeça." No Mercado, as pessoas grunhiram. "Uma esquerda na cabeça e uma direita e outra esquerda." Um dos ouvintes cacarejou como uma galinha e foi silenciado.

"Eles estão agarrados, Louis tentando se soltar."

Algum comediante amargo na varanda disse: "Aquele branco não se importa de abraçar o preto agora, aposto".

"O árbitro vai separá-los, mas Louis finalmente empurrou o oponente e deu um *uppercut* no queixo. O oponente está com a cabeça baixa, está recuando agora. Louis o acerta com um soco de esquerda no maxilar.

Uma série de murmúrios de aprovação escapou pelas portas até o pátio.

"Outro de esquerda e outro de esquerda. Louis está poupando a poderosa direita..." O murmúrio no Mercado tinha virado uma mini gritaria interrompida pelo soar de um sino e a voz do narrador: "É o sino do terceiro *round*, senhoras e senhores".

Enquanto entrava no Mercado, pensei se o narrador tinha refletido que estava chamando de "senhoras e senhores" todos os Negros do mundo que estavam suando e orando, grudados na "voz do mestre".

Só houve alguns poucos pedidos de R. C. Colas, Dr Peppers e Hire's root beer. As verdadeiras comemorações começariam depois da luta. Aí até as senhoras cristãs, que ensinavam os filhos e se obrigavam a dar a outra face, comprariam refrigerantes. E, se a vitória do Bombardeiro Marrom fosse particularmente sangrenta, elas comprariam pés de moleque e também chocolate Baby Ruth.

Bailey e eu colocamos as moedas em cima da caixa registradora. Tio Willie não nos deixava receber pagamentos durante uma luta. A caixa registradora era muito barulhenta e podia abalar o clima. Quando o gongo soou no final do *round* seguinte, passamos pelo silêncio quase sagrado até onde estava a horda de crianças lá fora.

"Ele encurralou Louis nas cordas e agora foi um de esquerda no corpo e um de direita nas costelas. Outro de direita no corpo; parece que ele bateu baixo... Sim, senhoras e senhores, o árbitro está sinalizando, mas o oponente continua golpeando Louis. Outro no corpo, e parece que Louis está caindo."

Minha raça gemeu. Era nosso povo caindo. Era outro linchamento, mais um Negro enforcado em uma árvore. Mais uma mulher emboscada e estuprada. Um garoto Negro chicoteado e ferido. Eram cachorros na trilha de um homem correndo por pântanos gosmentos. Era uma mulher branca estapeando a empregada por ser esquecida.

Os homens no Mercado se afastaram das paredes, alertas. As mulheres apertavam os bebês no colo enquanto, na varanda, as cartas embaralhadas e os sorrisos, os flertes e beliscos de alguns minutos antes tinham parado. Podia ser o fim do mundo. Se Joe perdesse, estaríamos de volta à escravidão, sem chance de ajuda. Seria tudo verdade, as acusações de que éramos do tipo mais baixo de ser humano. Só um pouco acima dos macacos. Seria verdade que éramos burros e feios e preguiçosos e sujos e sem sorte e, pior de tudo, que o Próprio Deus nos odiava e nos mandava ser carregadores de madeira e coletores de água para sempre, sem nunca ter fim.

Nós não respiramos. Nós não tivemos mais esperança. Nós apenas esperamos.

"Ele se afastou das cordas, senhoras e senhores. Está indo na direção do centro do ringue." Não houve tempo de sentir alívio. O pior ainda podia acontecer.

"E agora parece que Joe está com muita raiva. Ele acertou Carnera com um gancho de esquerda na cabeça e um de direita na cabeça. Um soco de esquerda no corpo e outro de esquerda na cabeça. Um cruzado de esquerda e um de direita na cabeça. O olho direito do oponente está sangrando, e ele não consegue manter o bloqueio. Louis está penetrando em todas as defesas. O árbitro está se aproximando, mas Louis enfia um soco de esquerda no corpo e um *uppercut* no queixo, e o oponente está caindo. Ele está na lona, senhoras e senhores."

Bebês foram para o chão quando as mulheres se levantaram e os homens se inclinaram para o rádio.

"Aqui está o árbitro. Ele está contando. Um, dois, três, quatro, cinco, seis, sete... O oponente está tentando se levantar novamente?"

Todos os homens gritaram: "NÃO".

"... oito, nove, dez." Houve alguns sons da plateia, mas eles pareciam estar se segurando contra uma pressão tremenda.

"A luta acabou, senhoras e senhores. Vamos levar o microfone até o árbitro... Aqui está ele. Ele está segurando a mão do Bombardeiro Marrom, ele a está levantando... Aqui está ele..."

E a voz, rouca e familiar, soou ao nosso redor: "O vencedor e ainda campeão mundial dos pesos pesados... Joe Louis".

Campeão mundial. Um garoto Negro. O filho de uma mãe Negra. Ele era o homem mais forte do mundo. As pessoas beberam Coca-Cola como se fosse ambrosia e comeram chocolate como se fosse Natal. Alguns dos homens foram para trás do Mercado e botaram bebida alcoólica nas garrafas de refrigerante, e alguns dos garotos maiores foram atrás. Os que não foram expulsos voltaram soprando o hálito como se fossem fumantes orgulhosos.

Demoraria uma hora ou mais para as pessoas saírem do Mercado e voltarem para casa. Os que moravam longe demais fizeram arranjos para ficarem na cidade. Não seria bom um homem Negro e sua família serem pegos em uma estrada solitária na noite em que Joe Louis provou que éramos o povo mais forte do mundo.

20

"Acka Backa, feliz Cracka
　Acka Backa, bê
　Acka Backa, feliz Cracka
　Eu amo você."

Os sons do pique soaram pelas árvores enquanto os galhos mais altos balançavam em contraponto. Fiquei deitada por um momento na grama verde e observei a brincadeira das crianças. As garotas corriam como loucas, aqui, ali, aqui não, eu não, elas pareciam se espalhar como um ovo quebrado. Mas era de conhecimento comum, ainda que pouco verbalizado, que todos os movimentos eram adequados e funcionavam de acordo com um plano maior. Ergui uma plataforma para meu olhar mental e me maravilhei com o resultado de "Acka Backa". Os vestidos coloridos de piquenique corriam, paravam e flutuavam como lindas libélulas sobre um lago escuro. Os meninos, chicotes negros no sol, apareciam atrás de árvores para onde suas garotas tinham fugido, meio escondidas e latejando nas sombras.

O piquenique de verão na clareira perto do lago era o maior evento ao ar livre do ano. Todo mundo estava lá. Todas as igrejas estavam representadas, assim como os grupos sociais (os Elks, a Ordem da Estrela do Oriente, os Maçons, os Cavaleiros de Colombo, as Filhas de Pítia), os profissionais (professores Negros do condado de Lafayette) e todas as crianças empolgadas.

Músicos levaram violões cigar box, gaitas, berimbaus de boca, pentes embrulhados em papel de seda e até um baixo feito com um cano de pvc.

A quantidade e a variedade de comida seriam aprovadas no cardápio do epicurismo romano. Havia frigideiras de frango frito cobertas com panos de prato embaixo de bancos, ao lado de uma montanha de salada de batata cheia de ovos cozidos. Peças vermelhas inteiras de mortadela estavam enroladas em panos de algodão. Picles caseiros e conserva chinesa, assim como presuntos assados aromatizados com cravos e abacaxis, competiam por destaque. Nossos clientes regulares tinham encomendado melancias frias, e Bailey e eu colocamos a fruta listrada de verde em uma caixa da Coca-Cola e enchemos todas as banheiras com gelo, assim como a panela preta grande que Momma usava para ferver as roupas. Agora, elas estavam suando no ar alegre da tarde.

O piquenique de verão dava às mulheres a oportunidade de exibir seu talento nos doces. Na churrasqueira, frangos e costelas borbulhavam com a própria gordura e com um molho cuja receita era protegida pela família como uma história escandalosa. No entanto, à luz ecumênica do piquenique, toda artista da cozinha podia revelar seu valor para o prazer e crítica da cidade. Pães de ló de laranja e montinhos marrons com chocolate Hershey's escorrendo apareciam lado a lado com coco branco-gelo e caramelos marrom-claros. Bolos balançavam com o peso da manteiga, e as crianças pequenas não resistiam a lamber as coberturas, assim como as mães não conseguiam evitar bater nos dedos grudentos.

Pescadores consagrados e amadores de fim de semana ficavam sentados nos troncos das árvores junto ao lago. Eles içavam os robalos agitados e as percas prateadas da água corrente. Uma equipe rotativa de garotas descamava e limpava os peixes, e as mulheres atarefadas com aventais engomados salgavam e passavam o peixe em farinha de milho, depois os jogavam em panelas de ferro tremendo com gordura fervente.

Em um canto da clareira, um grupo gospel ensaiava. A harmonia, tão justa quanto sardinhas em lata, se espalhava em meio à música dos cantores e derretia nas cantigas das brincadeiras das crianças pequenas.

"Meninos, não deixem essa bola cair em nenhum dos meus bolos, senão vocês vão se ver comigo."

"Sim, senhora", e nada mudava. Os garotos continuavam batendo na bola de tênis com tábuas tiradas de uma cerca e abrindo buracos no chão, esbarrando em todo mundo.

Queria levar alguma coisa para ler, mas Momma disse que, se eu não quisesse brincar com as outras crianças, podia ser útil limpando peixes ou pegando água no poço mais próximo ou levando madeira para a churrasqueira.

Andei até um recanto sem querer. Placas com setas em volta da churrasqueira apontavam, HOMENS, MULHERES, CRIANÇAS, na direção de caminhos quase escondidos, cobertos de mato desde o ano anterior. Sentindo-me muito velha e sábia aos dez anos, eu não podia me permitir ser encontrada por crianças pequenas agachada atrás de uma árvore. E não tinha coragem de seguir a seta apontando o caminho para MULHERES. Se algum adulto me pegasse lá, era possível que achasse que eu estava metida a "mulherzinha" e acabasse me entregando para Momma, e eu sabia o que podia esperar dela. Então, quando senti necessidade de me aliviar, segui em outra direção. Depois que passei pelo muro de sicômoros, me vi em uma clareira dez vezes menor do que a área de piquenique, tranquila e silenciosa. Depois que cuidei do meu problema, encontrei um lugar para me sentar entre duas raízes de uma nogueira-negra e me encostei ao tronco. O paraíso deveria ser assim para os merecedores. Talvez a Califórnia também. Olhando direto para o círculo irregular do céu, comecei a sentir que podia estar caindo em uma nuvem azul, bem distante. As vozes das crianças e o odor denso de comida sendo preparada sobre fogo aberto eram os ganchos aos quais me agarrei a tempo de me salvar.

Ouvi barulho de grama e dei um pulo por ter sido descoberta. Louise Kendricks entrou na clareira. Eu não sabia que ela também estava fugindo do clima alegre. Nós tínhamos a mesma idade e sua mãe morava em um chalezinho atrás da escola. Seus primos, que eram da nossa faixa etária, eram mais abastados e mais clarinhos, mas eu acreditava secretamente que Louise era a menina mais bonita de Stamps, junto com a sra. Flowers.

"O que você está fazendo sentada aí sozinha, Marguerite?" Ela não me acusou, só pediu informação. Eu disse que estava olhando o céu. Ela perguntou: "Para quê?". Obviamente, não havia resposta para uma pergunta assim, então não inventei nada. Louise me lembrava de Jane Eyre. Sua mãe vivia com recursos limitados, mas era requintada, e, apesar de trabalhar como empregada, decidi que ela devia ser chamada de governanta e a chamava assim para Bailey e em pensamento. (Quem poderia ensinar uma menina romântica e sonhadora de dez anos a chamar uma pá de pá?) A sra. Kendricks não podia ser muito velha, mas para mim todas as pessoas com mais de dezoito anos eram adultas, e não havia nenhum grau para isso. Tinham que ser atendidas e mimadas com educação, e tinham que ficar na mesma categoria de semelhança física, na fala e no comportamento. Louise era uma menina solitária, embora tivesse muitos amiguinhos e estivesse sempre pronta para qualquer jogo em grupo no pátio da escola.

Seu rosto, que era longo e marrom-chocolate meio amargo, tinha uma camada de tristeza, tão leve e tão permanente quanto a tela de visualização em um caixão. E os seus olhos, que eu considerava como sua melhor característica, se moviam rapidamente, como se o que procurassem tivesse escapado segundos antes.

Ela chegou perto, e a luz sarapintada, que atravessava as árvores, batia no seu rosto e nas tranças em manchas grandes. Eu nunca tinha reparado, mas ela era parecida com Bailey. O cabelo dela era "bom" — mais liso do que crespo — e as feições tinham a regularidade de objetos posicionados por uma mão cuidadosa.

Ela olhou para cima: "Bom, não dá pra ver o céu direito daqui". Em seguida, se sentou à distância de um braço de mim. Ao encontrar duas raízes expostas, ela apoiou ali os dois pulsos, como se estivesse em uma poltrona. Lentamente, se recostou na árvore. Fechei os olhos e pensei na necessidade de encontrar outro lugar, e na improbabilidade de haver outro com todas as qualificações daquele. Houve um gritinho, e antes que eu pudesse abrir os olhos, Louise tinha segurado minha mão. "Eu estava caindo" — ela balançou as tranças compridas — "eu estava caindo no céu."

Gostei dela por ter sido capaz de cair no céu e admitir. Sugeri: "Vamos tentar juntas. Mas temos que nos sentar eretas até eu contar cinco". Louise perguntou: "Quer ficar de mãos dadas? Só por garantia?". Eu quis. Se uma de nós realmente caísse, a outra podia puxá-la de volta.

Depois de algumas quedas pela eternidade (nós duas sabíamos o que era), nós rimos de termos brincado com a morte e a destruição e de ter escapado.

Louise disse: "Vamos olhar para o céu enquanto estamos girando". Nós seguramos as mãos uma da outra no centro da clareira e começamos a girar. Lentamente no começo. Nós levantamos o queixo e olhamos direto para a área azul sedutora. Mais rápido, só um pouco mais rápido, mais, mais ainda. Sim, socorro, nós estávamos caindo. E a eternidade venceu, afinal. Nós não conseguíamos parar de girar nem de cair, até eu ser arrancada das mãos dela pela ávida gravidade e ser jogada para o meu destino no chão... não, para o alto, não para baixo. Eu me vi em segurança e tonta no pé do sicômoro. Louise foi parar de joelhos do outro lado da clareira.

Era a hora de rir. Nós perdemos, mas não tínhamos perdido nada. Primeiro, começamos a dar risadinhas e seguimos embriagadas uma na direção da outra, depois começamos a gargalhar alto. Nós batemos nas costas e nos ombros uma da outra e rimos mais ainda. Nós nos divertimos à custa de algo, e isso não era melhor do que tudo?

Ao ousar desafiar o desconhecido comigo, ela se tornou minha primeira amiga. Nós passamos tediosas horas aprendendo tutnês. Você (Votucêtu) me (metu) entendeu (entuntentundeutu). Como todas as outras crianças falavam a língua do pê, nós éramos superiores porque o tutnês era mais difícil de falar e ainda mais difícil de entender. Finalmente comecei a entender de que as garotas tanto riam. Louise falava algumas frases para mim no ininteligível tutnês e ria. Naturalmente, eu ria também. Gargalhava, sem entender nada. Acho que ela mesma não entendia metade do que estava dizendo, mas as garotas têm que rir, afinal, e depois de ter me tornado mulher três anos antes, eu estava prestes a me tornar uma garota.

Na escola um dia, uma garota que eu nem conhecia direito e com quem mal tinha falado me entregou um bilhete. A dobra complicada indicava que era um bilhete de amor. Tive certeza de que ela estava entregando o bilhete para a pessoa errada, mas ela insistiu. Peguei o papel e confessei para mim mesma que estava com medo. E se fosse alguém de palhaçada? E se o papel mostrasse um monstro horrível e a palavra VOCÊ por cima? As crianças faziam isso às vezes só porque me achavam metida. Felizmente, consegui autorização para ir ao banheiro — do lado de fora — e, na escuridão fedorenta, eu li:

Querida amiga M. J.
Os tempos estão difíceis e os amigos são poucos
É um grande prazer escrever para você
Quer ser minha namorada?
Tommy Valdon

Revirei a mente. Quem? Quem era Tommy Valdon? Finalmente, um rosto surgiu na minha memória. Era o garoto bonito de pele marrom que morava do outro lado do lago. Assim que o identifiquei, comecei a me questionar.

Por quê? Por que eu? Era uma piada? Mas se Tommy era o garoto de quem eu lembrava, ele era uma pessoa séria e um bom aluno. Bom, então não era piada. Tudo bem, que coisas sujas e do mal ele tinha na cabeça? Minhas perguntas se amontoaram, um exército em retirada. Rápido, procure abrigo. Proteja os flancos. Não deixe o inimigo diminuir a distância entre vocês. O que uma namorada fazia, afinal?

Quando ia jogar o papel no buraco fedido, pensei em Louise. Eu poderia mostrar para ela. Dobrei o papel do jeito original e voltei para a aula. Não houve tempo durante o almoço, pois eu tinha que correr até o Mercado e atender clientes. O bilhete estava na minha meia, e cada vez que Momma me olhava, eu sentia medo de o olhar de igreja dela ter virado visão de raio-x, e ela não só conseguir ver o bilhete e ler a mensagem como também a interpretar.

Senti como se despencasse de um penhasco alto de culpa, e uma segunda vez quase destruí o bilhete, mas não houve oportunidade. O sinal tocou, Bailey me fez correr para a escola, e o bilhete foi esquecido. Mas coisa séria é coisa séria, e tinha que ser resolvida. Depois da aula, esperei Louise. Ela estava conversando com um grupo de garotas e rindo. Mas quando fiz nosso sinal (dois movimentos com a mão esquerda), ela se despediu do grupo e se juntou a mim na rua. Não dei oportunidade para ela me perguntar o que havia na minha mente (a pergunta favorita dela); só entreguei o bilhete. Ao reconhecer a dobra, ela parou de sorrir.

A situação era séria. Ela abriu a carta e leu em voz alta duas vezes. "Bem, o que você acha?"

Eu disse: "O que eu acho? É isso que estou perguntando a você. O que tem pra achar?".

"Parece que ele quer ser seu namorado."

"Louise, eu sei ler. Mas o que isso quer dizer?"

"Ah, você sabe. Namorada dele. Amor."

Ali estava aquela palavra odiosa de novo. Aquela palavra traiçoeira que bocejava como um vulcão.

"Bom, eu não quero. Decididamente não. Nunca mais."

"Você já foi namorada dele? O que você quer dizer com nunca mais?"

Eu não podia mentir para a minha amiga, e não queria acordar fantasmas antigos.

"Bom, não responda, então, e fim da história." Fiquei um pouco aliviada de ela achar que dava para se livrar da situação com tanta rapidez. Rasguei o bilhete no meio e dei uma parte para ela. Enquanto descíamos a colina, nós picamos o papel em mil pedacinhos e soltamos ao vento.

Dois dias depois, uma monitora entrou na sala e falou baixo com a srta. Williams, nossa professora. A srta. Williams disse: "Turma, acho que vocês lembram que amanhã é Dia de São Valentim, que ganhou esse nome por causa do mártir, que morreu por volta do ano 270 d.C. em Roma. O dia é comemorado com trocas de símbolos de afeto e cartões. As crianças do oitavo ano fizeram os delas, e a monitora está trabalhando como carteira. Vocês vão receber um pedaço de cartolina, uma fita e papel crepom vermelho no último tempo de hoje para poderem fazer seus presentes. Tem cola e tesoura aqui na mesa de trabalho. Agora se levantem quando seu nome for chamado".

Ela estava embaralhando os envelopes coloridos e chamando nomes havia um tempo antes de eu reparar. Eu estava pensando na proposta do dia anterior e na forma eficiente como Louise e eu cuidamos dela.

Os que estavam sendo chamados para receber cartões estavam só um pouco mais constrangidos do que os que estavam sentados vendo a srta. Williams abrir cada envelope. "Helen Gray." Helen Gray, uma garota alta e lerda de Louisville, fez uma careta. "Querida amiga", a srta. Williams começou a ler a rima ruim e infantil. Fervi de vergonha e expectativa, mas ainda tive tempo de me sentir ofendida pela poesia boba que eu conseguiria melhorar até dormindo.

"Marguerite Ann Johnson. Caramba, isso parece mais uma carta do que um cartão. 'Querida amiga, escrevi uma carta para você e vi você rasgá-la com sua amiga, srta. L. Não acredito que você pretendesse ferir meus sentimentos, então, quer você responda ou não, você sempre vai ser minha amiga especial. T.V.'"

"Turma", a srta. Williams deu um sorrisinho e continuou preguiçosamente, sem nos dar permissão de nos sentar, "apesar de vocês estarem apenas no sétimo ano, sei que vocês não teriam a presunção de assinar uma carta com uma inicial. Mas esse é um garoto do oitavo ano, que já vai se formar", blá, blá, blá, blá. "Podem pegar seus cartões e cartas na saída."

Era uma linda carta, e Tommy tinha letra boa. Fiquei arrependida de ter rasgado a primeira. A declaração de que eu não afetaria seu sentimento mesmo que não respondesse me tranquilizou. Ele não podia estar atrás de "você sabe o quê" se falava assim.

Eu disse para Louise que quando ele aparecesse no Mercado eu diria alguma coisa legal para ele. Infelizmente, a situação era tão maravilhosa para mim que cada vez que eu via Tommy, eu começava a dar risadinhas deliciosas e não conseguia formar uma frase coerente. Depois de um tempo, ele parou de me incluir em seus olhares.

21

Bailey enfiou galhos no terreno atrás da casa e os cobriu com um cobertor puído para fazer uma barraca. Era seu esconderijo do Capitão Marvel. Lá, ele iniciou garotas nos mistérios do sexo. Uma a uma; ele levou as impressionadas, as curiosas e as aventureiras para as sombras cinzentas, depois de explicar que eles iam brincar de mamãe e papai. Eu ganhava o papel de bebê e vigia. As garotas recebiam a ordem de levantarem o vestido, e ele se deitava em cima e movia os quadris.

Às vezes, eu tinha que levantar a aba da barraca (nosso sinal de que tinha um adulto chegando), e eu via seu esforço patético enquanto eles falavam da escola e de filmes.

Ele estava brincando disso havia seis meses quando conheceu Joyce. Ela era uma garota do campo uns quatro anos mais velha do que Bailey (que não tinha nem onze anos quando eles se conheceram), cujos pais tinham morrido, e ela e os irmãos tinham sido enviados para parentes. Joyce tinha ido para Stamps para morar com uma tia viúva que era ainda mais pobre do que a pessoa mais pobre da cidade. Joyce era avançada fisicamente para a idade. Os seios não eram os pontinhos duros das outras garotas da idade dela; eles enchiam a parte de cima dos vestidinhos. Ela andava com rigidez, como se carregasse madeira entre as pernas. Eu a achava um pouco bruta, mas Bailey dizia que era bonita e que queria brincar de casinha com ela.

Com o jeito especial das mulheres, Joyce sabia que tinha feito uma conquista e conseguia ficar perto do Mercado nos fins de tarde e nos sábados inteiros. Ela fazia coisas para Momma quando estávamos ocupados no Mercado, e suava profusamente. Muitas vezes, quando voltava correndo pela colina, o vestido de algodão se grudava no corpo magro, e Bailey grudava os olhos nela até as roupas secarem.

Momma dava presentinhos em forma de comida para ela levar para a tia, e aos sábados o tio Willie, às vezes, lhe dava dez centavos para "pagar alguma coisa".

Durante a Páscoa judaica, nós não tínhamos permissão de ir ao cinema (Momma dizia que tínhamos que nos sacrificar para purificar a alma), e Bailey e Joyce decidiram que nós três brincaríamos de casinha. Como sempre, eu seria o bebê.

Ele pendurou a barraca, e Joyce entrou primeiro. Bailey me mandou ficar do lado de fora brincando com minha boneca, entrou e puxou a aba.

"Você não vai abrir a calça?" A voz de Joyce soou abafada.

"Não. Você que levanta o vestido."

Houve barulho de movimentação na barraca, e as laterais se esticaram, como se eles estivessem tentando se levantar.

Bailey perguntou: "O que você está fazendo?"

"Tirando a calcinha."

"Para quê?"

"Nós não podemos fazer se eu estiver de calcinha."

"Por quê?"

"Como você vai chegar lá?"

Silêncio.

Meu pobre irmão não sabia o que ela queria dizer. Eu sabia. Levantei a aba e disse: "Joyce, não faça isso com meu irmão." Ela quase gritou, mas manteve a voz baixa. "Margaret, feche essa porta." Bailey acrescentou: "É. Feche. Você tem que brincar com nosso bebê boneca". Eu achava que ele teria que ir para o hospital se deixasse que ela fizesse isso com ele, então o avisei. "Bailey, se você deixar que ela faça isso com você, você vai se arrepender." Mas ele ameaçou de não falar comigo por um mês se eu não fechasse a porta, então deixei a ponta do cobertor cair e me sentei na grama na frente da barraca.

Joyce colocou a cabeça para fora e disse com voz melosa de mulher branca de cinema: "Filha, vá buscar madeira. Papai e eu vamos acender o fogo, e eu vou fazer um bolo". A voz dela mudou de repente, como se ela fosse me bater. "Vai. Busca."

Bailey me contou depois disso que Joyce tinha pelos na coisa dela, e que tinha ficado com pelos por "ter feito" com tantos garotos. Ela até tinha pelos debaixo dos braços. Dos dois. Ele ficou muito orgulhoso das realizações dela.

Conforme o caso de amor progrediu, os roubos dele no Mercado aumentaram. Nós sempre pegamos doces e algumas moedas de cinco centavos, e os picles, claro, mas Bailey, agora requisitado a satisfazer a fome de Joyce, pegava latas de sardinha e linguiça polonesa gordurosa e queijo, e até as latas caras de salmão rosa que nossa família raramente podia comer.

A disposição de Joyce para fazer trabalhos estranhos foi diminuindo com o tempo. Ela reclamava que não estava se sentindo muito bem. Mas, como agora tinha algumas moedas, ela continuava rondando o Mercado, comendo amendoins Planter's e bebendo Dr Pepper.

Momma a expulsou algumas vezes. "Você não disse que não estava se sentindo bem, Joyce? Não é melhor ir para casa e deixar sua tia fazer alguma coisa para você melhorar?"

"Sim, senhora." Relutantemente, ela descia da varanda, a caminhada de pernas rígidas a carregando colina acima, deixando-a fora de vista.

Acho que ela foi o primeiro amor de Bailey fora da família. Para ele, ela foi a mãe que o deixou chegar tão perto quanto ele sonhava, a irmã que não era mal-humorada e fechada, chorona e de coração mole. Ele só precisava manter o fluxo de comida, e ela continuava dando afeto. Não fazia diferença para ele o fato de ela ser quase uma mulher, ou talvez fosse essa diferença que a tornou tão atraente.

Ela passou alguns meses por lá, e da mesma forma que apareceu do nada, também desapareceu. Não houve fofoca sobre ela, nenhuma pista sobre seu sumiço e seu paradeiro. Reparei na mudança em Bailey antes de descobrir que ela tinha sumido. Ele perdeu o interesse em tudo. Ficava emburrado pelos cantos, e podemos até dizer que "empalideceu". Momma reparou e disse que ele estava se sentindo mal por causa da mudança de estações (o outono estava chegando), então foi até o bosque atrás de certas folhas, fez um chá e o obrigou a beber depois de uma colherada cheia de enxofre e melaço. O fato de ele não reagir, não tentar escapar de ter que tomar o remédio, mostrou, sem sombra de dúvida, que ele estava doente.

Se eu não gostava de Joyce quando Bailey estava sob sua influência, eu a odiei por ir embora. Senti falta da tolerância que ela ensinou (ele quase tinha parado com o sarcasmo e de fazer piadas sobre gente do campo), e ele tinha voltado a me contar seus segredos. Mas agora que Joyce tinha ido embora, ele passou a rivalizar comigo na falta de comunicação. Fechou-se nele mesmo como um lago que engole uma pedra. Não havia como saber se ele já estava aberto e novo, e, quando a mencionei, ele respondeu: "Que Joyce?".

Meses depois, quando Momma estava atendendo a tia de Joyce, ela disse: "Sim, senhora, sra. Goodman, a vida é um passo depois do outro".

A sra. Goodman estava apoiada na geladeira vermelha da Coca-Cola. "É uma grande verdade, irmã Henderson." Ela tomou um gole da bebida cara.

"As coisas mudam tão rápido que a cabeça gira." Esse era o jeito de Momma de iniciar uma conversa. Fiquei quieta como um ratinho para poder ouvir as fofocas e contar tudo para Bailey.

"Veja a pequena Joyce. Ela ficava aqui pelo Mercado o tempo todo. De repente, sumiu como fumaça. Não vemos sinal dela há meses."

"Não mesmo. Eu me envergonho de contar... o que a fez ir embora." Ela se acomodou em uma cadeira de cozinha. Momma me viu nas sombras. "Irmã, o Senhor não gosta de jarras pequenas com orelhas grandes. Se não tiver nada para fazer, eu arrumo."

A verdade teve que chegar a mim pela porta da cozinha.

"Não tenho muito, irmã Henderson, mas dei àquela criança tudo que eu tinha."

Momma disse que sabia que era verdade. Ela não diria "aposto".

"E depois de tudo que eu fiz, ela fugiu com um daqueles funcionários de trem. Ela era desprendida, como a mãe dela. Sabe quando dizem 'está no sangue'?"

Momma perguntou: "Como a cobra a pegou?".

"Ora, veja bem, não me entenda mal, irmã Henderson, não digo isso contra você, sei que você é uma mulher temente a Deus. Mas parece que ela o conheceu aqui."

Momma ficou nervosa. Coisas assim, no Mercado? Ela perguntou: "No Mercado?".

"Sim, senhora. Lembra quando aquele grupo de Elks veio aqui jogar beisebol?" (Momma devia lembrar. Eu lembrava.) "Bom, ele era um desses Elks. Ela me deixou um bilhetinho. Disse que as pessoas de Stamps se achavam melhores do que ela, e que só tinha feito um amigo, o seu neto. Disse que ia se mudar para Dallas, Texas, e se casar com aquele funcionário do trem."

Momma disse: "Senhor".

A sra. Goodman disse: "Sabe, irmã Henderson, ela não ficou comigo o suficiente para eu a conhecer de verdade, mas sinto falta dela. Era doce quando queria". Momma a consolou com "Bem, é preciso manter a mente concentrada nos trabalhos do Livro. Lá diz 'O Senhor dá e o Senhor tira'".

A sra. Goodman concordou, e as duas terminaram a frase juntas. "Abençoado seja o nome do Senhor."

Não sei quanto tempo havia que Bailey sabia sobre Joyce, mas à noite, quando tentei citar o nome dela na nossa conversa, ele disse: "Joyce? Ela tem alguém que faça com ela o tempo todo agora". E foi a última vez que seu nome foi mencionado.

22

O vento soprou no telhado e tirou as telhas do lugar. Assobiou alto debaixo da porta fechada. A chaminé fez sons temerosos de protesto quando foi invadida pelos sopros urgentes.

A um quilômetro e meio, o velho Kansas City Kate (o trem admirado, porém importante demais para parar em Stamps) passou no meio da cidade, tocou seu sinal de aviso e continuou para um glamoroso destino desconhecido sem olhar para trás.

Haveria uma tempestade, e era uma noite perfeita para reler *Jane Eyre*. Bailey tinha terminado suas tarefas e já estava atrás do fogão com Mark Twain. Era minha vez de fechar o Mercado, e meu livro, pela metade, ficou em cima da bancada de doces.

Como o tempo ficaria ruim, tinha certeza de que o tio Willie concordaria e até me encorajaria a fechar cedo (para poupar eletricidade) e a me juntar à família no quarto de Momma, que servia como sala. Poucas pessoas sairiam em um tempo que ameaçava virar furacão (pois apesar de o vento soprar, o céu estava tão limpo e parado como em uma manhã de verão). Momma concordou que era melhor fechar, e fui até a varanda, fechei as janelas, passei a barra de madeira na porta e apaguei a luz. As panelas faziam barulho na cozinha, onde Momma estava fritando bolinhos de milho para acompanhar a sopa de legumes do jantar, e os sons e aromas caseiros me embalaram enquanto eu lia sobre Jane Eyre na mansão inglesa fria de um cavalheiro inglês mais frio ainda. Tio Willie estava absorto no *Almanac*, sua leitura noturna, e meu irmão estava longe em uma jangada no rio Mississippi.

Fui a primeira a ouvir o barulho na porta dos fundos. Um sacolejo e uma batida, uma batida e um sacolejo. Mas, desconfiando de que podia ser a esposa louca na torre, não dei atenção. Mas tio Willie ouviu e chamou Bailey de volta do mundo de Huck Finn para abrir a tranca.

Pela porta aberta, o luar se espalhou pelo aposento em uma luz fria que rivalizava com nosso lampião fraco. Nós todos esperamos — eu com expectativa temerosa —, pois não havia ser humano nenhum lá. O vento entrou, lutando contra a chama fraca no lampião a óleo. Empurrou e espalhou o calor familiar do nosso fogão à lenha. Tio Willie achou que devia ter sido a tempestade e mandou Bailey fechar a porta. Mas, pouco antes de prender a tábua de madeira, uma voz chegou pela rachadura; chiou dizendo "Irmã Henderson? Irmão Willie?".

Bailey quase fechou a porta de novo, mas tio Willie perguntou "Quem é?", e o rosto marrom repuxado do sr. George Taylor apareceu na escuridão. Ele verificou se não tínhamos ido dormir mesmo e foi recebido em nossa casa. Quando Momma o viu, ela o convidou para ficar para jantar e me mandou botar umas batatas nas cinzas para aumentar a refeição. O pobre irmão Taylor fazia refeições por toda a cidade desde que enterrara a esposa no verão. Talvez por causa do fato de eu estar no período romântico, ou porque as crianças têm um aparato de sobrevivência embutido, temi que ele estivesse interessado em se casar com Momma e vir morar conosco.

Tio Willie aninhou o *Almanac* no colo. "Você é bem-vindo aqui a qualquer momento, irmão Taylor, a qualquer momento, mas esta é uma noite ruim. Está escrito aqui" — com a mão aleijada, ele bateu no *Almanac* — "que em doze de novembro, uma tempestade vai chegar a Stamps pelo leste. Vai ser uma noite difícil." O sr. Taylor ficou exatamente na mesma posição que assumiu quando chegou, como uma pessoa com frio demais para ajustar o corpo até para chegar mais perto do fogo. O pescoço estava inclinado, e a luz vermelha brincava na pele polida da cabeça sem cabelo. Mas seus olhos carregavam uma atração única. Afundavam no rosto pequeno e dominavam completamente as outras feições com uma redondeza que parecia delineada em lápis preto, dando a ele uma aparência de coruja. E, quando sentiu que eu estava olhando para ele tão fixamente, sua cabeça mal se moveu, mas seus olhos desviaram e pousaram em mim. Se o olhar dele contivesse desprezo ou condescendência ou qualquer emoção vulgar revelada pelos adultos no confronto com crianças, eu teria voltado facilmente ao livro, mas os olhos dele exibiam um nada aquoso... um vazio completamente insuportável. Vi um olhar vidrado, observado anteriormente apenas em bolas de gude novas ou em uma garrafa presa em um bloco de gelo. Seu olhar se afastou de forma tão rápida de mim que era quase viável achar que eu tinha imaginado o gesto.

"Mas, como eu disse, você é bem-vindo. Podemos sempre abrir lugar embaixo do nosso telhado." O tio Willie não pareceu reparar que o sr. Taylor estava alheio a tudo que ele disse. Momma levou a sopa para o quarto, tirou a chaleira do fogo e colocou a panela fervente no lugar. Tio Willie continuou: "Momma, falei para o irmão Taylor que ele é bem-vindo aqui a qualquer momento." Momma disse: "Isso mesmo, irmão Taylor. Você não deve ficar naquela casa solitária sentindo pena de você mesmo. O Senhor deu e o Senhor tira".

Não sei se foi a presença de Momma ou a sopa borbulhante no fogão que o influenciou, mas o sr. Taylor pareceu bem mais vivo. Ele mexeu os ombros como se afastando um toque cansativo e tentou abrir um sorriso que fracassou. "Irmã Henderson, eu agradeço... quer dizer, não sei o que eu faria se não fosse todo mundo... quer dizer, você não sabe o quanto é importante para mim poder... Bem, quero dizer que estou agradecido." A cada pausa, ele esticava a cabeça sobre o peito como uma tartaruga saindo do casco, mas os olhos não se moveram.

Momma, sempre constrangida com exibições públicas de emoção não relacionadas a uma fonte religiosa, me chamou para ir com ela levar o pão e os pratos. Ela levou a comida e fui atrás, carregando o lampião.

A nova luz deixou o quarto em uma perspectiva sinistra e severa. Bailey estava imóvel com o livro no colo, um gnomo corcunda Negro. Um dedo acompanhando os olhos na página. Tio Willie e o sr. Taylor estavam paralisados como pessoas em um livro sobre a história do Negro americano.

"Vamos, irmão Taylor." Momma estava empurrando um prato de sopa para ele. "Você pode não estar com fome, mas tome a sopa como nutrição." Sua voz tinha a preocupação carinhosa de uma pessoa saudável falando com um inválido, e a declaração soou verdadeira. "Eu agradeço." Bailey saiu do estado distante e foi lavar as mãos.

"Willie, faça a oração." Momma colocou o prato de Bailey de lado e inclinou a cabeça para a frente. Durante a oração, Bailey ficou parado na porta, uma figura de obediência, mas eu sabia que sua mente estava em Tom Sawyer e Jim, assim como a minha estaria em Jane Eyre e no sr. Rochester se não fossem os olhos cintilantes do velho sr. Taylor.

Nosso convidado obedeceu e tomou algumas colheres de sopa e mordeu um semicírculo no pão, depois botou o prato no chão. Alguma coisa no fogo chamou sua atenção enquanto comíamos fazendo barulho. Ao reparar o distanciamento, Momma disse: "Não adianta você ficar assim, eu sei que vocês ficaram juntos muito tempo...".

Tio Willie disse: "Quarenta anos".

"... mas já tem seis meses que ela foi descansar... e você tem que manter a fé. Ele nunca nos dá mais do que conseguimos suportar." A declaração animou o sr. Taylor. Ele pegou o prato de novo e passou a colher pela sopa densa.

Momma viu que tinha feito contato, e assim prosseguiu: "Vocês tiveram muitos anos bons. Você tem que sentir gratidão por eles. A única coisa é que é uma pena vocês não terem tido filhos".

Se minha cabeça estivesse abaixada, eu não teria visto a metamorfose do sr. Taylor. Não foi uma mudança que tenha acontecido em etapas, mas me pareceu bem repentina. O prato dele foi para o chão com um baque, e o corpo se inclinou na direção de Momma a partir dos quadris. Mas o rosto foi a característica mais impressionante de todas. A área marrom pareceu escurecer e ganhar vida, como se uma agitação interna estivesse ocorrendo embaixo da pele fina. A boca, aberta e exibindo os dentes compridos, era um salão escuro mobiliado com algumas cadeiras brancas.

"Filhos." Ele mastigou a palavra na boca vazia. "Sim, senhor, crianças." Bailey (e eu), que éramos chamados assim, olhamos para ele com expectativa.

"É o que ela quer." Os olhos estavam cheios de vida e tentando pular da prisão das órbitas. "Foi o que ela disse. Filhos."

O ar estava pesado e denso. Uma casa maior tinha sido colocada no nosso telhado e estava nos empurrando imperceptivelmente para baixo.

Momma perguntou com a voz gentil: "Quem disse o quê, irmão Taylor?". Ela sabia a resposta. Nós todos sabíamos a resposta.

"Florida." As mãos pequenas e enrugadas estavam fechadas em punhos, se abriram e se fecharam de novo. "Ela disse isso ontem à noite."

Bailey e eu nos olhamos, e cheguei minha cadeira mais perto da dele. "Disse 'Eu quero filhos'." Quando elevou a voz até o tom agudo que ele considerava feminino, ou pelo menos ao que correspondia ao tom de voz da sra. Florida, sua esposa, ela se espalhou pelo ambiente, ziguezagueando como um relâmpago.

O tio Willie tinha parado de comer e estava olhando para ele com algo que parecia pena. "Pode ser que você estivesse sonhando, Irmão Taylor. Pode ter sido sonho."

Momma se manifestou para apaziguar a situação. "É verdade. Sabe, as crianças leram uma coisa para mim outro dia. Dizia que as pessoas sonham com o que está na cabeça na hora que elas vão dormir."

O sr. Taylor se empertigou. "Não foi sonho nenhum. Eu estava bem acordado, como estou agorinha." Ele estava com raiva, e a tensão aumentou sua máscara de força.

"Vou contar o que aconteceu."

Ah, Senhor, uma história de fantasmas. Eu odiava e temia as longas noites de inverno em que os clientes noturnos entravam no Mercado e ficavam sentados em volta do aquecedor torrando amendoins e tentando superar uns aos outros nas histórias apavorantes de fantasmas e sustos, espíritos e maldições, vodu e outras histórias antivida. Mas uma verdadeira, que aconteceu com uma pessoa de verdade, e na noite anterior? Seria intolerável. Levantei e fui até a janela.

O enterro da sra. Florida Taylor, em junho, aconteceu logo depois das nossas provas finais. Bailey, Louise e eu tínhamos nos saído bem e estávamos satisfeitos conosco e uns com os outros. O verão se prolongava em dourado à nossa frente, com promessas de piqueniques e pescaria, buscas por amoras e partidas de croquet até escurecer. Seria preciso uma perda pessoal para penetrar no meu sentimento de bem-estar. Conheci e me apaixonei pelas irmãs Brontë e substituí "Se", de Kipling, por "Invictus". Minha amizade com Louise foi solidificada com jogos de bugalha, amarelinha e confissões profundas e sombrias trocadas muitas vezes depois de "Jura por Deus que não vai contar?". Nunca conversei com ela sobre St. Louis, e tinha passado a acreditar que o pesadelo e sua culpa e medo companheiros não tinham acontecido comigo de verdade. Aconteceu com uma menina ruim, anos e anos antes, que não tinha ligação nenhuma comigo.

Primeiro, a notícia de que a sra. Taylor tinha morrido não me pareceu uma informação muito nova. Como acontece com as crianças, eu achava que, como era muito velha, ela só tinha uma coisa a fazer, e essa coisa era morrer. Ela era uma mulher agradável, com os passos diminuindo com a idade e as mãozinhas parecendo garras gentis que gostavam de tocar pele jovem. Cada vez que ia ao Mercado, eu era obrigada a ir até ela, ocasiões em que passava as unhas amarelas nas minhas bochechas. "Você tem a pele tão linda." Era um elogio raro em um mundo de raríssimas palavras elogiosas, então equilibrava o toque dos dedos secos.

"Você vai ao enterro, irmã." Momma não estava fazendo uma pergunta.

Momma disse: "Você vai porque a irmã Taylor gostava tanto de você que lhe deixou seu broche amarelo". (Ela não dizia "de ouro" porque não era.) "Ela disse para o irmão Taylor: 'Quero que a netinha da irmã Henderson fique com meu broche dourado'. Então você vai ter que ir."

Tinha seguido alguns caixões colina acima da igreja até o cemitério, mas como Momma dizia que eu tinha coração mole, nunca fui obrigada a assistir a um funeral. Aos onze anos, a morte é mais irreal do que assustadora. Pareceu desperdício de uma boa tarde ficar sentada em uma igreja por causa de um broche velho e bobo, que não só não era de ouro, mas também era velho demais para eu usar. Mas se Momma disse que eu tinha que ir, estaria lá.

Os enlutados dos bancos da frente estavam sentados em uma obscuridade de sarja azul e vestidos de crepe preto. Um hino funerário se espalhou tediosamente pela igreja, mas com sucesso. Penetrou no coração de todos os pensamentos alegres, aos cuidados de cada lembrança feliz. Estilhaçando as luzes e as esperanças: "Do outro lado do rio Jordão, há paz para os exaustos, há paz para mim". O destino inevitável de todas as coisas vivas parecia estar a uma curta distância. Eu nunca tinha considerado antes que morrer, morte, morto, falecido, eram palavras que pudessem estar ligadas a mim, ainda que ligeiramente.

Mas, naquele dia pesado, oprimido sem chance de alívio, minha mortalidade caiu sobre mim em ondas arrastadas de condenação.

Assim que a canção triste terminou, o pastor subiu no altar e fez um sermão que, no meu estado, ofereceu pouco consolo. O assunto foi: "Tu és meu servo bom e fiel, com quem estou bem satisfeito". Sua voz se entremeou nos vapores sombrios deixados pela música. Em tom monótono, ele avisou aos ouvintes que "este dia pode ser seu último" e que a melhor garantia para não morrer pecador era "acertar as coisas com Deus" para que, no fatídico dia, Ele dissesse "Tu és meu servo bom e fiel, com quem estou bem satisfeito".

Depois de botar medo do túmulo frio em todos nós, ele começou a falar da sra. Taylor: "Uma mulher temente, que dava aos pobres, visitava os doentes, doava para a igreja e, em geral, viveu uma vida de bondades". Nesse ponto, ele começou a falar diretamente com o caixão, no qual eu tinha reparado quando cheguei e evitei cuidadosamente depois.

"Senti fome e me deste de comer. Senti sede e me deste de beber. Fiquei doente e tu me visitaste. Desde que tenhas feito o mínimo disso, tu fizeste por Mim." Ele desceu do tablado e se aproximou da caixa de veludo cinza. Com um gesto imperioso, ele puxou o tecido cinza de cima da aba aberta e olhou para o mistério embaixo.

"Dorme, alma graciosa, até Cristo chamar-te para ir para Seu luminoso paraíso."

Ele continuou falando diretamente com a mulher morta, e quase desejei que ela se levantasse e respondesse a ele, ofendida pela brutalidade da abordagem. Um grito soou vindo do sr. Taylor. Ele se levantou de repente e esticou os braços para o pastor, o caixão e o cadáver da esposa. Por um longo minuto, ficou parado, de costas para a igreja enquanto as palavras instrutivas se espalhavam pelo salão, carregado de promessas, cheio de avisos. Momma e as outras mulheres o seguraram para levá-lo de volta ao banco, onde ele rapidamente se encolheu como um boneco de pano.

O sr. Taylor e os representantes da igreja foram os primeiros a se aproximarem do caixão para se despedirem da falecida e terem um vislumbre do que estava aguardando todos os homens. Depois, com pés pesados, ainda mais ponderosos pela culpa dos vivos vendo a morta, a igreja adulta foi até o caixão e voltou para seus lugares. Os rostos, que mostravam apreensão antes de se aproximarem, revelaram, no caminho pelo corredor oposto, uma confirmação final de seus medos. Olhar para eles foi um pouco como espiar por uma janela quando a cortina não está fechada. Apesar de não tentar, foi impossível não registrar os papéis deles no drama.

Então, a ajudante de preto fez sinal para as fileiras das crianças. Houve uma agitação inquieta, mas finalmente um garoto de quatorze anos nos guiou, e não ousei ficar para trás, por mais que odiasse a ideia de ver a sra. Taylor. No corredor, os gemidos e gritos se misturaram com o cheiro doentio de roupas pretas de lã usadas no calor do verão e de folhas verdes murchando sobre flores amarelas. Eu não conseguia distinguir se estava sentindo cheiro do som sufocante da infelicidade ou se estava ouvindo o odor intoxicante da morte.

Teria sido mais fácil vê-la através do tecido fino, mas olhei para o rosto rígido que pareceu de repente tão vazio e mau. Conhecia segredos que eu nunca queria compartilhar. As bochechas tinham caído até as orelhas, e um agente funerário solícito tinha colocado batom na boca preta. O odor de decomposição era doce e envolvente. Tateava em busca de vida com uma fome ávida e odiosa. Mas era hipnótico. Eu queria me afastar, mas meus sapatos estavam grudados no chão, e tive que me segurar nas laterais do caixão para permanecer de pé. A parada inesperada na fila em movimento fez as crianças se espremerem, e sussurros mal-intencionados chegaram aos meus ouvidos.

"Ande, irmã, ande." Era Momma. Sua voz puxou minha vontade, alguém me empurrou por trás e fiquei livre.

Na mesma hora, me entreguei à tristeza da morte. A mudança que ela conseguiu executar na sra. Taylor mostrava que não era possível resistir à sua força. Sua voz aguda, que cortava o ar no Mercado, estava silenciada para sempre, e o rosto marrom e gorducho tinha murchado e ficado achatado como um excremento de vaca.

O caixão foi transportado em uma carruagem puxada por um cavalo até o cemitério, e durante todo o caminho, comunguei com os anjos da morte, questionando sua escolha de hora, lugar e pessoa.

Pela primeira vez, uma cerimônia de enterro teve significado para mim.

"Das cinzas às cinzas e do pó ao pó." Era certo que a sra. Taylor estava voltando para a terra de onde viera. Na verdade, depois de pensar, concluí que ela parecia um bebê de lama, deitada no cetim branco do caixão de veludo. Um bebê de lama, moldado por crianças criativas em um dia de chuva, que logo voltaria para a terra.

A lembrança da cerimônia triste foi tão real para mim que fiquei surpresa de erguer o rosto e ver Momma e o tio Willie comendo junto ao fogão. Eles não estavam ansiosos nem hesitantes, como se soubessem que um homem tem que dizer o que tem que dizer. Mas eu não queria ouvir, e o vento, se alinhando a mim, ameaçou o cinamomo lá fora.

"Ontem à noite, depois que fiz minhas orações, eu me deitei na cama. Bem, você sabe que é a mesma cama onde ela morreu." Ah, se ao menos ele calasse a boca. Momma disse: "Irmã, sente-se e tome sua sopa. Em noites frias assim você precisa de uma coisa quente na barriga. Continue, irmão Taylor. Por favor". Sentei o mais perto possível de Bailey.

"Bom, alguma coisa me mandou abrir os olhos."

"Que tipo de coisa?", perguntou Momma, sem baixar a colher.

"Sim, senhor", explicou tio Willie, "pode haver uma coisa boa e uma coisa ruim."

"Bom, eu não sabia, então achei melhor abrir, porque podia ser qualquer uma das duas. Abri os olhos, e a primeira coisa foi que vi um bebê anjo. Era gordo como uma bolota e estava rindo, os olhos muito azuis."

Tio Willie perguntou: "Um bebê anjo?".

"Sim, senhor, e estava rindo bem na minha cara. E então, ouvi um gemido comprido, 'Ahh-h-h'. Bom, como você disse, irmã Henderson, nós ficamos juntos quarenta anos. Conheço a voz de Florida. Não senti medo na hora. Eu disse 'Florida?'. E o anjo riu mais e o gemido ficou mais alto."

Coloquei o prato no chão e cheguei mais perto de Bailey. A sra. Taylor era uma mulher muito agradável, sorria o tempo todo e era paciente. A única coisa que me perturbava e incomodava quando ela ia ao Mercado era sua voz. Como as pessoas quase surdas, ela quase gritava, em parte sem ouvir o que estava dizendo e em parte torcendo para que os ouvintes respondessem da mesma forma. Isso quando estava viva. A ideia da voz saindo do túmulo e indo colina abaixo até minha cabeça foi suficiente para deixar meu cabelo em pé.

"Sim, senhor." Ele estava olhando para o fogão, e o brilho vermelho iluminava seu rosto. Parecia que tinha um fogo ardendo dentro da cabeça. "Primeiro, chamei: 'Florida, Florida. O que você quer?' E aquele anjo diabólico continuou rindo como louco." O sr. Taylor tentou rir e só conseguiu parecer assustado. "'Eu quero...' Foi quando ela disse 'Eu quero'." Ele fez a voz parecer o vento, se o vento estivesse com pneumonia. Ele chiou: "'Eu quero fiiii-lhos'".

Bailey e eu quase caímos no chão.

Momma disse: "Ora, irmão Taylor, pode ser que você estivesse sonhando. Você sabe, dizem que o que você leva para cama na cabeça...".

"Não, senhora, irmã Henderson, eu estava tão acordado quanto estou agora."

"Ela deixou que você a visse?" Tio Willie estava com expressão sonhadora no rosto.

"Não, Willie, só vi o bebê anjo, gordo e branco. Mas não dava para confundir aquela voz... 'Eu quero filhos'."

O vento frio tinha congelado meus pés e minha coluna, e a imitação do sr. Taylor tinha congelado meu sangue.

Momma disse: "Irmã, pegue o garfo comprido para pegar as batatas".

"Senhora?" Ela não podia querer dizer o garfo comprido que ficava pendurado na parede atrás do fogão da cozinha — a um milhão de quilômetros apavorantes de distância.

"Eu disse, vá buscar o garfo. As batatas estão queimando."

Desenrolei as pernas do medo paralisante e quase tropecei no fogão. Momma disse: "Essa criança tropeçaria no desenho de um tapete. Continue, irmão Taylor, ela disse mais alguma coisa?".

Eu não queria ouvir o que era se ela tivesse falado, mas não estava ansiosa para sair do quarto iluminado, onde minha família estava sentada em volta do fogo amistoso.

"Bem, ela disse 'Aaah' mais algumas vezes, e aquele anjo começou a andar pelo teto. Estou dizendo, fiquei quase duro de medo."

Eu tinha chegado ao oceano sem dono da escuridão. Nenhuma grande decisão era necessária. Eu sabia que seria tortuoso passar pela escuridão densa do quarto do tio Willie, mas seria mais fácil do que ficar e ouvir a história apavorante. Além do mais, eu não podia me dar ao luxo de irritar Momma. Quando ficava aborrecida, ela me fazia dormir na beirada da cama, e naquela noite eu sabia que precisava ficar perto dela.

Um pé na escuridão, e a sensação de distanciamento da realidade quase me fez entrar em pânico. Passou pela minha cabeça que eu talvez nunca mais visse luz de novo. Rapidamente, encontrei a porta que levava de volta a onde estava a família, mas, quando a abri, a história terrível se projetou e tentou segurar meus ouvidos. Fechei a porta.

Naturalmente, eu acreditava em assombros e fantasmas e nas "coisas". Tendo sido criada por uma avó Negra do sul extremamente religiosa, seria anormal se eu não fosse supersticiosa.

A ida até a cozinha, e a volta, não podia ter demorado mais de dois minutos, mas naquela vez andei por cemitérios pantanosos, subi em lápides poeirentas e desviei de bosta de gatos pretos como a noite.

De volta ao círculo familiar, pensei comigo mesma como a barriga do fogão quente e vermelho parecia um olho de ciclope.

"Me lembrou a época em que meu pai morreu. Você sabe que nós éramos muito próximos." O sr. Taylor tinha se hipnotizado até o sinistro mundo dos horrores.

Interrompi as lembranças dele. "Momma, aqui está o garfo." Bailey tinha se deitado de lado junto ao fogão e seus olhos estavam brilhando.

Ele estava mais fascinado com o interesse mórbido do sr. Taylor na história do que com a história em si.

Momma colocou a mão no meu braço e disse: "Você está tremendo, irmã. Qual é o problema?". Minha pele ainda estava arrepiada pela experiência do medo.

O tio Willie riu e disse: "Pode ser que ela estivesse com medo de ir à cozinha".

A risadinha dele não me enganou. Todos estavam incomodados de serem chamados para o desconhecido.

"Não, senhor, eu nunca vi nada tão claramente como aquele bebê anjo." Seus maxilares estavam cortando mecanicamente as batatas doces já moles. "Só rindo, como uma casa pegando fogo. O que você acha que quer dizer, irmã Henderson?"

Momma tinha se encostado à cadeira de balanço, um meio sorriso no rosto. "Se você tem certeza de que não estava sonhando, irmão Taylor..."

"Eu estava tão desperto quanto estou", ele estava ficando zangado de novo, "quanto estou agora".

"Bom, então talvez queira dizer..."

"Eu sei quando estou dormindo e quando estou acordado."

"... talvez queira dizer que a irmã Florida quer que você trabalhe com as crianças da igreja."

"Uma coisa que eu sempre disse para Florida, as pessoas não deixam ninguém falar..."

"Pode ser que ela estivesse tentando dizer..."

"Não sou maluco, sabe. Minha mente continua tão boa quanto era."

"... que é para você dar aulas aos domingos..."

"Trinta anos atrás. Se eu disser que estava acordado quando vi o anjo pequeno e gordo, as pessoas deviam..."

"A escola dominical precisa de mais professores. O Senhor sabe."

"... acreditar quando eu digo."

Os comentários e respostas deles pareciam um jogo de pingue-pongue com cada jogada passando por cima da rede e voando para o adversário. O sentido do que eles estavam dizendo se perdeu, e só o exercício permaneceu. A troca foi conduzida com a certeza de uma quadrilha ensaiada e tinha a agitação da roupa lavada de segunda sacudindo ao vento — agora soprando para leste, depois para oeste, com a única intenção de tirar a umidade do pano.

Em poucos minutos, a intoxicação da desgraça sumiu, como se aquilo nunca tivesse acontecido, e Momma estava encorajando o sr. Taylor a acolher um dos garotos Jenkins para que o ajudasse na fazenda.

O tio Willie estava assentindo para o fogo, e Bailey tinha fugido novamente para as aventuras tranquilas de Huckleberry Finn. A mudança no ambiente foi impressionante. Sombras que tinham se esticado e escurecido sobre a cama no canto tinham desaparecido ou se revelado como imagens escuras de cadeiras familiares. A luz que oscilava no teto se firmou, e imitava coelhos, e não mais leões, eram burros em vez de demônios.

Coloquei um colchão para o sr. Taylor no quarto do tio Willie e subi na cama de Momma, que soube pela primeira vez que era tão boa e correta que era capaz de controlar os espíritos inquietos, como Jesus controlou o mar. "Paz, fique parada."

23

As crianças de Stamps tremiam visivelmente de expectativa. Alguns adultos também estavam empolgados, mas toda a população jovem estava sofrendo a epidemia da formatura. Havia turmas grandes se formando no ensino fundamental e no ensino médio. Até os que estavam anos distantes de seus dias da gloriosa libertação estavam ansiosos para ajudar com os preparativos como uma espécie de ensaio geral. Os alunos de penúltimo ano, que passariam a usar as cadeiras agora vazias, tinham por tradição que mostrar seus talentos de liderança e gerenciamento. Eles andavam pelo campus fazendo pressão nas séries mais baixas. Sua autoridade era tão nova que, de vez em quando, era preciso fazer vista grossa quando eles pressionavam demais. Afinal, o período seguinte estava chegando, e não fazia mal um aluno de sexto ano ter uma amiga no oitavo, e nem um aluno de décimo ano ter alguém conhecido no décimo segundo.

Tudo era suportado em um espírito de compreensão compartilhada. Mas as turmas de formandos se tornavam a nobreza. Como viajantes com destinos exóticos em mente, esses estudantes eram incrivelmente desligados. Iam para a escola sem os livros, sem pranchetas e até sem lápis. Voluntários se ofereciam para garantir substitutos para o material que faltava. Quando aceitos, os trabalhadores voluntários podiam ou não receber um agradecimento, e isso não tinha importância nos ritos pré-formatura.

Até os professores tinham respeito pelos agora calmos e mais velhos formandos, e costumavam falar com eles, se não como iguais, como se estivessem apenas um pouco abaixo.

Depois que as provas foram devolvidas e as notas foram dadas, o corpo estudantil, que agia como família estendida, sabia quem tinha ido bem, quem tinha sido excepcional e quais eram os coitados que tinham fracassado.

Diferentemente da escola de ensino médio branca, a Lafayette County Training School se distinguia por não ter gramado nem cercas-vivas, nem quadra de tênis nem hera nas paredes. Os dois prédios (salas de aula, a escola primária e a de economia doméstica) ficavam em uma colina de terra sem cerca para limitar seu terreno das fazendas próximas. Havia uma área ampla à esquerda da escola que era usada como campo de beisebol ou quadra de basquete. Aros enferrujados nos postes bambos representavam o equipamento permanente de recreação, embora tacos e bolas pudessem ser emprestados pelo professor de educação física se a pessoa que fez o pedido tivesse prestígio para isso e o campo não estivesse ocupado.

Nessa área rochosa, aliviada pela sombra de alguns caquizeiros altos, os formandos desfilaram. As garotas davam as mãos e não se davam mais ao trabalho de falar com os alunos inferiores.

Havia uma tristeza nelas, como se aquele velho mundo não fosse sua casa e elas tivessem que ir para um terreno mais alto. Já os garotos ficaram mais simpáticos, mais extrovertidos. Uma mudança decidida da atitude fechada que eles projetaram quando estudando para as provas finais. Agora, pareciam não estar prontos para abrir mão da antiga escola, dos caminhos e salas de aula tão familiares. Só uma pequena porcentagem seguiria para a faculdade — uma das escolas a&m (agricultura e mecânica) do sul, que treinava jovens Negros para serem carpinteiros, fazendeiros, faz-tudo, pedreiros, empregadas, cozinheiros e babás.

O futuro pesava em seus ombros e os cegava para a alegria coletiva dos garotos e garotas da turma a se graduar no fundamental II.

Os pais que podiam encomendavam sapatos novos e roupas prontas na Sears and Roebuck ou na Montgomery Ward. Eles também contratavam as melhores costureiras para fazerem os esvoaçantes vestidos de formatura e para cortar calças de segunda mão que seriam passadas com rigidez militar para o tão importante evento.

Ah, era muito importante, sim. Haveria brancos na cerimônia, e dois ou três falariam de Deus ou de casa, do jeito sulista de viver, e a sra. Parsons, a esposa do diretor, tocaria a marcha da formatura enquanto os alunos das séries mais baixas desfilavam pelo corredor e assumiam seus lugares em frente ao tablado. Os formandos do ensino médio esperariam em salas de aula vazias para fazerem sua entrada triunfal.

No Mercado, eu era a pessoa da vez. A aniversariante. O centro. Bailey tinha se formado no ano anterior, se bem que, para fazer isso, teve que deixar todos os prazeres de lado para compensar o tempo perdido em Baton Rouge.

Minha turma estava usando vestidos amarelo-manteiga de piquet, e Momma se dedicou intensamente ao meu. Ela franziu o tecido em ziguezague e costurou o resto do corpete em linhas paralelas. Os dedos escuros trabalhavam no tecido amarelo enquanto ela bordava margaridas em alto-relevo na barra. Antes de considerar o trabalho terminado, ela acrescentou punhos de crochê nas mangas bufantes e uma gola pontuda, também de crochê.

Eu ficaria linda.

Seria uma modelo ambulante de todos os estilos variados de costura delicada à mão, e não me preocupava o fato de eu ter apenas doze anos e estar só me formando no oitavo ano. Além do mais, muitos professores das escolas Negras de Arkansas só tinham esse diploma e estavam aptos a compartilhar conhecimentos.

Os dias tinham ficado mais longos e mais perceptíveis. O bege desbotado de outras vezes foi substituído por cores mais fortes. Comecei a ver as roupas dos meus colegas, seus tons de pele e as partículas que se desprendiam das flores de salgueiro. Nuvens que se arrastavam pelo céu eram objetos de grande preocupação para mim. As formas inconstantes podiam carregar uma mensagem que na minha nova felicidade e com um pouco de tempo, eu logo decifraria. Durante aquele período, olhei para o arco do céu de forma tão religiosa que meu pescoço doía sempre. Eu tinha passado a sorrir mais, e meus maxilares doíam da atividade incomum. Com duas partes do corpo doloridas, acho que eu podia ter ficado desconfortável, mas esse não era o caso. Como integrante da equipe vencedora (a turma de formandos de 1940), eu estava a quilômetros das sensações desagradáveis. Estava a caminho da liberdade dos campos descobertos.

A juventude e a aprovação social se aliaram a mim, e nós ignoramos as lembranças de esnobismos e insultos. O vento de nossa passagem veloz remodelou minhas feições. Lágrimas perdidas viraram lama e depois pó. Anos de introversão foram deixados de lado e para trás, como filetes de um musgo parasita.

Meu desempenho tinha me concedido um lugar de destaque, e eu seria uma das primeiras a ser chamada na cerimônia de formatura. No quadro-negro da sala, assim como no quadro de avisos do auditório, havia estrelas azuis e estrelas brancas e estrelas vermelhas. Nenhuma ausência, nenhum atraso, e meu trabalho final foi um dos melhores do ano. Eu sabia dizer o preâmbulo da Constituição ainda mais rápido do que Bailey. Nós costumávamos contar nosso tempo: "NósoPovodosEstadosUnidosafimdeformarumaUniãomaisperfeita...". Eu tinha decorado os presidentes dos Estados Unidos de Washington até Roosevelt em ordem cronológica e alfabética.

Meu cabelo também estava me agradando. Gradualmente, a massa preta cresceu e adensou, de forma que finalmente pode manter as tranças bem arrumadas, e eu não precisava mais arrancar o couro cabeludo fora quando tentava penteá-lo.

Louise e eu tínhamos ensaiado os exercícios até ficarmos exaustas. Henry Reed era o orador da turma. Ele era um garoto pequeno e muito escuro com pálpebras caídas, um nariz comprido e largo e uma cabeça com formato estranho. Eu o admirei por anos porque a cada período ele e eu brigávamos pelas melhores notas na nossa turma. Na maioria das vezes, ele me superava, mas, em vez de ficar decepcionada, eu ficava satisfeita de compartilharmos os melhores lugares. Como muitas crianças Negras do sul, ele morava com a avó, que era tão rigorosa quanto Momma e tão gentil quanto ela sabia ser. Ele era cortês, respeitoso e falava com gentileza com os idosos, mas no parquinho escolhia as brincadeiras mais violentas. Eu o admirava.

Acho que qualquer um suficientemente com medo ou suficientemente estúpido podia ser educado. Mas conseguir operar no melhor nível com adultos e com crianças era admirável.

Seu discurso de formatura tinha o título de "Ser ou não ser". A rígida professora do décimo ano o ajudou a escrevê-lo. Ele trabalhou nas ênfases dramáticas durante meses.

As semanas até a formatura foram preenchidas com atividades intrépidas. Um grupo de crianças pequenas apresentaria uma peça sobre ranúnculos e margaridas e coelhinhos. Elas eram ouvidas por todo o prédio, treinando seus pulos e suas canções, que soavam como sinos de prata.

As garotas mais velhas (as não formandas, claro) tinham a tarefa de preparar petiscos para as festividades da noite. Um aroma intenso de gengibre, canela, noz-moscada e chocolate se espalhou pelo prédio de economia doméstica quando as novas cozinheiras fizeram amostras para elas e para os professores.

Em todos os cantos da oficina, machados e serras cortavam madeira com a qual os rapazes da carpintaria faziam os cenários de palco. Só os formandos ficaram de fora da agitação. Nós podíamos ficar na biblioteca, nos fundos do prédio, ou ficar observando à distância as medidas para o nosso evento sendo tomadas.

Até o pastor pregou sobre a formatura no domingo anterior. O assunto foi: "Deixe que sua luz brilhe para que os homens vejam seu bom trabalho e elogiem seu Pai, que está no céu".

Apesar de o sermão ter sido feito para nós, ele aproveitou a ocasião para falar com os pecadores, apostadores e executores de maus atos de um modo geral. Mas, como tinha dito nossos nomes no começo da missa, ficamos tranquilos.

Dentre os Negros, a tradição era dar presentes para as crianças que avançavam de ano. Era bem mais importante quando a pessoa estava se formando como a melhor da turma. Tio Willie e Momma mandaram comprar um relógio do Mickey Mouse, como o de Bailey. Louise me deu quatro lenços bordados (dei para ela três paninhos de *frivolité*). A sra. Sneed, esposa do pastor, fez uma anágua para eu usar na formatura, quase todos os clientes me deram uma moeda de cinco centavos ou até de dez, com a instrução "Continue melhorando para subir na vida" ou algum outro encorajamento assim.

Incrivelmente, o grande dia finalmente chegou, e eu estava fora da cama antes mesmo de perceber. Abri a porta dos fundos para ver mais claramente, mas Momma disse: "Irmã, se afaste dessa porta e vista o roupão".

Eu esperava que a lembrança daquela manhã nunca me abandonasse. A luz do sol ainda estava jovem, o dia não tinha a insistência que a maturidade traria a ele em poucas horas. De roupão e descalça no quintal, com o pretexto de ir ver meus novos feijões plantados, me entreguei ao calor suave e agradeci a Deus porque, independentemente do mal que eu tivesse feito na vida, Ele me permitiu viver para ver aquele dia. Em algum lugar no meu fatalismo, eu esperava morrer acidentalmente e não ter a chance de subir a escada do auditório e receber meu diploma conquistado arduamente. Ganhei uma trégua do seio misericordioso de Deus.

Bailey saiu de roupão e me deu uma caixa embrulhada com papel de Natal. Disse que tinha economizado dinheiro por meses para comprar aquilo. Parecia uma caixa de bombons, mas eu sabia que Bailey não guardaria dinheiro para comprar doces quando tínhamos tudo que podíamos querer debaixo do nariz.

Ele sentiu tanto orgulho do presente quanto eu. Era um exemplar com capa de couro de uma coleção de poemas de Edgar Allan Poe, ou, como Bailey e eu o chamávamos, "Eap". Abri em "Annabel Lee", e nós andamos pelas fileiras do jardim, a terra fria entre os dedos, recitando os versos lindos e tristes.

Momma fez um café da manhã de domingo, apesar de ser apenas sexta-feira. Depois que terminamos a bênção, abri os olhos e encontrei o relógio no meu prato. Era um dia de sonho. Tudo correu bem, e, para o meu crédito, não precisei ser lembrada de nada nem repreendida por nada. Perto da noite, eu estava nervosa demais para fazer tarefas, e Bailey se voluntariou para fazer tudo antes do banho.

Dias antes, nós fizemos um cartaz para o Mercado, e quando acendemos as luzes, Momma pendurou a placa de papelão acima da maçaneta. Dizia claramente: FECHADO. FORMATURA.

Meu vestido coube perfeitamente, e todo mundo disse que eu parecia um raio de sol com ele. Na colina, indo em direção à escola, Bailey andou atrás do tio Willie, que murmurou: "Vá na frente, Ju". Ele queria que Bailey andasse na frente conosco porque o constrangia ter que andar tão devagar. Bailey disse que deixaria as moças andarem juntas e que os homens iriam atrás. Nós todos rimos, tranquilos e felizes.

Crianças pequenas passaram correndo vindas do escuro como vagalumes. Os vestidos de papel crepom e as asas de borboleta não foram feitos para correr, e ouvimos mais do que um rasgar seco e o arrependido "ops" em seguida.

A escola ardia sem alegria. As janelas pareciam frias e antipáticas do pé da colina. Uma sensação de momento errado surgiu em mim, e, se Momma não tivesse segurado minha mão, eu teria recuado até

Bailey e tio Willie, possivelmente mais para trás. Ela fez algumas piadas sobre eu estar com medo e me puxou até a construção agora estranha.

Perto dos degraus de entrada, a segurança voltou. Havia meus "grandes" colegas, a turma que estava terminando o ensino médio. Os cabelos penteados, as pernas cobertas de óleo, vestidos novos e pregas passadas, lenços novos e bolsinhas, tudo feito em casa. Ah, estávamos perfeitos. Eu me juntei aos meus colegas e nem vi minha família entrar e arrumar lugar no auditório cheio.

A banda da escola tocou uma marcha, e todas as turmas entraram como tinha sido ensaiado. Ficamos na frente das nossas cadeiras, como designados, e ao sinal do diretor do coral, nos sentamos. Assim que isso foi feito, a banda começou a tocar o hino nacional. Nós nos levantamos novamente e cantamos, depois recitamos o juramento à bandeira. Ficamos de pé por um minuto até o diretor do coral e o diretor da escola sinalizarem com um certo desespero para nos sentarmos. A ordem foi tão incomum que nosso roteiro bem ensaiado foi abalado. Por um minuto, nós procuramos nossas cadeiras e esbarramos uns nos outros. Os hábitos mudam ou se solidificam sob pressão, e em nosso estado de tensão nervosa, estávamos prontos para seguir nosso padrão de reuniões de sempre: o hino nacional americano, o juramento à bandeira e a música que todas as pessoas Negras que eu conhecia chamavam de hino nacional negro. Tudo no mesmo tom, com a mesma paixão e em geral parados sobre o mesmo pé.

Ao finalmente encontrar minha cadeira, fui tomada de um pressentimento de coisas piores a caminho. Alguma coisa não ensaiada e não planejada aconteceria, e nós ficaríamos com uma imagem ruim.

Lembro-me distintamente de ser explícita na escolha de pronome. Éramos "nós", a turma da formatura, a unidade, que me preocupava agora.

O diretor deu boas-vindas aos "pais e amigos" e pediu ao pastor batista para fazer uma oração. Essa invocação foi curta e contundente, e por um segundo achei que íamos voltar à ação. Mas quando o diretor voltou ao palco, sua voz tinha mudado. Sons sempre me afetaram profundamente, e a voz do diretor era uma das minhas favoritas. Durante a reunião, amansava e repousava sobre a plateia. Não estava no meu plano ouvi-lo, mas minha curiosidade foi aguçada, e me empertiguei para dar minha atenção a ele.

Ele estava falando sobre Booker T. Washington, nosso "falecido grande líder" que disse que podemos ser tão unidos quanto os dedos da mão etc. E depois, disse algumas coisas vagas sobre amizade de pessoas gentis com os menos bem-aventurados do que elas. Com isso, sua voz quase sumiu, fraca, distante.

Como um rio virando um riacho e um filete de água. Mas ele limpou a garganta e disse: "Nosso orador de hoje, que também é nosso amigo, veio de Texarkana para fazer o discurso de abertura, mas devido à irregularidade do horário dos trens, ele vai, como dizem, 'falar e sair correndo'". Disse que nós entendíamos e queríamos que o homem soubesse como estávamos agradecidos pelo tempo que ele pôde nos dar, depois disse alguma coisa sobre estarmos dispostos a sempre nos ajustarmos aos programas uns dos outros, e, sem mais delongas... "Chamo o sr. Edward Donleavy."

Não um, mas dois homens brancos entraram pela porta do palco. O mais baixo foi até a tribuna do orador, e o alto foi até a cadeira do centro e se sentou. Mas aquela era a cadeira do nosso diretor, e já estava ocupada. O cavalheiro desalojado quicou por um ou dois minutos, até o pastor batista dar a ele sua cadeira, e, com mais dignidade do que a situação merecia, o pastor saiu do palco.

Donleavy olhou para a plateia uma vez (lembrando agora, tenho certeza de que ele só queria se certificar de que estávamos mesmo lá), ajeitou os óculos e começou a ler de uma pilha de papéis.

Ele estava feliz "de estar aqui e ver o trabalho sendo feito como nas outras escolas".

Ao primeiro "Amém" da plateia, desejei que o criminoso tivesse morte imediata engasgando com a palavra. Mas vários améns e sim, senhor começaram a se espalhar pelo ambiente como chuva por um guarda-chuva rasgado.

Ele nos contou das maravilhosas mudanças que nos aguardavam, as crianças de Stamps. A Central School (naturalmente, a escola branca era central) já tinha recebido melhorias que seriam aplicadas no outono.

Um artista conhecido viria de Little Rock para ensinar arte a eles. Eles teriam os microscópios e equipamentos de química mais novos nos laboratórios. O sr. Donleavy não nos deixou muito tempo no escuro sobre quem tornou essas melhorias disponíveis em Central High. Nós também não seríamos ignorados no esquema de melhorias gerais que ele tinha em mente.

Disse que tinha lembrado a pessoas de alto nível que um dos jogadores de primeira linha de futebol americano da Arkansas Agricultural e Mechanical College tinha se formado da nossa velha Lafayette County Training School. Agora, menos améns foram ouvidos. Os poucos que surgiram ficaram pairando no ar com o peso do hábito.

Ele nos elogiou. Disse que tinha se gabado de que "um dos melhores jogadores de basquete de Fisk enterrou sua primeira cesta aqui na Lafayette County Training School".

Os alunos brancos teriam a chance de se tornar Galileus e Madames Curie e Edisons e Gauguins, e nossos garotos (as meninas nem estavam na conta) tentariam ser Jesses Owens e Joes Louis.

Owens e o Bombardeiro Marrom eram grandes heróis no nosso mundo, mas que representante de escola do mundo branco de Little Rock tinha o direito de decidir que esses dois homens deviam ser nossos únicos heróis? Quem decidiu que, para Henry Reed se tornar cientista, ele tinha que trabalhar como George Washington Carver, como engraxate, para comprar uma porcaria de microscópio? Bailey seria pequeno demais para ser atleta. E que anjo de concreto branco grudado em qual cadeira decidiu que, se meu irmão quisesse ser advogado, ele teria que primeiro pagar uma pena pela cor da sua pele colhendo algodão e capinando campos de milho e estudando por correspondência à noite por vinte anos?

As palavras mortas do homem caíram como tijolos por todo o auditório, e muitas se acomodaram na minha barriga. Restringida pelos bons modos que aprendi a tanto custo, não pude olhar para trás, mas à minha esquerda e à minha direita, a orgulhosa turma de formandos de 1940 tinha baixado a cabeça.

Todas as garotas da minha fileira tinham encontrado alguma coisa nova para fazer com o lenço. Algumas dobraram os quadradinhos em nós, outras em triângulos, mas a maioria os estava amassando e esticando sobre os colos amarelos.

No tablado, a antiga tragédia estava se repetindo. O professor Parsons estava sentado rígido, o descarte de um escultor. O corpo grande e pesado parecia desprovido de qualquer vontade e disposição, e os olhos diziam que ele não estava mais conosco. Os outros professores examinavam a bandeira (que estava pendurada à direita do palco) ou suas anotações, ou as janelas que davam para nosso agora famoso campo de beisebol.

A formatura, o momento mágico e agitado de pregas e presentes e parabéns e diplomas, tinha terminado para mim antes mesmo do meu nome ser chamado. A conquista não era nada. Os mapas meticulosos, coloridos com três cores diferentes, aprender e soletrar palavras decassílabas, decorar todo *O estupro de Lucrécia*... foi para nada. Donleavy tinha nos exposto.

Nós éramos empregadas e fazendeiros, quebra-galhos e lavadeiras, e qualquer coisa maior que aspirássemos ser era uma farsa e presunção.

Desejei que Gabriel Prosser e Nat Turner tivessem matado todos os brancos nas camas e que Abraham Lincoln tivesse sido assassinado antes de assinar a Proclamação de Emancipação, e que Harriet Tubman tivesse morrido pelo golpe na cabeça, e que Cristóvão Colombo tivesse se afogado no *Santa Maria*.

Era horrível ser Negra e não ter controle sobre a minha vida. Era brutal ser jovem e já estar treinada para ficar sentada em silêncio ouvindo as acusações feitas contra a minha cor sem chance de defesa.

Nós todos devíamos estar mortos.

Pensei que eu ia gostar de ver a todos mortos, uns em cima dos outros. Uma pirâmide de carne com os brancos embaixo, formando a base larga, depois os índios e seus machados e ocas e cabanas e tratados bestas, os Negros com seus esfregões e receitas e sacos de algodão e religiosidade saindo pela boca.

As crianças holandesas deviam tropeçar nos tamancos de madeira e quebrar o pescoço. Os franceses deviam morrer engasgados com a Compra da Louisiana (1803), enquanto bichos da seda comiam todos os chineses e seus rabinhos trançados idiotas. Como espécie, nós éramos uma abominação. Todos nós.

Donleavy estava concorrendo à eleição e garantiu aos nossos pais que, se ele vencesse, nós teríamos a única quadra de esportes pavimentada para pessoas de cor naquela parte do Arkansas. Além disso — ele nunca ergueu o rosto para dar reconhecimento aos grunhidos de aceitação —, nós ganharíamos equipamentos novos para o prédio de economia doméstica e para a oficina.

Ele terminou, e, como não havia necessidade de fazer mais do que o mais breve dos agradecimentos, o homem branco alto que não foi apresentado se juntou a ele na porta. Os dois saíram com a atitude de que agora estavam indo para um compromisso importante. (A cerimônia de formatura da Lafayette County Training School foi uma mera preliminar.)

A feiura que eles deixaram era palpável. Um visitante não convidado que não queria ir embora. O coral foi convocado e cantou um arranjo moderno de "Onward, Christian Soldiers", com letra nova, falando dos formandos procurando seu lugar no mundo. Mas não adiantou.

Elouise, filha do pastor batista, recitou "Invictus", e tive vontade de chorar pela impertinência de "Eu sou o mestre do meu destino, Eu sou o capitão da minha alma".

Meu nome perdeu a familiaridade, e tive que ser cutucada para ir receber meu diploma. Todos os meus preparativos foram em vão. Não subi ao palco como uma amazona conquistadora, nem olhei para a plateia em busca de Bailey assentindo em aprovação. Marguerite Johnson, ouvi o nome de novo, minhas honras foram lidas, houve ruídos da plateia de apreciação, e assumi meu lugar no palco, como ensaiado.

Pensei nas cores que eu odiava: cru, castanho-avermelhado, lilás, bege e preto.

Houve agitação e ruídos em volta de mim, e Henry Reed começou a ler seu discurso, "Ser ou não ser". Ele não tinha ouvido os brancos? Nós não podíamos *ser*, então a pergunta era perda de tempo. A voz de Henry soou alta e clara. Tive medo de olhar para ele. Ele não tinha captado a mensagem? Não havia "mente mais nobre" para Negros porque o mundo não achava que tínhamos mente, e deixava isso bem claro. "Fortuna enfurecida"? Isso só podia ser piada. Quando a cerimônia acabasse, eu teria que dizer algumas coisas a Henry Reed. Isso se eu ainda me importasse. Nada de "conflito", Henry, "eliminação". "Ah, existe a eliminação." Nossa.

Henry foi bom aluno em elocução. Sua voz subia em marés de promessa e caía em ondas de aviso.

O professor de inglês o ajudou a criar um sermão que girava em torno do solilóquio de Hamlet.

Ser um homem, um executor, um construtor, um líder, ou ser uma ferramenta, uma piada sem graça, um catador de cogumelos venenosos.

Fiquei maravilhada com a capacidade de Henry conseguir seguir com o discurso como se tivéssemos escolha.

Eu estava ouvindo e refutando silenciosamente cada frase com os olhos fechados; de repente, houve um murmúrio, que em uma plateia avisa que alguma coisa não planejada está acontecendo.

Abri os olhos e vi Henry Reed, o conservador, o adequado, o aluno nota dez, virar as costas para a plateia e se virar para nós (a orgulhosa turma de formandos de 1940) e cantar, quase falando:

"Ergam todas as vozes e cantem
Até a terra e o céu ecoarem
Ecoarem a canção da Liberdade..."[1]

Era o poema escrito por James Weldon Johnson. Era a música composta por J. Rosamond Johnson. Era o hino nacional negro. Por hábito, começamos a cantar.

Nossas mães e pais se levantaram no salão escuro e se juntaram ao hino de encorajamento. Um professor do jardim de infância levou as crianças pequenas para o palco, e os ranúnculos e margaridas e coelhinhos marcaram o tempo e tentaram acompanhar:

"A estrada que percorremos está cheia de pedras
A vara que castiga, cheia de amargura
Sentida nos dias em que a esperança, sem nascer, já morreu.
Mas com ritmo firme
Nossos pés cansados
Não chegaram ao lugar com que nossos pais sonharam?"[2]

---

[1] Letra original: "Lift ev'ry voice and sing
Till earth and heaven ring
Ring with the harmonies of Liberty..."

[2] "Lift Ev'ry Voice and Sing" — letra de James Weldon Johnson e música de J. Rosamund Johnson. Direitos autorais de Edward B. Marks Music Corporation. Usada com permissão.

Todas as crianças que eu conhecia aprenderam essa música junto com o alfabeto e com "Jesus Loves Me This I Know". Mas eu nunca a tinha ouvido antes. Nunca tinha prestado atenção à letra, apesar das milhares de vezes que a tinha cantado. Nunca tinha pensado que tivesse a ver comigo.

Por outro lado, as palavras de Patrick Henry provocaram um efeito tão grande em mim que, mesmo tremendo, consegui me empertigar e cantar: "Não sei o rumo que os outros podem tomar, mas, quanto a mim, me dê liberdade ou me dê a morte".

E então realmente ouvi, pela primeira vez:

"Nós seguimos por uma estrada que com lágrimas
foi regada,
Nós viemos, abrindo caminho
Em meio ao sangue dos massacrados."[3]

Enquanto os ecos da canção reverberavam no ar, Henry Reed baixou a cabeça e disse "Obrigado" e voltou para seu lugar na fila. As lágrimas que escorriam pelos muitos rostos não foram enxugadas com vergonha.

Estávamos no topo de novo. Como sempre, de novo. Nós sobrevivemos. As profundezas eram geladas e escuras, mas agora um sol forte iluminava nossas almas. Eu não era mais só uma integrante da orgulhosa turma de formandos de 1940; eu era uma integrante orgulhosa da maravilhosa e linda raça Negra.

---

[3] "We have come over a way that with tears
has been watered,
We have come, treading our path through
the blood of the slaughtered."

Ah, poetas Negros conhecidos e desconhecidos, com que frequência suas dores loteadas nos seguraram? Quem vai computar as noites solitárias amenizadas por suas canções, ou as panelas vazias ressignificadas pelas suas histórias?

Se fôssemos um povo dado a revelar segredos, nós poderíamos erguer monumentos e fazer sacrifícios às memórias dos nossos poetas, mas a escravidão nos curou dessa fraqueza. Pode ser que seja suficiente, no entanto, dizer que nós sobrevivemos na proporção exata da dedicação dos nossos poetas (incluindo pregadores, músicos e cantores de blues).

24

O Anjo dos doces finalmente me encontrou e estava me fazendo pagar uma pena excruciante por todos os Milky Ways, Mounds, Mr. Goodbars e Hersheys com amêndoas roubados. Eu estava com duas cáries podres até as gengivas. A dor estava fora do alcance de aspirinas amassadas e de óleo de cravo. Só uma coisa podia me ajudar, e rezei com toda sinceridade para que Deus permitisse que eu me sentasse embaixo de casa e a construção despencasse em cima do lado esquerdo do meu maxilar. Como não existia dentista Negro em Stamps, nem médico, na verdade, Momma resolveu dores de dente anteriores arrancando-os (um fio amarrado no dente com a outra ponta enrolada no punho), analgésicos e oração. Nesse caso específico, o remédio não se mostrou eficiente; não havia esmalte suficiente onde prender um fio, e as orações foram ignoradas porque o Anjo da Razão estava bloqueando a passagem delas.

Vivi alguns dias e noites em sofrimento lancinante, quase considerando seriamente a ideia de pular no poço, e Momma decidiu que eu tinha que ser levada a um dentista. O dentista Negro mais próximo ficava em Texarkana, a quarenta quilômetros de distância, e eu tinha certeza de que estaria morta bem antes de chegarmos à metade dessa distância. Momma disse que iríamos ao dr. Lincoln, em Stamps mesmo, e ele cuidaria de mim. Falou que ele lhe devia um favor.

Eu sabia que havia vários brancos na cidade que deviam favores a ela. Bailey e eu tínhamos visto os livros que mostravam que ela emprestou dinheiro para Negros e brancos igualmente durante a Depressão, e a maioria ainda devia a ela. Mas não conseguia me lembrar de ter visto o nome do dr. Lincoln, nem ouvido falar de um Negro tendo ido ao consultório dele como paciente. No entanto, Momma disse que nós iríamos, e colocou água no fogão para nossos banhos. Eu nunca tinha ido a um médico, e ela me disse que depois do banho (que faria com que minha boca ficasse melhor), eu tinha que colocar roupas de baixo limpas, engomadas e passadas do lado avesso. A dor não mudou com o banho, e eu soube nessa hora que a dor era mais séria do que a que qualquer outra pessoa já tinha sentido.

Antes de sairmos do Mercado, ela me mandou escovar os dentes e lavar a boca com Listerine. A ideia de abrir meus maxilares apertados aumentou a dor, mas ao ouvir sua explicação de que quando se vai a um médico é preciso se limpar toda, e principalmente a parte que vai ser examinada, reuni coragem e destravei os dentes. O ar frio na minha boca e o movimento dos molares abalou o que restava da minha razão. Fiquei paralisada de dor, minha família quase teve que me amarrar para tirar a escova de dentes. Não foi pequeno o esforço que me fez sair para a rua e ir até o dentista. Momma falou com todas as pessoas no caminho, mas não parou para conversar. Ela explicou com a cabeça virada para trás que estávamos indo ao médico e que "daria os devidos cumprimentos" no caminho de volta.

Até chegarmos ao lago, a dor era o meu mundo, uma aura que me envolvia em um raio de um metro. Depois que atravessamos a ponte para o terreno dos brancos, um pouco de sanidade surgiu. A toalha branca, que estava passada embaixo do meu queixo e amarrada na cabeça, tinha que ser arrumada. Se era para morrer, isso tinha que ser feito com estilo se a morte ocorresse na parte branca da cidade.

Do outro lado da ponte, a dor pareceu diminuir, como se uma brisa branca tivesse soprado as pessoas brancas para longe e esmagado tudo no bairro — inclusive meu maxilar. A estrada de cascalho era mais lisa, as pedras eram menores e os galhos das árvores caíam pelo caminho e quase nos encobriam. Se a dor não diminuiu, a paisagem familiar, mas ainda estranha, me hipnotizou a ponto de acreditar que tinha diminuído.

Mas minha cabeça continuou latejando com a insistência ritmada de um baixo. E como uma dor de dente podia passar pela prisão, ouvir as canções dos prisioneiros, os blues e gargalhadas deles, e não mudar? Como um ou dois ou até uma boca inteira cheia de raízes de dentes furiosas podia encontrar uma horda de crianças lixentas da pobreza branca, aguentar o esnobismo idiota e não se sentir menos importante?

Atrás do prédio que abrigava o consultório do dentista passava um caminho estreito usado por criados e comerciantes que trabalhavam no açougue e no único restaurante de Stamps. Momma e eu seguimos esse caminho até a escada dos fundos do consultório do dentista Lincoln. O sol estava forte e dava ao dia um realismo agressivo conforme subíamos a escada até o segundo andar.

Momma bateu na porta dos fundos e uma garota jovem e branca abriu a porta, demonstrando surpresa de nos ver ali. Momma disse que queria falar com o dentista Lincoln e que era para ela dizer que era Annie quem estava lá.

A garota fechou a porta com firmeza. Agora a humilhação de ouvir Momma se descrever como se não tivesse sobrenome para a garota branca foi similar à dor física. Parecia terrivelmente injusto ter dor de dente e dor de cabeça e ter que aguentar, ao mesmo tempo, o peso enorme da cor Negra.

Sempre era possível que os dentes sossegassem e talvez caíssem sozinhos. Momma disse que nós esperaríamos. Ficamos encostadas sob a luz forte do sol na amurada bamba da varanda de trás do dentista por mais de uma hora.

Ele abriu a porta e olhou para Momma. "Bem, Annie, o que posso fazer por você?"

Ele não viu a toalha em volta da minha cabeça e nem reparou no rosto inchado.

Momma disse: "Dentista Lincoln. É minha netinha aqui. Ela está com dois dentes podres que estão provocando muita dor".

Ela esperou que ele reconhecesse a verdade da declaração. Ele não fez nenhum comentário, nem oral nem facialmente.

"Ela está com essa dor há quase quatro dias, e hoje eu disse 'Mocinha, você vai ao dentista'."

"Annie?"

"Sim, senhor, dentista Lincoln."

Ele estava escolhendo as palavras da mesma forma que as pessoas procuram conchas. "Annie, você sabe que não trato pretos, pessoas de cor."

"Eu sei, dentista Lincoln. Mas é que ela é minha netinha, e ela não vai dar trabalho nenhum..."

"Annie, todo mundo tem suas diretrizes. Neste mundo, é preciso ter diretrizes. A minha diretriz é que eu não trato pessoas de cor."

O sol tinha fritado o óleo da pele de Momma e derretido a vaselina do seu cabelo. Ela brilhava com oleosidade quando se inclinou para sair da sombra do dentista.

"A mim parece, dentista Lincoln, que você pode cuidar dela, que não passa de um inseto. E me parece que você talvez me deva um ou dois favores."

Ele ficou levemente vermelho. "Com ou sem favor. O dinheiro foi todo pago a você e fim da história. Desculpe, Annie." Ele estava com a mão na maçaneta. "Desculpe." A voz dele soou um pouco mais gentil no segundo "desculpe", como se ele realmente estivesse se desculpando.

Momma disse: "Eu não insistiria se fosse por mim, mas não aceito um não. Não para a minha netinha. Quando você me procurou para pegar dinheiro emprestado, não precisou implorar. Você pediu, e eu emprestei. Não era minha diretriz. Eu não empresto dinheiro, mas você ia perder essa casa, e eu tentei ajudar".

"Já está pago, e erguer a voz não vai me fazer mudar de ideia. Minha diretriz..." Ele soltou a porta e chegou mais perto de Momma. Nós três estávamos amontoados no pequeno patamar. "Annie, minha diretriz é que prefiro enfiar a mão na boca de um cachorro do que na de um preto."

Ele não olhou para mim nenhuma vez. Deu as costas e entrou pela porta, para o frescor da sombra. Momma se retraiu por alguns minutos. Esqueci tudo, exceto seu rosto, que era quase novo para mim. Ela se inclinou e segurou a maçaneta, e com a voz suave de todos os dias disse: "Irmã, desça. Me espere lá embaixo. Logo estarei lá".

Nas circunstâncias mais comuns, eu sabia que não devia discutir com Momma. Assim, desci a escada íngreme, com medo de olhar para trás e com medo de não olhar. Eu me virei na hora que a porta bateu, e ela tinha sumido.

Momma entrou naquela sala como se fosse autoridade. Empurrou aquela enfermeira boba para o lado com uma das mãos e entrou no consultório do dentista.

Ele estava sentado na cadeira, afiando os instrumentos do mal e colocando um ardor adicional nos remédios. Os olhos de Momma brilhavam como carvões em brasa, e os braços tinham o dobro do comprimento. Ele olhou para ela na hora que ela o segurou pela gola do jaleco branco.

"Se levante quando vir uma dama, seu canalha desdenhoso." Sua língua estava mais fina, e as palavras saíam bem pronunciadas. Enunciadas e afiadas, como pequenos estrondos de trovão.

O dentista não teve escolha além de se levantar e ficar em posição de sentido.

Ele baixou a cabeça depois de um minuto, e sua voz soou humilde. "Sim, senhora, sra. Henderson."

"Seu patife, você acha que agiu como cavalheiro falando comigo daquele jeito na frente da minha neta?" Ela não o sacudiu, apesar de ter força para isso. Só o segurou ereto.

"Não, senhora, sra. Henderson."

"Não, senhora, sra. Henderson o quê?" E ela deu uma sacudida de leve, mas por causa da força, o gesto fez a cabeça e os braços dele tremerem nas extremidades do corpo.

Ele gaguejou bem mais do que o tio Willie. "Não, senhora, sra. Henderson, me desculpe."

Deixando transparecer apenas um pouco da repugnância, Momma o jogou de volta na cadeira de dentista. "Lamentar não adianta muito, e você é o dentista mais lamentável em que já botei os meus olhos." (Ela podia escorregar nas frases porque tinha um controle tão eloquente da língua.)

"Eu não pedi que você peça desculpas na frente de Marguerite porque não quero que ela conheça meu poder, mas estou dando uma ordem a partir de agora. Vá embora de Stamps até o pôr do sol."

"Sra. Henderson, não tenho como pegar meu equipamento..." Ele estava tremendo horrivelmente agora.

"Isso me leva à minha segunda ordem. Você não vai atuar como dentista nunca mais. Nunca! Quando estiver acomodado na próxima cidade, você vai ser um vegetariano que cuida de cachorros com sarna, de gatos com cólera e de vacas com epizootia. Está claro?"

Havia saliva escorrendo pelo queixo dele, e seus olhos se encheram de lágrimas. "Sim, senhora. Obrigado por não me matar. Obrigado, sra. Henderson."

Momma deixou de ter três metros de altura e braços de dois metros e disse: "De nada por nada, seu pulha, eu não perderia tempo matando um ser inferior como você".

Na saída, ela balançou o lencinho para a enfermeira e a transformou em um saco cinza de ração de galinha.

Momma parecia cansada quando desceu a escada, mas quem não estaria cansada se tivesse passado pelo que ela passou? Chegou perto de mim e ajeitou a toalha embaixo do meu maxilar (tinha me esquecido da dor de dente; só percebi que ela foi delicada com as mãos para não despertar a dor). Ela segurou minha mão. Sua voz não mudou. "Venha, irmã."

Achei que estávamos indo para casa, onde ela prepararia uma mistura para eliminar a dor e talvez me dar dentes novos. Dentes novos que cresceriam da noite para o dia nas minhas gengivas. Ela me guiou na direção da farmácia, que fica na direção oposta do Mercado. "Vou levar você ao dentista Baker em Texarkana."

Fiquei feliz depois de toda a função de ter tomado banho e passado desodorante Mum e talco Cashmere Bouquet. Foi uma surpresa maravilhosa. Minha dor de dente tinha passado a ser uma dor solene, Momma tinha destruído o homem branco do mal e nós faríamos uma viagem a Texarkana, só nós duas.

No ônibus Greyhound, ela pegou um assento de corredor na parte de trás e me sentei ao lado dela. Eu estava sentindo tanto orgulho de ser sua neta que parte de sua magia devia estar sendo transferida para mim.

Ela perguntou se eu estava com medo. Só balancei a cabeça e me encostei ao braço marrom e fresco. Não havia chance de um dentista, principalmente um Negro, ousar me machucar. Não com Momma comigo. A viagem foi comum, só que ela passou o braço em volta de mim, o que foi uma coisa bem incomum para Momma.

O dentista me mostrou o remédio e a agulha antes de adormecer minhas gengivas, mas se não tivesse mostrado eu não teria me preocupado. Momma ficou logo atrás dele. Os braços estavam cruzados, e ela verificou tudo que ele fazia. Os dentes foram extraídos, e ela comprou uma casquinha de sorvete para mim na janela lateral de uma farmácia. A volta para Stamps foi tranquila, só que eu tinha que cuspir em uma latinha bem pequena de rapé que ela conseguiu para mim, o que foi bem difícil com o ônibus sacolejando pelas nossas estradas de terra.

Em casa, ela me deu uma solução salina quente, e quando enxaguei a boca, mostrei a Bailey os buracos, onde o sangue seco parecia uma cobertura de torta. Ele disse que fui corajosa, e essa foi minha deixa para revelar nosso confronto com o desqualificado do dentista e os poderes incríveis de Momma.

Tive que admitir que não ouvi a conversa, mas o que mais ela poderia ter dito além do que eu disse que ela disse? O que mais poderia ter feito? Ele concordou com minha análise de um jeito meio morno, e saltitei com alegria (afinal, tinha estado doente) para o Mercado. Momma estava preparando nossa refeição noturna, e tio Willie estava encostado no batente da porta. Ela deu a própria versão.

"O dentista Lincoln ficou arrogante. Disse que preferia botar a mão na boca de um cachorro. E quando lembrei a ele o favor, ele o descartou como se fosse uma poeirinha. Bom, mandei a irmã lá para baixo e entrei. Eu nunca tinha entrado no consultório dele, mas encontrei a porta de onde ele arranca os dentes, e ele e a enfermeira estavam lá juntinhos. Só fiquei ali parada até eles me verem." Barulho das panelas no fogão. "Ele pulou como se tivesse se sentado em um alfinete. Disse 'Annie, eu já falei, não vou mexer na boca de preto nenhum'. Eu disse 'Alguém vai ter que fazer isso então', e ele disse 'Leve ela pra Texarkana, no dentista de pessoas de cor', e foi quando eu falei 'Se você me pagasse meu dinheiro, eu teria condição de levá-la'. Ele disse 'Já foi tudo pago'. Falei que tudo tinha sido pago, menos os juros. Ele disse 'Não tinha juros'. Eu disse 'Tem agora. Aceito dez dólares como pagamento integral'. Você sabe, Willie, não era a coisa certa a fazer, porque emprestei aquele dinheiro sem pensar.

"Ele mandou aquela enfermeira metida dele me dar dez dólares e me fazer assinar um recibo de 'pagamento integral'. Ela entregou o dinheiro pra mim e assinei os papéis. Apesar de por direito ele já ter pago antes, eu pensei, se ele vai ser mau assim, vai ter que pagar por isso."

Momma e o filho riram e riram da maldade do homem branco e do pecado de retribuição dela.

Eu preferia a minha versão.

25

Conhecendo Momma, eu sabia que nunca tinha conhecido Momma. A discrição e a desconfiança de savana africana foram geradas pela escravidão e confirmadas por séculos de promessas feitas e promessas quebradas. Nós temos um dito entre os Negros americanos que descreve a cautela de Momma. "Se você perguntar a um Negro onde ele esteve, ele vai dizer aonde está indo." Para entender essa informação importante, é necessário saber quem usa essa tática e com quem funciona.

Se uma pessoa desavisada ouve uma parte de uma verdade (é imperativo que a resposta carregue a verdade), ela fica satisfeita de sua pergunta ter sido respondia. Se uma pessoa ciente (uma que também usa esse estratagema) ouve uma resposta que é verdadeira, mas só responde um pouco — isso se chega a responder — a pergunta, ela sabe que a informação que procura é de natureza particular e não vai ser entregue com facilidade. Assim, a negação direta, a mentira e a revelação de detalhes pessoais são evitados.

Momma nos contou um dia que ia nos levar para a Califórnia. Explicou que estávamos crescendo, que precisávamos ficar com nossos pais, que tio Willie era aleijado, afinal, que ela estava ficando velha. Tudo verdade, mas nenhuma dessas verdades satisfez nossa necessidade da Verdade. O Mercado e todos os aposentos atrás viraram uma fábrica de despedida. Momma passava o tempo todo na máquina de costura, fazendo e refazendo roupas para usarmos na Califórnia. Os vizinhos tiraram dos baús pedaços de tecidos que tinham ficado guardados por décadas em cobertores de naftalina (eu tinha certeza de que fui a única garota da Califórnia que ia para a escola com saias de moiré com marca d'água e blusas de cetim amareladas, vestidos pretos de cetim e roupa de baixo de crepe).

Fosse qual fosse o verdadeiro motivo, a Verdade, para nos levar para a Califórnia, eu sempre vou pensar que foi um incidente no qual Bailey teve o papel principal. Bailey tinha adquirido o hábito de imitar Claude Rains, Herbert Marshall e George McCready. Eu não achava estranho que um garoto de treze anos da ultrapassada cidade sulista de Stamps falasse com um sotaque inglês. Os heróis dele incluíam D'Artagnan e o Conde de Monte Cristo, e ele imitava o que achava que eram os galanteios intrépidos deles.

Em uma tarde, algumas semanas antes de Momma revelar seu plano de nos levar para o oeste, Bailey entrou no Mercado tremendo. Seu rosto não estava mais preto, e sim de um cinza sujo e sem cor. Como era nosso hábito ao entrar no Mercado, ele foi para trás da bancada de doces e se apoiou na registradora. Tio Willie tinha mandado que ele fosse fazer uma coisa na parte branca da cidade e queria uma explicação pela demora. Depois de um breve momento, nosso tio viu que havia alguma coisa errada, e sentindo-se incapaz de resolver, chamou Momma na cozinha.

"Qual é o problema, Bailey Junior?"

Ele não disse nada. Quando o vi, soube que não adiantaria perguntar nada com ele naquele estado. Queria dizer que ele tinha visto ou ouvido alguma coisa tão feia ou assustadora que o deixou paralisado. Ele explicou, quando éramos menores, que quando as coisas ficavam muito ruins, a alma dele rastejava para trás do coração e se encolhia e ia dormir. Quando acordava, a coisa assustadora tinha ido embora. Desde que lemos *A queda da casa de Usher*, nós fizemos um pacto de que nenhum de nós permitiria que o outro fosse enterrado sem ter "certeza total e absoluta" (a expressão favorita dele) de que a pessoa estava morta. Também tive que jurar que quando sua alma estivesse dormindo, eu nunca tentaria acordá-la, pois o choque poderia fazer com que ela fosse dormir para sempre. Então eu o deixei em paz, e depois de um tempo Momma teve que deixá-lo em paz também.

Atendi os clientes e andei em volta dele ou me inclinei por cima dele, e, como desconfiava, ele não reagiu. Quando o feitiço passou, ele perguntou ao tio Willie o que as pessoas de cor tinham feito às pessoas brancas. Tio Willie, que nunca foi de explicar as coisas porque era como Momma, disse pouco além de "as pessoas de cor nunca tocaram em nem um fio de cabelo dos brancos". Momma acrescentou que algumas pessoas diziam que os brancos foram até a África (ela fez parecer um vale escondido na lua) e roubaram as pessoas de cor e as fizeram de escravas, mas ninguém acreditava que fosse verdade. Não havia como explicar o que tinha acontecido "milênios" antes, mas agora eles estavam em posição superior. Só que não seria por muito tempo. Moisés não levou as crianças de Israel para longe das mãos ensanguentadas do Faraó e para a Terra Prometida? O Senhor não protegeu as crianças hebreias da fornalha ardente e meu Senhor não salvou Daniel? Nós só tínhamos que esperar o Senhor.

Bailey disse que viu um homem, um homem de cor, que ninguém tinha salvo. Ele estava morto. (Se a notícia não fosse tão importante, nós teríamos testemunhado uma das explosões e orações de Momma. Bailey estava praticamente blasfemando.) Ele disse: "O homem estava morto e podre. Não fedendo, mas podre".

Momma ordenou: "Ju, olha a língua".

Tio Willie perguntou: "Quem, quem era?".

Bailey tinha altura suficiente para a cabeça aparecer acima da caixa registradora. Ele disse: "Quando passei pela prisão, alguns homens tinham acabado de tirar ele do lago. Ele estava enrolado em um lençol, todo enrolado, como uma múmia, e um homem branco se aproximou e desenrolou o lençol. O homem estava de costas, mas o homem branco enfiou o pé embaixo do lençol e o rolou de barriga para cima".

Ele se virou para mim. "My, ele não tinha cor nenhuma. Estava inchado como uma bola." (Nós tínhamos uma discussão aberta havia meses. Bailey dizia que não existia nada sem cor, e eu argumentava que, se existiam cores, também tinha que existir um oposto, e agora ele estava admitindo que era possível. Mas não me senti bem com a minha vitória.) "Os homens de cor recuaram e eu também, mas o homem branco ficou parado ali, olhando para baixo, e sorriu. Tio Willie, por que eles nos odeiam tanto?"

Tio Willie murmurou: "Eles não nos odeiam de verdade. Eles não nos conhecem. Como podem nos odiar? O que eles têm é medo".

Momma perguntou se Bailey tinha reconhecido o homem, mas ele estava absorto no acontecimento e no fato.

"O sr. Bubba me disse que eu era novo demais para ver uma coisa daquelas e que eu devia voltar logo para casa, mas tive que ficar. O homem branco nos chamou para chegar mais perto. Ele disse: 'Venham, garotos, coloquem ele na prisão, e quando o xerife chegar vai avisar a família dele. Esse aqui é um crioulo com quem ninguém mais vai se preocupar. Ele não vai a lugar nenhum'. Os homens então seguraram as pontas do lençol, mas como ninguém queria chegar perto do homem, eles seguraram nas pontinhas e ele quase rolou para o chão. O homem branco me chamou para ir ajudar também."

Momma explodiu. "Quem foi?" Ela explicou melhor. "Quem era o homem branco?"

Bailey não conseguia afastar o horror. "Peguei uma lateral do lençol e andei até a prisão com os homens. Andei até a prisão carregando um Negro morto apodrecendo." A voz dele estava envelhecida pelo choque. Ele estava estupefato.

"O homem branco brincou que ia nos trancar lá dentro, mas o sr. Bubba disse: 'Ei, sr. Jim. A gente não fez nada. A gente não fez nada errado'. O homem branco riu e disse que nós não sabíamos ouvir uma piada, e abriu a porta." Ele respirou com alívio. "Ufa, fiquei feliz de sair de lá. A prisão e os prisioneiros gritando que não queriam um preto morto lá com eles. Que deixaria o lugar fedendo. Eles chamaram o branco de 'Chefe'. Eles disseram: 'Chefe, nós não fizemos nada de tão ruim pra você botar outro preto aqui conosco, ainda mais um morto'. Todos riram. Todos riram como se fosse engraçado."

Bailey estava falando tão rápido que se esqueceu de gaguejar, se esqueceu de coçar a cabeça e limpar as unhas com os dentes. Ele estava distante em um mistério, preso no enigma que os garotos Negros do sul começam a desvendar, começam a *tentar* desvendar, dos sete anos de idade até a morte. O enigma sem graça da desigualdade e do ódio. A experiência dele gerou a pergunta de méritos e valores, de inferioridade agressiva e arrogância agressiva. O tio Willie, um homem Negro, sulista, ainda por cima aleijado, podia tentar responder as perguntas, as feitas e as não ditas? Momma, que conhecia o jeito dos brancos e as artimanhas dos Negros, tentaria responder ao neto, cuja própria vida dependia de não entender verdadeiramente o enigma? Sem dúvida que não.

Os dois responderam de forma característica. Tio Willie disse algo do tipo que não sabia aonde o mundo ia parar, e Momma orou, "Deus proteja sua alma, pobre homem". Tenho certeza de que ela começou a pensar nos detalhes da nossa viagem para a Califórnia naquela noite.

Nosso transporte foi a maior preocupação de Momma por algumas semanas. Ela havia combinado com um funcionário da ferrovia de oferecer um passe em troca de alimentos. O passe permitia só uma redução no valor da sua passagem, e mesmo isso tinha que ser aprovado, então tivemos que esperar em uma espécie de limbo até que pessoas brancas que nunca veríamos, em escritórios que nunca visitaríamos, assinassem e carimbassem e enviassem o passe de volta para Momma pelo correio. Minha tarifa tinha que ser paga em "dinheiro vivo". Esse esvaziamento repentino na registradora forrada de moedas abalou nossa estabilidade financeira. Momma decidiu que Bailey não poderia nos acompanhar, pois tínhamos que usar o passe em um tempo determinado, mas que ele iria em seguida, um mês depois que as contas principais estivessem pagas. Embora nossa mãe agora morasse em São Francisco, Momma deve ter achado melhor ir primeiro a Los Angeles, onde nosso pai morava. Ela ditou as cartas para mim, avisando aos dois que estávamos a caminho.

E estávamos a caminho, mas sem poder dizer quando. Nossas roupas foram lavadas, passadas e embaladas, e por um tempo imóvel nós usamos as coisas que não eram boas o bastante para cintilar no sol da Califórnia. Os vizinhos, que entendiam as complicações da viagem, se despediram um milhão de vezes.

"Bem, se não nos encontrarmos antes do seu bilhete chegar, irmã Henderson, faça uma boa viagem e volte logo para casa." Uma amiga viúva de Momma aceitou cuidar (cozinhar, lavar, limpar e fazer companhia) de tio Willie, e depois de milhares de partidas frustradas, nós deixamos Stamps.

Minha tristeza com a partida se restringiu a uma melancolia por me separar de Bailey por um mês (nós nunca tínhamos nos separado), pela solidão imaginada de tio Willie (ele manteve a compostura, apesar de aos trinta e cinco anos nunca ter ficado separado da mãe) e pela perda de Louise, minha primeira amiga. Eu não sentiria falta da sra. Flowers, pois ela me deu sua palavra secreta que conjurava um gênio que me serviria por toda a vida: livros.

26

A intensidade com a qual as pessoas jovens vivem exige que elas "se desliguem" com o máximo de frequência possível. Só pensei no encontro com mamãe no último dia de viagem. Eu estava "indo para a Califórnia". Para as laranjas e a luz do sol, e para estrelas de cinema e terremotos e (finalmente eu me dei conta) para a minha mãe. Minha culpa antiga voltou como um amigo que havia deixado saudades. Eu me perguntei se o nome do sr. Freeman seria mencionado ou se esperariam que eu mesma dissesse alguma coisa sobre a situação. Eu não podia perguntar a Momma, e Bailey estava a um zilhão de quilômetros.

A agonia da dúvida deixou os assentos felpudos duros, azedou os ovos cozidos, e quando olhei para Momma, ela pareceu grande demais e preta demais e antiquada demais. Tudo que vi se voltou contra mim. As cidadezinhas, onde ninguém acenava, e os outros passageiros do trem, com quem eu tinha alcançado um relacionamento de quase parente, desapareceram em uma estranheza comum.

Eu estava tão despreparada para encontrar minha mãe quanto um pecador fica relutante em encontrar seu Criador. E de repente ela estava na minha frente, menor do que a memória permitia, mas mais gloriosa do que qualquer lembrança. Ela estava usando um terninho de camurça castanho-claro, sapatos combinando e um chapéu masculino com uma pena, e deu tapinhas no meu rosto com mãos enluvadas. Exceto pela boca com batom, os dentes brancos e os olhos pretos brilhantes, ela podia ter saído de um mergulho em um banho bege. A imagem de mamãe e Momma se abraçando na plataforma do trem resistiu ao constrangimento da época e à maturidade de agora. Mamãe era uma pintinha alegre em torno da galinha grande, sólida e escura. Os sons que produziram se conjugavam em uma rica harmonia. A voz grave e lenta de Momma ficou abaixo dos piados e gorjeios rápidos da minha mãe como pedras embaixo de água corrente.

A mulher mais jovem beijou e riu e correu para recolher nossos casacos e mandar nossa bagagem ser levada. Ela cuidou com facilidade de detalhes que exigiriam metade do dia de uma pessoa do interior. Fiquei impressionada de novo com o assombro que ela era, e pelo tempo que meu transe durou a inquietação impertinente ficou esquecida.

Nós fomos para um apartamento, e dormi em um sofá que, à noite, se transformava milagrosamente em uma cama grande e confortável. Minha mãe ficou em Los Angeles pelo tempo suficiente de nos acomodar, depois voltou para São Francisco para arrumar acomodações para a família abruptamente maior.

Momma e Bailey (ele se juntou a nós um mês depois da nossa chegada) e eu moramos em Los Angeles por uns seis meses enquanto nossa moradia permanente era concluída. Papai Bailey nos visitava ocasionalmente, levando sacolas de frutas. Ele brilhava como um

Deus do Sol, aquecendo e iluminando de forma benigna seus súditos escuros.

Como eu estava encantada com a criação do meu próprio mundo, anos se passaram até eu refletir sobre o ajuste impressionante de Momma àquela vida estrangeira. Uma mulher idosa Negra e sulista, que passou a vida no seio da sua comunidade, aprendeu a lidar com senhorios, vizinhos mexicanos e Negros estrangeiros. Ela fazia compras em supermercados maiores do que a cidade de onde tinha vindo. Lidou com sotaques que deviam ter parecido incômodos aos seus ouvidos. Ela, que nunca tinha se afastado mais de oitenta quilômetros do lugar onde nasceu, aprendeu a atravessar o labirinto de ruas com nomes em espanhol naquele enigma que é Los Angeles.

Ela fez o mesmo tipo de amigos que sempre tinha feito. No final das tardes de domingo, antes das missas da noite, mulheres idosas que eram cópias dela iam até nosso apartamento compartilhar sobras da refeição de domingo e conversas religiosas sobre um Futuro Melhor.

Quando os arranjos para nossa mudança para o norte foram concluídos, ela deu a notícia arrasadora de que voltaria para o Arkansas. Seu trabalho estava terminado. Tio Willie precisava dela. Nós finalmente tínhamos nossos próprios pais. Pelo menos estávamos no mesmo estado.

Houve dias nebulosos de não pertencimento para Bailey e para mim. Era ótimo dizer que ficaríamos com nossos pais, mas, afinal, quem eram eles? Seriam mais severos com nossas travessuras do que ela? Isso seria ruim. Ou mais tranquilos? Isso seria ainda pior. Nós aprenderíamos a falar aquela língua veloz? Eu duvidava, e duvidava ainda mais de que descobriria do que eles riam tão alto e com tanta frequência.

Eu estaria disposta a voltar para Stamps até sem Bailey. Mas Momma foi embora para o Arkansas sem mim e com seu ar sólido envolvendo-a como algodão.

Mamãe nos levou de carro na direção de São Francisco na rodovia grande e branca que não teria me surpreendido se não tivesse fim. Ela falou incessantemente e mostrou pontos turísticos. Quando passamos por Capistrano, ela cantou uma música popular que eu tinha ouvido no rádio: "When the swallows come back to Capistrano".

Ela contou histórias engraçadas pela estrada e tentou nos cativar. Mas, sendo ela, e ela sendo nossa mãe, acabou fazendo o trabalho tão bem que foi meio incômodo vê-la desperdiçando boas energias.

O carro grande foi obediente sob sua direção, guiada com uma das mãos apenas, e ela tragava o Lucky Strike com tanta força que as bochechas eram sugadas e formavam vales no rosto. Nada poderia ter sido mais mágico do que finalmente tê-la encontrado e tê-la só para nós no mundo fechado de um carro em movimento.

Apesar de estarmos ambos extasiados, nem Bailey e nem eu deixamos de perceber seu nervosismo. Saber que tínhamos o poder de abalar aquela deusa nos fez olhar um para o outro de forma conspiratória e sorrir. Também a tornou humana.

Passamos alguns meses sombrios em um apartamento em Oakland com uma banheira na cozinha e próximo o suficiente do Molhe da South Pacific a ponto de tremer com a chegada e partida de todos os trens. De muitas formas, era St. Louis revisitada — junto com os tios Tommy e Billy —, e vovó Baxter, com o pince-nez e a postura rigorosa, estava novamente presente, embora o poderoso clã Baxter tivesse passado por momentos difíceis depois da morte do vovô Baxter alguns anos antes.

Frequentávamos a escola, e ninguém da família questionava o resultado nem a qualidade do nosso trabalho. Íamos a um parquinho que tinha uma quadra de basquete, um campo de futebol e mesas de pingue-pongue embaixo de toldos. Aos domingos, em vez de irmos à igreja, nós íamos ao cinema.

Eu dormia com vovó Baxter, que sofria de bronquite crônica e fumava muito. Durante o dia, ela apagava cigarros pela metade e os colocava em um cinzeiro ao lado da cama. À noite, quando acordava tossindo, procurava uma guimba na escuridão (ela as chamava de "Willies"), e depois de uma chama, fumava o tabaco forte até a garganta irritada estar entorpecida de nicotina. Durante as primeiras semanas dormindo com ela, a cama tremendo e o cheiro de tabaco me despertaram, mas logo me acostumei e passei a dormir tranquilamente a noite toda.

Uma noite, depois de ir para a cama normalmente, acordei com outro tipo de tremor. Na luz embotada entrando pela janela, vi minha mãe ajoelhada ao lado da minha cama. Ela levou o rosto para perto do meu.

"Ritie", sussurrou ela. "Ritie. Venha, mas faça silêncio." Ela se levantou silenciosamente e saiu do quarto. Obedientemente e sem conseguir ponderar direito, fui atrás. Pela porta entreaberta da cozinha, a luz mostrou as pernas de Bailey cobertas pelo pijama penduradas na lateral da banheira coberta. O relógio na mesa de jantar dizia 2:30. Eu nunca tinha estado acordada àquela hora.

Olhei para Bailey sem entender, e ele devolveu um olhar confuso. Eu soube imediatamente que não havia nada a temer. Em seguida, repassei mentalmente o catálogo de datas importantes. Não era aniversário de ninguém, nem dia Primeiro de Abril, nem Halloween, mas era alguma coisa.

Mamãe fechou a porta da cozinha e me mandou sentar ao lado de Bailey. Colocou as mãos nos quadris e disse que fomos convidados para uma festa.

Isso era suficiente para nos acordar no meio da noite! Nenhum de nós disse nada.

Ela continuou: "Eu estou dando uma festa, e vocês são meus convidados de honra, além dos únicos."

Ela abriu o forno e tirou uma assadeira com os pãezinhos crocantes marrons que fazia e nos mostrou uma panela de leite com chocolate no fogão. Não havia nada a fazer além de rir da nossa linda e louca mãe. Quando Bailey e eu começamos a rir, ela também riu, mas manteve o dedo na frente da boca para tentar nos silenciar.

Nós fomos servidos formalmente, e ela pediu desculpas por não ter orquestra para tocar para nós, mas disse que cantaria para compensar. Ela cantou e dançou o Time Step e o Snake Hips e o Suzy Q. Que filho consegue resistir a uma mãe que ri livremente e com frequência, principalmente se a cabeça da criança é madura o suficiente para entender o sentido da piada?

A beleza de mamãe a tornava poderosa, e seu poder a tornava inabalavelmente sincera. Quando perguntamos o que ela fazia, qual era seu emprego, ela nos levou até a rua Seventh de Oakland, onde bares poeirentos e lojas de cigarro se misturavam com igrejas. Mostrou o Raincoat's Pinochle Parlor e o bar meio esnobe Slim Jenkins'. Ela nos contou que nunca tinha traído ninguém e nem pretendia. Seu trabalho era tão honesto quanto o da gorda sra. Walker (empregada), que era nossa vizinha, e "um tanto mais bem-pago". Ela não lavaria louça de ninguém, nem seria pau-mandado de ninguém na cozinha. O Senhor deu a ela um cérebro, e ela pretendia usá-lo para sustentar a mãe e os filhos. Não precisou acrescentar "E aproveitar para me divertir um pouco também".

Na rua, as pessoas ficavam genuinamente felizes de vê-la. "Oi, querida. Quais são as novidades?"

"Tudo está firme, querida, firme."

"Como você está, linda?"

"Podia estar em melhor forma." (Dito com uma gargalhada que contradizia o que foi dito.)

"Está tudo bem, moça?"

"Ah, me disseram que os brancos continuam na liderança." (Dito como se não fosse totalmente verdade.)

Ela nos apoiava com eficiência, humor e imaginação. De vez em quando, éramos levados a restaurantes chineses ou pizzarias italianas. Fomos apresentados ao *goulash* húngaro e ao ensopado irlandês. Pela comida, aprendemos que havia outros povos no mundo.

Com toda sua alegria, Vivian Baxter não tinha misericórdia. Havia um ditado em Oakland na época que, se não definia, ao menos explicava sua atitude. O ditado era: "Misericórdia fica ao lado de merda no dicionário, e eu nem sei ler". Seu temperamento não ficou mais suave com a passagem do tempo, e quando uma natureza apaixonada não se ameniza em momentos de compaixão, há uma boa chance de o melodrama ocupar o espaço. Em cada explosão de raiva, minha mãe era *justa*. Tinha a imparcialidade da natureza na mesma proporção da falta de indulgência ou clemência.

Antes de chegarmos do Arkansas, aconteceu um incidente que deixou os atores principais na cadeia e no hospital. Mamãe tinha um sócio (que pode ter sido um pouco mais do que isso) com quem tinha um restaurante/cassino. Esse sócio não estava assumindo sua parte da responsabilidade, de acordo com mamãe, e quando ela o confrontou, ele assumiu uma postura arrogante e dominadora, e cometeu o gesto imperdoável de chamá-la de puta. Todo mundo sabia que, apesar de ela falar palavrão com a mesma frequência com que ria, ninguém falava um perto dela, e ninguém a xingava. Talvez, pelo bem dos arranjos comerciais, tenha controlado uma reação espontânea. Ela disse para o sócio: "Vou ser uma puta, e na verdade já fui". Em um gesto tolo, o homem soltou outro "sua puta" — e minha mãe atirou nele. Ela já esperava problemas quando decidiu falar com ele, e assim tomou a precaução de colocar uma pequena .32 no grande bolso da saia.

Com um tiro, o sócio cambaleou na direção dela — e não para longe —, e ela disse que como tinha tido a intenção de atirar (detalhe: atirar, não matar), não tinha motivo para fugir, e atirou nele uma segunda vez. Deve ter sido uma situação louca para eles. Para ela, cada disparo parecia jogá-lo para a frente, o contrário do que ela desejava; e para ele, quanto mais perto ele chegava, mais ela atirava. Ela manteve a postura até ele chegar nela e passar os dois braços pelo seu pescoço, jogando-a no chão. Mais tarde, ela disse que a polícia precisou soltá-lo antes de ele poder ser levado para a ambulância. E, no dia seguinte, quando foi libertada com a fiança paga, ela se olhou no espelho e "estava com olhos roxos até aqui". Ao jogar os braços em volta dela, deve tê-la atingido. Ela ficava roxa com facilidade.

O sócio sobreviveu, apesar dos dois tiros. E, embora a sociedade tivesse sido dissolvida, eles mantiveram a admiração um pelo outro. Ele levou dois tiros, claro, mas ela foi justa e avisou. E ele teve força para deixá-la com os dois olhos roxos e sobreviver. Qualidades admiráveis.

A Segunda Guerra Mundial começou em uma tarde de domingo, quando eu estava indo para o cinema. As pessoas na rua gritaram: "Estamos em guerra. Declaramos guerra contra o Japão".

Corri até em casa. Não tinha muita certeza se não seria bombardeada antes de chegar a Bailey e mamãe. Vovó Baxter acalmou minha ansiedade explicando que os Estados Unidos não seriam bombardeados, ao menos enquanto Franklin Delano Roosevelt fosse presidente. Afinal, ele era político de verdade e sabia o que estava fazendo.

Pouco tempo depois, mamãe se casou com papai Clidell, que acabou sendo o primeiro pai que eu conheceria. Ele era um empresário de sucesso, e ele e mamãe se mudaram conosco para São Francisco. Tio Tommy, tio Billy e vovó Baxter ficaram na casa grande de Oakland.

27

Nos primeiros meses da Segunda Guerra Mundial, o bairro Fillmore, de São Francisco, ou Western Addition, vivenciou uma revolução visível. Superficialmente, parecia ser totalmente pacífico e quase uma refutação do termo "revolução". O Yakamoto Sea Food Market se transformou silenciosamente em Sammy's Show Shine Parlor and Smoke Shop. O Yashigara's Hardware se metamorfoseou em La Salon de Beauté, propriedade da srta. Clorinda Jackson. As lojas japonesas que vendiam produtos a clientes nissei foram tomadas pelos Negros empreendedores, e em menos de um ano se tornaram distantes lares permanentes para os recém-chegados Negros do sul. Onde os odores de tempurá, peixe cru e chá dominavam, agora prevaleciam os aromas de *chitlings* de porco, verduras e perna de porco.

A população oriental foi diminuindo diante dos meus olhos. Eu não conseguia diferenciar japoneses de chineses, e ainda não encontrava verdadeira diferença na origem de sons como Ching e Chan ou Moto e Kano.

Conforme os japoneses desapareceram, sem som e sem protesto, os Negros entraram com os jukeboxes altos, as animosidades recém-libertadas e o alívio da fuga dos vínculos com o sul. A área japonesa se tornou o Harlem de São Francisco em questão de meses.

Uma pessoa alheia a todos os fatores que formam a opressão poderia esperar solidariedade ou até apoio dos recém-chegados Negros aos desalojados japoneses. Principalmente tendo em vista o fato de que eles (os Negros) tinham passado por vidas de campo de concentração durante séculos nas fazendas escravagistas e mais tarde nos alojamentos para meeiros. Mas faltavam os sentimentos de uma relação comum e natural.

O recém-chegado Negro tinha sido encontrado nas fazendas esgotadas da Geórgia e do Mississipi por recrutadores de operários para as fábricas da guerra. A chance de morar em prédios de apartamentos de dois ou três andares (que se tornaram guetos imediatos) e de receber cheques semanais de dois e até três algarismos deixava qualquer um cego.

Pela primeira vez, ele podia pensar em si mesmo como chefe, como alguém que gasta. Podia pagar outras pessoas para trabalharem para ele, por exemplo, tintureiros, taxistas, garçonetes... Os estaleiros e fábricas de munição que se proliferaram com a guerra fizeram com que ele soubesse que era necessário e até apreciado. Uma posição completamente nova, mas ainda muito agradável de ser vivida. Quem poderia esperar que esse homem compartilhasse sua nova e vertiginosa importância com preocupação por uma raça que ele nunca soube que existia?

Outro motivo para a indiferença dele à remoção japonesa foi mais sutil, mas sentida de forma mais profunda. Os japoneses não eram brancos. Seus olhos, língua e costumes contradiziam a pele branca e provavam para seus sucessores escuros que, como não precisavam ser temidos, também não precisavam ser considerados. Tudo isso foi decidido inconscientemente.

Nenhum membro da minha família e nenhum dos amigos da família mencionaram os japoneses ausentes, em nenhum momento. Era como se eles nunca tivessem sido donos e nem morado nas casas em que habitávamos. Na rua Post, onde a nossa casa ficava, a colina descia de leve até o Fillmore, o coração comercial do nosso bairro. Nos dois quarteirões curtos antes de chegar ao seu destino, a rua abrigava dois restaurantes que serviam almoço e jantar, dois salões de bilhar, quatro restaurantes chineses, duas casas de jogos, além de lanchonetes, engraxates, salões de beleza, barbearias e pelo menos quatro igrejas. Para entender de verdade a atividade infinita no bairro Negro de São Francisco durante a guerra, só era preciso saber que os dois quarteirões descritos eram ruas menores que eram duplicadas em muitas vezes na área de oito por dez quarteirões.

O ar de deslocamento coletivo, de impermanência da vida em tempos de guerra, e as personalidades deselegantes dos recém--chegados costumavam dissipar minha sensação de não pertencimento. Em São Francisco, pela primeira vez, eu me vi como parte de alguma coisa. Não que me identificasse com os que tinham acabado de chegar, nem com os raros descendentes Negros de nativos de São Francisco, nem com os brancos e muito menos com os orientais, mas mais com a época e a cidade.

Eu entendia a arrogância dos jovens marinheiros que percorriam as ruas em gangues, abordando cada garota como se ela fosse, na melhor das hipóteses, uma prostituta e, na pior, uma agente do Eixo determinada a fazer os EUA perderem a guerra. O subtom do medo de que São Francisco seria bombardeada, instigado pelos avisos semanais de ataque aéreo e pelos treinos de defesa civil na escola, aumentava minha sensação de pertencimento. Não era verdade que eu sempre, o tempo todo, achei que a vida era um grande risco para os vivos?

E a cidade agiu nos tempos de guerra como uma mulher inteligente age sob cerco inimigo. Ela dava o que não podia em meio à insegurança e protegia o que estava ao seu alcance. A cidade se tornou para mim o ideal do que eu queria ser como adulta. Simpática, mas nunca melosa; calma, mas não fria e distante; distinta, mas sem a rigidez horrível.

Para o povo de São Francisco, "a Cidade que Sabe" era a baía, a neblina, o Sir Francis Drake Hotel, Top o' the Mark, Chinatown, o Sunset District e assim por diante, tudo branco. Para mim, uma garota Negra de treze anos, atrasada no tempo pelo sul e pelo estilo de vida Negro sulista, a cidade era um estado de beleza e um estado de liberdade. A neblina não era apenas os vapores da baía presos e encurralados pelas colinas, mas um hálito suave de anonimato que protegia e amortecia o viajante acanhado.

Eu me tornei ousada e sem medos, contagiada pela realidade física de São Francisco. Segura na minha arrogância protetora, eu tinha certeza de que ninguém a amava de forma tão imparcial quanto eu. Eu contornava o Mark Hopkins e olhava para Top o' the Mark, mas (talvez por dor de cotovelo) ficava mais impressionada com a vista de Oakland da colina do que pelo prédio em camadas ou seus visitantes cobertos de peles. Durante semanas, depois que a cidade e eu nos entendemos sobre meu pertencimento, percorri os pontos turísticos e os achei vazios e nada característicos de São Francisco. Os oficiais navais com suas esposas bem-vestidas e bebês brancos e limpos habitavam uma dimensão de tempo-espaço diferente da minha. As mulheres idosas arrumadas em carros com motorista e as garotas louras de sapato de couro e suéteres de casimira podiam ser habitantes de São Francisco, mas eram no máximo um brilho dourado na moldura do meu retrato da cidade.

Orgulho e Preconceito rondavam simultaneamente as lindas colinas. Os nativos de São Francisco, possessivos com a cidade, tiveram que aguentar um fluxo de chegada, não de turistas respeitosos e impressionados, mas de provincianos barulhentos e nem um pouco sofisticados. Eles também foram forçados a conviver com a culpa leve gerada pelo tratamento concedido a seus antigos colegas de escola nissei.

Os brancos analfabetos do sul levaram seus preconceitos intactos para o oeste, vindos das colinas do Arkansas e dos pântanos da Geórgia. Os ex-fazendeiros Negros não abandonaram a desconfiança e o medo dos brancos que a história lhes ensinou em lições perturbadoras. Esses dois grupos eram forçados a trabalhar lado a lado nas fábricas da guerra, e suas animosidades supuraram e se abriram como bolhas na face da cidade.

Os habitantes de São Francisco jurariam pela ponte Golden Gate que o racismo não existia no coração da cidade refrescada por ar-condicionado. Mas estariam lamentavelmente enganados.

Correu uma história sobre uma matrona branca de São Francisco que se recusou a sentar-se ao lado de um civil negro no bonde, mesmo depois de ele abrir espaço para ela no banco. Sua explicação foi que não se sentaria ao lado de uma pessoa que fugiu do serviço militar e que também era Negra. Ela acrescentou que o mínimo que ele podia fazer era lutar pelo país, e que o filho dela estava lutando em

Iwo Jima. A história dizia que o homem afastou o corpo da janela e mostrou uma manga sem braço. Ele disse em voz baixa e com grande dignidade: "Então peça ao seu filho para procurar meu braço, que deixei por lá".

28

Apesar de minhas notas serem muito boas (eu tinha sido adiantada dois semestres depois da minha chegada de Stamps), me vi incapaz de me adaptar à escola de ensino médio. Era uma instituição para garotas perto da minha casa, e as moças eram mais rápidas, mais audaciosas, mais cruéis e com mais preconceito do que quaisquer outras que tivesse conhecido na Lafayette County Training School. A maioria das garotas Negras era, como eu, vinda direto do sul, mas elas conheciam ou alegavam conhecer o esplendor de Big D (Dallas) ou de T Town (Tulsa, Oklahoma), e a linguagem acompanhava essas alegações. Elas andavam com uma aura de invencibilidade, e, junto com algumas das alunas mexicanas que escondiam facas nos penteados altos, elas intimidavam as garotas brancas e as Negras e as Mexicanas que não tinham escudo da coragem. Felizmente, fui transferida para a George Washington High School.

Os lindos prédios ficavam em uma colina baixa no bairro residencial branco, uns sessenta quarteirões do bairro Negro. No primeiro semestre, eu era uma de três alunos Negros na escola, e naquela atmosfera rara, passei a amar mais o meu povo. Nas manhãs, quando o bonde atravessava meu gueto, eu sentia uma mistura de medo e trauma. Sabia que em pouco tempo nós estaríamos fora do meu ambiente familiar, e os Negros que estavam no bonde quando subi teriam sumido, e eu sozinha enfrentaria os quarenta quarteirões de ruas arrumadas, gramados aparados, casas brancas e crianças ricas.

No fim da tarde, a caminho de casa, as sensações eram de alegria, expectativa e alívio ao ver a primeira placa que dizia CHURRASCO ou DROP INN ou COMIDA CASEIRA, ou os primeiros rostos negros nas ruas. Reconhecia que estava novamente no meu território.

Na escola em si, fiquei decepcionada ao descobrir que eu não era a aluna mais brilhante, nem de longe. As crianças brancas tinham vocabulário melhor do que o meu e, o que era mais impressionante, menos medo nas salas de aula. Elas nunca hesitavam na hora de levantar a mão para responder a pergunta de um professor; mesmo quando estavam erradas, elas eram agressivas, enquanto eu tinha que ter certeza dos fatos antes de ousar chamar atenção para mim mesma.

A George Washington High School foi a primeira verdadeira escola que frequentei. Meu tempo todo lá poderia ter sido perdido se não fosse a personalidade única de uma professora brilhante. A srta. Kirwin era daquelas raras educadoras apaixonadas por informações. Sempre vou acreditar que seu amor por lecionar vinha não tanto de gostar dos alunos, mas do desejo de ter certeza de que algumas das coisas que ela sabia fossem encontrar receptáculos para poderem ser compartilhadas de novo.

Ela e a irmã solteira trabalharam no sistema escolar da cidade de São Francisco por mais de vinte anos. A minha srta. Kirwin, que era uma moça alta, corada e robusta com cabelo de um cinza navio de guerra, dava aula de educação cívica e atualidades. No final de um tempo de aula dela, nossos livros estavam tão limpos e as páginas tão esticadas como quando foram dados a nós. Os alunos da srta. Kirwin nunca ou raramente tinham que abrir os livros.

Ela cumprimentava cada turma com "Bom dia, senhoras e senhores". Nunca tinha ouvido um adulto falar com tanto respeito com adolescentes. (Os adultos normalmente acreditam que demonstração de honra diminui sua autoridade.) "No *Chronicle* de hoje saiu um artigo sobre a indústria mineira nas Carolinas [ou algum outro assunto distante]. Tenho certeza de que todos vocês leram o artigo. Gostaria que alguém discorresse sobre o assunto para mim."

Depois de duas semanas na turma dela, eu, junto com os outros alunos empolgados, lia os jornais de São Francisco, a revista *Time*, a *Life* e tudo que estivesse disponível. A srta. Kirwin provou que Bailey estava certo. Ele me disse uma vez que "todo conhecimento é moeda que se pode usar, dependendo do mercado".

Não havia alunos favoritos. Nenhum preferido da professora. Se um aluno a agradasse durante uma aula específica, ele não podia contar com tratamento especial na aula do dia seguinte, e isso era verdade sobre o contrário. Todos os dias, ela nos encontrava com uma folha em branco e agia como se as nossas estivessem em branco também. Reservada e com opiniões firmes, não perdia tempo com frivolidades.

Ela era estimulante e não intimidante. Enquanto alguns outros professores se esforçavam excessivamente para serem legais comigo — para serem "liberais" comigo — e outros me ignoravam completamente, a srta. Kirwin não parecia reparar que eu era Negra e, portanto, diferente. Eu era a srta. Johnson, e se tivesse a resposta a uma pergunta que ela fizesse, nunca recebia mais do que a palavra "Correto", que era o que ela dizia para todos os alunos que davam uma resposta correta.

Anos depois, quando voltava a São Francisco, eu visitava sua sala de aula. Ela sempre lembrou que eu era a srta. Johnson, que tinha uma cabeça boa e devia estar fazendo alguma coisa com isso. Nunca fui encorajada nessas visitas a ficar perto da sua mesa. Ela agia como se eu tivesse outras visitas a fazer. Muitas vezes me perguntei se ela sabia que era a única professora de quem eu me lembrava.

Nunca soube por que ganhei uma bolsa para a California Labor School. Era uma faculdade para adultos e, muitos anos depois, descobri que estava na lista do Comitê de Atividades Antiamericanas de organizações subversivas.

Aos quatorze anos, aceitei uma bolsa e consegui outra para o ano seguinte. Nas aulas noturnas, eu fazia teatro e dança, junto com adultos brancos e Negros.

Escolhi teatro somente porque gostava do solilóquio do começo de Hamlet, "Ser ou não ser". Nunca tinha visto uma peça e não ligava o cinema ao teatro. Na verdade, as únicas vezes em que ouvi o solilóquio foram quando o recitei melodramaticamente. Na frente de um espelho.

Era difícil conter meu amor pelo gesto exagerado e pela voz emotiva. Quando Bailey e eu líamos poemas juntos, ele parecia um Basil Rathbone impetuoso e eu uma Bette Davis enlouquecida.

Na California Labor School, uma professora enérgica e perceptiva me separou rapidamente e sem cerimônia do melodrama.

Ela me fez fazer seis meses de mímica.

Bailey e mamãe me encorajaram a fazer dança, e ele me contou em particular que o exercício deixaria minhas pernas grandes e alargaria meus quadris. Não precisei de mais nenhum estímulo.

Minha timidez de me mover de meia-calça preta por uma sala vazia e grande não durou. Claro que no começo achei que todo mundo ficaria olhando para o meu corpo em forma de pepino, com os joelhos ossudos, cotovelos ossudos e, ora, peitos quase ossudos. Mas ninguém reparou em mim, e, quando a professora saltitou pela sala e terminou em um arabesco, eu estava conquistada. Aprenderia a me mover daquele jeito. Aprenderia, nas palavras dela, a "ocupar meu espaço". Meus dias eram preenchidos com a aula da srta. Kirwin, o jantar com Bailey e mamãe, e aulas de teatro e dança.

Tudo a que eu me dedicava e admirava naquela época formava um conjunto muito estranho: Momma e sua determinação solene, a sra. Flowers e seus livros, Bailey e seu amor, minha mãe e sua alegria, a srta. Kirwin e suas informações, minhas aulas noturnas de teatro e dança.

29

Morávamos em uma típica casa de quatorze cômodos da São Francisco pós-terremoto. Tivemos uma sucessão de pessoas alugando quartos, trazendo e levando seus sotaques diferentes, suas personalidades e comidas. Funcionários de pátio de ferrovia subiam pela escada (nós todos dormíamos no segundo andar, exceto mamãe e papai Clidell) com as botas com pontas de aço e chapéus de metal e abriam espaço para prostitutas com pó demais na cara, que riam pela maquiagem e penduravam as perucas nas maçanetas. Um casal (eles eram mestrandos de faculdade) tinha longas conversas adultas comigo na grande cozinha do térreo, até o marido ir para a guerra. Depois disso, a esposa, que era tão encantadora e disposta a sorrir, mudou para uma sombra silenciosa que quase nunca brincava pelas paredes. Um casal mais velho morou conosco por um ano, mais ou menos. Eles eram donos de um restaurante e não tinham personalidade que encantasse ou interessasse uma adolescente, exceto pelo marido se chamar tio Jim e a esposa se chamar tia Boy. Nunca entendi isso.

A qualidade de força alinhada à ternura é uma combinação imbatível, assim como inteligência e necessidade quando não atrapalhadas pela educação formal. Eu estava preparada para aceitar papai Clidell como mais um nome sem rosto acrescentado à lista de conquistas de mamãe. Eu tinha me treinado de forma tão boa ao longo dos anos para demonstrar interesse, ou ao menos atenção, enquanto minha mente voava com liberdade por outros assuntos, que poderia ter morado na sua casa sem nunca vê-lo e sem que ele nunca soubesse disso. Mas a personalidade pedia e gerava admiração. Ele era um homem simples sem complexo de inferioridade pela falta de estudos e, ainda mais incrível, sem complexo de superioridade por ter sido bem-sucedido apesar dessa falta. Ele dizia com frequência: "Eu passei três anos da vida na escola. Em Slaten, Texas, os tempos eram difíceis, e eu tinha que ajudar meu pai na fazenda".

Não havia recriminações escondidas por baixo da declaração simples, e também não havia presunção quando ele dizia: "Se estou vivendo um pouco melhor é porque trato todo mundo direito".

Ele era dono de prédios de apartamentos e, mais tarde, salões de bilhar, e era famoso por ser aquela raridade chamada "homem de honra". Ele não sofria, como muitos "homens honestos" sofrem, daquela arrogância detestável que diminui sua virtude. Conhecia as cartas e o que ia no coração dos homens. Assim, durante a idade em que mamãe estava nos expondo para certos fatos da vida, como higiene pessoal, postura adequada, modos à mesa, bons restaurantes e gorjetas, papai Clidell me ensinou a jogar pôquer, vinte e um, tonk e high, low, Jick, Jack and the Game. Usava ternos ajustados e caros e um alfinete de lapela com um grande diamante amarelo. Exceto pelas joias, se vestia de forma conservadora e se portava com a postura inconsciente de um homem em situação segura. Surpreendentemente, eu me parecia com ele, e quando ele, mamãe e eu andávamos pela rua, seus amigos muitas vezes diziam: "Clidell, ela só pode ser sua filha. Não tem como você negar".

Uma gargalhada orgulhosa soava depois dessas declarações, pois ele não tinha tido filhos. Por causa da chegada tardia, mas com sentimento paternal forte, fui apresentada às personalidades mais variadas do submundo Negro. Uma tarde, fui convidada para uma sala de jantar cheia de fumaça para conhecer Stonewall Jimmy, Just Black, Cool Clyde, Tight Coat e Red Leg. Papai Clidell me explicou que eles eram os golpistas mais bem-sucedidos do mundo e que iam me contar sobre alguns jogos para que eu nunca fosse "alvo de ninguém".

Para começar, um homem me avisou, "nunca existiu um alvo até hoje que não quisesse alguma coisa de graça". Eles se revezaram em seguida para me mostrar seus truques, como escolhiam as vítimas (alvos) dentre os brancos ricos e intolerantes e, em todos os casos, como usavam o preconceito da vítima contra ela mesma.

Algumas das histórias eram engraçadas, algumas eram patéticas, mas todas eram divertidas ou gratificantes para mim, pois o homem Negro, o golpista que podia agir como burro, vencia todas as vezes contra o branco poderoso e arrogante.

Eu me lembro da história do sr. Red Leg como uma melodia favorita.

"Qualquer coisa que funcione contra você também pode funcionar a seu favor desde que você entenda a Lei do Retorno.

"Tinha um branquelo em Tulsa que enganou tantos Negros que podia até montar uma empresa de trapacear Negros. Naturalmente ele passou a pensar que pele Negra quer dizer idiota. Just Black e eu fomos a Tulsa dar uma olhada. Acabamos descobrindo que ele era um alvo perfeito. A mãe dele devia ter passado maus pedaços em um massacre índio na África. Ele odiava Negros só um pouco mais do que odiava índios. E era ganancioso.

"Black e eu o estudamos e decidimos que valia a pena dar uma lição nele. Isso queria dizer que estávamos dispostos a investir alguns milhares de dólares em preparação. Chamamos um garoto branco de Nova York, um golpista dos bons, e fizemos com que ele abrisse um escritório em Tulsa. Em teoria, ele era um agente imobiliário do norte tentando comprar um terreno valioso em Oklahoma. Nós investigamos um terreno perto de Tulsa que tinha um pedágio no meio. Era parte de uma reserva indígena, mas tinha sido tomado pelo estado.

"Just Black seria a isca e eu seria o idiota. Depois que nosso amigo de Nova York contratou uma secretária e mandou imprimir cartões de visita, Black abordou o alvo com uma proposta. Disse que tinha ouvido falar que nosso alvo era o único branco em quem as pessoas de cor podiam confiar. Ele citou alguns dos pobres tolos que sofreram golpe do safado. Isso só mostra que os brancos podem ser enganados pela própria enganação. O alvo acreditou em Black.

"Black contou a ele sobre um amigo que era meio índio e meio de cor e que um agente imobiliário do norte tinha descoberto que ele era o único dono de um terreno valioso, e esse cara do norte queria comprar esse terreno. Primeiro, o homem agiu como se sentisse cheiro de coisa podre, mas pelo jeito como engoliu a proposta, achou mesmo que sentia cheiro de dinheiro preto fácil.

"Perguntou a localização do terreno, mas Black desconversou. Disse para o branquelo que só queria ter certeza de que ele estaria interessado. O alvo falou que estava ficando interessado, e Black disse que falaria com o amigo e eles fariam contato. Black encontrou o alvo durante umas três semanas em carros e becos, e ficava enrolando, até o branco estar quase maluco de ansiedade e ganância, e de repente pareceu que Black soltou sem querer o nome do agente imobiliário do norte que queria a propriedade. Daquele momento em diante, nós sabíamos que o peixe grande tinha mordido a isca, e nós só precisávamos puxar a linha.

"Esperávamos que ele fizesse contato com a nossa loja, e ele fez mesmo. Aquele branquelo foi até o local e contou com sua cor branca para ser visto como aliado de Spots, nosso garoto branco, mas Spots se recusou a falar do negócio, só que o terreno tinha sido detalhadamente investigado pela maior imobiliária do sul e que, se nosso alvo ficasse quieto, ele cuidaria para que houvesse uma boa quantia para ele no acordo. Qualquer investigação óbvia sobre o dono do terreno poderia alertar o estado, e sem dúvida aprovariam uma lei impedindo a venda. Spots falou para o alvo que faria contato. O alvo voltou ao escritório três ou quatro vezes, mas não deu em nada, e logo antes de sabermos que ele falaria, Black me levou para vê-lo. Aquele idiota estava tão feliz quanto um mariquinhas em um acampamento só de meninos. Parecia que tinha uma corda no meu pescoço e ele ia acender uma fogueira embaixo dos meus pés. Nunca me diverti tanto dando o golpe em alguém.

"Banquei o assustado no começo, mas Just Black me disse que ele era um homem branco em que nosso povo podia confiar. Eu disse que não confiava em nenhum homem branco porque eles só queriam uma oportunidade de matar um Negro de forma legal e levar a mulher dele pra cama. (Desculpa, Clidell.) O alvo me garantiu que ele era o único branco que não pensava assim. Alguns dos melhores amigos dele eram de cor. Na verdade, se eu não sabia, a mulher que o criou era de cor, e ele ainda a via atualmente. Eu me deixei ser convencido, e o alvo começou a falar mal dos brancos do norte. Ele me disse que no norte faziam os Negros dormirem na rua e que eles tinham que limpar as privadas com as mãos e coisas até piores do que isso. Fiquei chocado e disse: 'Então não quero vender minhas terras para o homem branco que ofereceu setenta e cinco mil dólares'. Just Black disse: 'Eu não saberia o que fazer com um dinheiro desses', e eu disse que só queria ter dinheiro para comprar uma casa para minha velha mãe, comprar um negócio e fazer uma viagem ao Harlem. O alvo perguntou quanto isso custaria, e eu falei que achava que conseguiria fazer tudo isso com cinquenta mil dólares.

"O alvo me disse que nenhum Negro estaria em segurança com um dinheiro daqueles. Que os brancos tirariam dele. Eu disse que sabia, mas tinha que ter pelo menos quarenta mil dólares. Ele concordou. Apertamos as mãos. Eu disse que faria bem ao meu coração ver os ianques maus perderem uma parte da "nossa terra". Nós nos encontramos na manhã seguinte, assinei o contrato no carro dele e ele me deu o dinheiro.

"Black e eu tínhamos deixado a maioria das nossas coisas em um hotel em Hot Springs, Arkansas. Quando o negócio foi fechado, andamos até o carro, atravessamos a fronteira do estado e fomos para Hot Springs.

"E esse é o fim da história."

Quando ele terminou, mais histórias triunfantes choveram pela sala, fazendo os ombros das pessoas pularem de tanto que riam. Por tudo que foi contado, aqueles contadores de histórias, nascidos Negros e homens antes da virada do século XX, deviam ter sido massacrados pela sociedade. Mas eles usaram a inteligência para abrir a porta da rejeição, e não só se tornaram prósperos, mas também conseguiram se vingar no caminho.

Não era possível eu vê-los como criminosos nem sentir qualquer coisa além de orgulho de seus feitos.

As necessidades de uma sociedade determinam sua ética, e nos guetos Negros americanos o herói é o homem que só recebe migalhas da mesa do país, mas que com engenhosidade e coragem consegue fazer um banquete digno dos deuses. Assim, o zelador que mora em um quartinho, mas anda em um Cadillac azul, não é motivo de riso, e sim admirado, e a doméstica que compra sapatos de quarenta dólares não é criticada, e sim apreciada. Nós sabemos que eles botaram em prática os poderes mentais e psicológicos que têm. Cada ganho individual aumenta os ganhos do coletivo.

As histórias de violações da lei são pesadas em balanças diferentes na mente Negra e na branca. Crimes pequenos constrangem a comunidade, e muitas pessoas se perguntam com tristeza por que os Negros não roubam mais bancos, não desviam mais fundos e não fazem mais uso de suborno nos sindicatos. "Nós somos as vítimas do roubo mais extenso da história. A vida exige equilíbrio. Não tem problema se cometermos pequenos roubos agora." Essa crença tem apelo particular para quem não consegue competir legalmente com os outros cidadãos.

A minha educação e a dos meus companheiros Negros era bem diferente da educação dos nossos colegas de escola brancos. Na sala de aula, aprendíamos o particípio dos verbos, mas nas ruas e em casa os Negros aprendiam a não usar o S no plural e a não flexionar os verbos. Estávamos alertas para o vão que separava a palavra escrita da coloquial. Aprendemos a passar de uma linguagem a outra sem estarmos conscientes disso. Na escola, em uma dada situação, poderíamos responder com "Isso não é incomum". Mas, nas ruas, ao enfrentar uma mesma situação, dizíamos facilmente: "As coisa é assim às vez".

30

Assim como Jane Withers e Donald O'Connor, eu ia viajar de férias. Papai Bailey me convidou para passar o verão com ele no sul da Califórnia, e eu estava tensa de empolgação. Considerando o ar característico de superioridade do nosso pai, eu esperava secretamente que ele vivesse em uma mansão cercada de jardins e atendida por uma equipe uniformizada.

Mamãe foi pura cooperação na hora de me ajudar a comprar roupas de verão. Com a arrogância que os habitantes de São Francisco têm pelas pessoas que vivem no clima mais quente, ela explicou que eu precisava de muitos shorts, calças capri, sandálias e blusas porque "os californianos do sul quase nunca usam nada diferente disso".

Papai Bailey tinha uma namorada, que tinha começado a se corresponder comigo alguns meses antes, e ela ia me encontrar no trem. Combinamos de usar cravos brancos para nos identificarmos, e o atendente do trem guardou minha flor na geladeira Frigidaire da lanchonete até chegarmos à cidade pequena e quente.

Na plataforma, meus olhos passaram pelos brancos e procuraram entre os Negros que estavam andando de um lado para o outro com expectativa. Não havia nenhum homem alto como papai, e nenhuma dama verdadeiramente glamorosa (eu tinha decidido que, considerando a primeira escolha dele, todas as mulheres seguintes seriam absurdamente lindas). Vi uma garotinha com uma flor branca, mas a descartei como improvável. A plataforma esvaziou enquanto passávamos uma pela outra várias vezes. Finalmente, ela me parou com um incrédulo "Marguerite?". Sua voz vibrou com choque e maturidade. Então, no fim das contas, não era uma garotinha. Também fui tomada por incredulidade.

Ela disse: "Sou Dolores Stockland".

Atordoada, mas tentando manter as boas maneiras, eu disse: "Oi. Meu nome é Marguerite".

A namorada do papai? Calculei que tivesse vinte e poucos anos. O impecável terninho de anarruga, os saltinhos de duas cores e as luvas me informavam que ela era decente e séria. Tinha altura mediana, mas com o corpo não formado de uma garota, e achei que, se estivesse planejando se casar com nosso pai, devia ter ficado horrorizada de encontrar uma possível enteada de quase um metro e oitenta que nem era bonita. (Descobri depois que papai Bailey tinha contado para ela que seus filhos tinham oito e nove anos e eram uns fofos. Ela precisava tanto acreditar nele que, apesar de nos correspondermos em uma época em que eu amava palavras polissílabas e frases complexas, ela conseguiu ignorar o óbvio.)

Fui mais um elo em uma longa cadeia de decepções. Papai tinha prometido se casar com ela, mas ficava adiando, até finalmente se casar com uma mulher chamada Alberta, que era outra mulher pequena e rígida do sul. Quando conheci Dolores, tinha a pose de burguesia Negra sem a base material para sustentar isso. Em vez de ter uma mansão e criados, papai morava em um trailer nos arredores de uma cidade que já era arredores de cidade. Dolores morava lá com ele e mantinha a casa limpa com a organização de um caixão. Flores artificiais repousavam como enceradas em vasos de vidro. Tinha um bom relacionamento com a máquina de lavar roupas e com a tábua de passar. O cabeleireiro podia contar com sua fidelidade e pontualidade. Em uma palavra, exceto por intrusões, sua vida teria sido perfeita. E então, eu apareci.

Ela se esforçou para fazer de mim uma coisa que pudesse aceitar razoavelmente. Sua primeira tentativa, que falhou completamente, teve a ver com minha atenção a detalhes. Ela me pediu, tentou me bajular e até mandou que eu arrumasse meu quarto. Minha disposição de fazer isso foi atrapalhada por uma ignorância abundante de como isso devia ser feito e uma dificuldade de manusear pequenos objetos. A cômoda no meu quarto era coberta de mulheres brancas de porcelana segurando sombrinhas, de cachorros de louça, de cupidos barrigudinhos e animais de vidro de todos os tipos. Depois de fazer a cama, varrer o quarto e pendurar as roupas, se e quando eu me lembrava de tirar o pó dos bibelôs, era certo que eu apertaria um deles demais e quebraria uma ou duas pernas ou seguraria com mão leve demais e os deixaria cair até se espatifar em pedacinhos.

Papai vivia com uma expressão entretida e impenetrável. Parecia positivamente diabólico no quanto se divertia com nosso desconforto. Sem dúvida, Dolores amava seu enorme amante, e sua elocução (papai Bailey não falava, discursava), temperada com sua pronúncia alongada, devia ser um consolo para ela na casa inferior a uma de classe média. Ele trabalhava na cozinha de um hospital naval, e os dois diziam que ele era nutricionista médico da Marinha dos Estados

Unidos. A Frigidaire vivia cheia de pedaços frescos de presunto, de carne assada e de frango. Papai era ótimo na cozinha. Ele foi para a França na Primeira Guerra Mundial e também trabalhou como porteiro no exclusivo Breaker's Hotel; como resultado, costumava fazer jantares continentais. Nós nos sentávamos com frequência para comer *coq au vin*, costela *au jus* e *cotelette Milanese* com todos os acompanhamentos. Mas sua especialidade era comida mexicana. Ele viajava pela fronteira toda semana para comprar condimentos e outras coisas que agraciavam nossa mesa na forma de *pollo* em salsa verde e *enchilada con carne*.

Se Dolores fosse menos avoada e tivesse mais o pé no chão, teria descoberto que havia todos aqueles ingredientes na cidade e que papai não precisava viajar para o México para comprar provisões. Mas ela nunca nem olhava para dentro de um daqueles *mercados* mexicanos sujos, e menos ainda entraria naquele fedor. E também era chique dizer "Meu marido, o sr. Johnson, o nutricionista naval, foi ao México comprar algumas coisas para o nosso jantar". Isso era admirado por outras pessoas chiques que vão à área dos brancos comprar alcachofras.

Papai falava espanhol fluente, e como eu tinha estudado durante um ano, nós conseguíamos conversar um pouco. Acredito que meu talento com línguas estrangeiras foi a minha única qualidade que impressionou Dolores. Sua boca era rígida demais e a língua imóvel demais para ela tentar os sons estranhos. Mas era verdade que seu inglês, assim como todo o resto, era absolutamente perfeito.

Nós vivemos um teste de forças durante semanas, enquanto papai ficava nas laterais, nem torcendo nem vaiando, mas se divertindo imensamente. Ele me perguntou uma vez se eu "gostava da minha mãe". Achei que ele estivesse falando da minha mãe, e respondi que sim — ela era linda e alegre e muito gentil. Ele disse que não estava falando sobre Vivian, mas sobre Dolores. Expliquei que não gostava dela porque ela era má e mesquinha e pretensiosa. Ele riu, e quando acrescentei que ela não gostava de mim porque eu era alta e arrogante e não era limpa o bastante para ela, ele riu ainda mais e disse alguma coisa tipo "Bem, é a vida".

Uma noite, ele anunciou que no dia seguinte ia ao México comprar comida para o fim de semana. Não houve nada de incomum no comunicado até ele acrescentar que ia me levar junto. Ele preencheu o silêncio de choque com a informação de que uma viagem para o México me daria oportunidade de praticar o espanhol.

O silêncio de Dolores talvez tenha sido resultado de uma reação ciumenta, mas o meu foi ocasionado por pura surpresa. Meu pai não tinha demonstrado nenhum orgulho de mim e bem pouco carinho. Não me levou para conhecer os amigos e nem para os poucos pontos turísticos do sul da Califórnia.

Era incrível eu ser incluída em uma coisa tão exótica quanto uma viagem ao México. Bem, argumentei rapidamente, eu merecia. Afinal, era filha dele, e minhas férias estavam longe do que eu esperava que férias fossem. Se eu tivesse protestado que gostaria que Dolores fosse junto, nós talvez tivéssemos evitado um show de violência e quase tragédia. Mas minha mente jovem estava cheia de si, e minha imaginação tremia com a perspectiva de ver sombreiros, rancheiros, *tortillas* e Pancho Villa. Passamos uma noite tranquila. Dolores consertou suas *lingeries* perfeitas e eu fingi ler um livro. Papai ouviu rádio com uma bebida na mão e observou o que agora sei que era um espetáculo lamentável.

De manhã, partimos em nossa aventura internacional. As estradas de terra do México preencheram meu desejo pelo incomum. Apenas alguns quilômetros depois das rodovias lisas da Califórnia e, para mim, dos prédios altos, seguimos por estradas de cascalho irregulares que poderiam competir com os piores caminhos no Arkansas, e a paisagem exibia casebres de adobe ou barracos com metal corrugado de parede. Cachorros magros e sujos rondavam as casas, e as crianças brincavam inocentemente nuas ou quase nuas com pneus velhos. Metade da população parecia Tyrone Power e Dolores Del Rio, e a outra metade Akim Tamiroff e Katina Paxinou, só que talvez mais gorda e mais velha.

Papai não deu explicações conforme passávamos pela cidade de fronteira e seguíamos para o interior. Embora surpresa, eu me recusei a dar espaço à minha curiosidade fazendo perguntas. Depois de alguns quilômetros, nós fomos parados por um guarda uniformizado. Ele e papai trocaram cumprimentos familiares, e papai saiu do carro. Enfiou a mão no bolso da porta e levou uma garrafa de bebida até a guarita do guarda. Eles riram e conversaram por mais de meia hora enquanto eu ficava no carro tentando traduzir os sons abafados. Chegou uma hora em que eles saíram e voltaram até o carro. Papai ainda estava com a garrafa, mas pela metade. Ele perguntou ao guarda se ele gostaria de se casar comigo. O espanhol deles era mais irregular do que o que aprendi na escola, mas entendi. Meu pai acrescentou como diferencial o fato de eu ter só quinze anos. Na mesma hora, o guarda se inclinou para dentro do carro e acariciou minha bochecha. Supus que ele achasse antes que eu era velha além de feia, e que agora saber que eu devia ser intocada o atraiu. Ele disse para papai que se casaria comigo e que teríamos "muitos bebês". Meu pai achou essa promessa a coisa mais engraçada que tinha ouvido desde que saímos de casa. (Ele riu alto quando Dolores não respondeu ao meu adeus e expliquei quando estávamos nos afastando que ela não tinha ouvido.) O guarda não ficou desencorajado pelas minhas tentativas de me afastar das mãos curiosas, e eu teria me contorcido até o assento do motorista se papai não tivesse aberto a porta e entrado. Depois de muitos *adiós* e *bonitas* e *espositas*, papai ligou o carro e seguimos nosso caminho sujo.

Placas me informaram que estávamos a caminho de Ensenada. Naqueles quilômetros, pelas estradas sinuosas ao lado da montanha íngreme, temi nunca mais voltar para os Estados Unidos, para a civilização, para o inglês e para as ruas largas. Ele bebeu goles da garrafa e cantou trechos de músicas mexicanas enquanto seguíamos pela tortuosa estrada na montanha. Nosso destino acabou não sendo a cidade de Ensenada, mas um lugar a uns oito quilômetros do limite da cidade. Paramos no pátio de terra de uma *cantina* onde crianças parcialmente vestidas corriam atrás de galinhas parecendo selvagens. O barulho do carro levou mulheres para a porta da construção precária, mas não distraiu a atividade das crianças sujas nem das aves magras.

Uma voz de mulher cantarolou "Baylee, Baylee". E, de repente, um grupo de mulheres se reuniu na porta e se espalhou pelo pátio. Papai me mandou sair do carro e fomos nos encontrar com as mulheres. Ele explicou rapidamente que eu era filha dele, o que todas acharam incrivelmente engraçado. Nós fomos levados para um aposento comprido com um bar na extremidade. Havia mesas espalhadas pelo piso de tábuas soltas. O teto chamou minha atenção. Tiras de papel de todas as cores possíveis balançavam no ar quase parado, e enquanto eu olhava, algumas caíram no chão. Ninguém pareceu reparar, ou, se reparou, não era importante o fato de o céu dessas pessoas estar caindo. Havia alguns homens em bancos no bar, e eles cumprimentaram meu pai com a tranquilidade da familiaridade. Fui levada de um lado para outro, e cada pessoa foi informada do meu nome e idade. O *"Cómo está usted?"* formal do ensino médio foi recebido como a fala mais encantadora possível. As pessoas me deram tapinhas nas costas, apertaram a mão de papai e falaram um espanhol quebrado que não consegui acompanhar. Baylee foi o herói da vez, e quando foi se alegrando com a demonstração aberta de carinho, vi um novo lado do homem. O sorriso zombeteiro sumiu e ele parou com o jeito afetado de falar (teria sido difícil pronunciar palavras longamente naquele espanhol rápido).

Parecia difícil acreditar que ele era uma pessoa solitária, procurando sem parar em garrafas, embaixo das saias de mulheres, em trabalho na igreja e em títulos de emprego arrogantes seu "nicho pessoal", perdido antes do nascimento e nunca recuperado. Na época, estava óbvio para mim que Stamps nunca foi o lugar dele, e menos ainda a família Johnson, de movimentos lentos e pensamento lento. Como era enlouquecedor ter nascido com aspirações de grandeza em um campo de algodão.

No bar mexicano, papai ficou com um ar de relaxamento que eu nunca tinha visto nele. Não havia necessidade de fingir na frente daqueles camponeses mexicanos. Ser ele mesmo bastava para impressioná-los. Ele era americano. Era negro. Falava espanhol fluente. Tinha dinheiro e podia beber tequila com os melhores deles. As mulheres também gostavam dele. Ele era alto e bonito e generoso.

Foi uma festa. Alguém colocou moedas no jukebox, e bebidas foram servidas a todos os clientes. Ganhei uma Coca-Cola quente. A música saía da máquina em vozes de tenor e oscilavam e prosseguiam, oscilavam e prosseguiam nos *rancheros* apaixonados. Homens dançaram, primeiro sozinhos, depois uns com os outros e, de vez em quando, uma mulher se juntava aos pés batidos no chão. Fui convidada para dançar. Hesitei porque não tinha certeza se conseguiria seguir os passos, mas papai assentiu e me encorajou a tentar. Quando me dei conta, eu estava me divertindo havia pelo menos uma hora. Um jovem me ensinou a colocar um adesivo no teto. Primeiro, todo o açúcar precisa ser retirado do chiclete mexicano pela mastigação, depois o barman dá umas tiras de papel ao aspirante, que escreve um provérbio ou uma frase sentimental nela. A pessoa tira o chiclete macio da boca e gruda na ponta da tira. Escolhe uma área menos coberta do teto, mira no local, e, quando arremessa, solta um grito apavorante que não ficaria deslocado em um rodeio. Depois de alguns gritinhos baixos, superei minha timidez e soltei as amídalas com um grito digno de Zapata. Eu estava feliz, papai estava orgulhoso e meus novos amigos eram gentis. Uma mulher levou *chicharrones* (no sul são chamados de torresmo) em um jornal oleoso. Comi a pele de porco frita, dancei, gritei e bebi a Coca-Cola doce e grudenta com o mais próximo de entrega que eu já tinha vivenciado. Conforme novas pessoas iam se juntando à festa, eu era apresentada como *la niña de Baylee* e era rapidamente aceita. O sol da tarde não conseguiu iluminar o aposento pela única janela, e o toque de corpos e os odores e sons se misturaram e nos deram um crepúsculo aromático e artificial. Percebi que não via meu pai há algum tempo. "*Dónde está mi padre?*", perguntei ao meu parceiro de dança. Meu espanhol formal deve ter soado pretensioso aos ouvidos do paisano como "Qual é o paradeiro do meu progenitor?" soaria para um habitante das montanhas de Ozark. De qualquer modo, gerou uma onda de gargalhadas, um abraço de urso e nenhuma resposta. Quando a dança terminou, segui pelo meio das pessoas da forma mais discreta possível. Uma neblina de pânico quase me sufocava. Ele não estava no salão. Teria feito algum arranjo com o guarda no caminho? Eu não achava impossível. Minha bebida tinha sido batizada. A certeza deixou meus joelhos fracos, e casais dançando ficaram borrados aos meus olhos. Papai tinha ido embora. Já devia estar na metade do caminho de casa com o dinheiro da minha venda no bolso. Eu tinha que chegar à porta, que parecia a quilômetros e montanhas de distância. As pessoas me pararam com um *"Dónde vas?"*. Minha resposta foi algo rígido de duplo sentido, como *"Yo voy por ventilarme"*, ou "Vou tomar um ar fresco". Não era surpresa eu ser um sucesso.

Visto pela porta aberta, o Hudson de papai estava em esplendor solitário. Ele não tinha me abandonado, afinal. Isso queria dizer, claro, que eu não tinha sido drogada. Na mesma hora me senti melhor. Ninguém me seguiu para o pátio, onde o sol da tarde tinha aliviado a dureza do meio-dia. Decidi me sentar no carro e esperá-lo, pois ele não podia ter ido longe. Eu sabia que ele estava com uma mulher, e quanto mais pensava no assunto, mais fácil era saber qual das *señoritas* alegres ele tinha levado. Houve uma mulher pequena e arrumada com lábios muito vermelhos que se agarrou avidamente a ele quando nós chegamos. Não dei atenção na hora, mas registrei sua felicidade. No carro, refletindo, repassei a cena. Ela foi a primeira a correr até ele, e foi nessa hora que ele disse rapidamente "Essa é minha filha" e "Ela fala espanhol". Se Dolores soubesse, entraria embaixo de seu cobertor de afetação e morreria de forma circunspecta. A ideia da sua vergonha me fez companhia por muito tempo, mas os sons de música e gargalhadas e os gritos de Cisco Kid interromperam meus agradáveis devaneios de vingança. Afinal, estava escurecendo, e papai devia estar fora do meu alcance em um dos chalés nos fundos. Um medo estranho surgiu lentamente enquanto pensei na possibilidade de passar a noite sozinha no carro. Era um medo relacionado de longe com o pânico anterior. O pavor não me envolveu inteira, mas surgiu na minha mente como uma paralisia gradual. Eu podia fechar as janelas e trancar o carro. Podia me deitar no piso e me tornar pequena e invisível. Impossível! Tentei sufocar a onda de medo. Por que eu estava com medo dos mexicanos? Afinal, eles foram gentis comigo, e sem dúvida meu pai não deixaria a filha ser maltratada. Deixaria? Deixaria? Como ele podia me deixar naquele bar vagabundo e sair com a mulher dele? Ele ligava para o que acontecia comigo? Nem um pouco, decidi, e abri a comporta da histeria. Quando as lágrimas começaram, não houve como fazê-las parar. Eu ia acabar morrendo em um pátio de terra mexicano. A pessoa especial que eu era, a mente inteligente que Deus e eu tínhamos criado juntos, partiria desta vida sem reconhecimento e sem contribuição. Como as Moiras eram impiedosas e como essa pobre garota Negra estava impotente!

Avistei sua sombra na quase escuridão e estava prestes a pular e correr até ele quando reparei que estava apoiado na mulher pequena que vi antes e em um homem. Ele cambaleava e oscilava, mas eles o seguravam com firmeza e guiaram seus passos na direção da porta da *cantina*. Quando ele entrasse, talvez nunca mais saísse. Saí do carro e fui até eles. Perguntei a papai se ele não gostaria de ir para o carro descansar um pouco. Ele se concentrou o suficiente para me reconhecer e respondeu que era exatamente isso que queria; estava um pouco cansado e gostaria de descansar antes de irmos embora para casa. Ele disse para os amigos o que desejava em espanhol, e eles o guiaram até o carro. Quando abri a porta, ele disse: "Não, vou me deitar um pouco no banco de trás". Nós o colocamos no carro e tentamos arrumar as pernas compridas de forma confortável. Ele começou a roncar enquanto o ajeitávamos. Pareceu o começo de um longo sono profundo, e um aviso de que passaríamos a noite no carro, no México, afinal.

Pensei rápido enquanto o casal ria e falava comigo em espanhol incompreensível. Eu nunca tinha dirigido um carro na vida, mas tinha observado com cuidado, e minha mãe era declarada a melhor motorista de São Francisco. *Ela* declarava isso, pelo menos. Eu era extremamente inteligente e tinha boa coordenação motora. Claro que era capaz de dirigir. Idiotas e lunáticos dirigiam carros, por que não a brilhante Marguerite Johnson? Pedi ao homem mexicano para dar meia-volta com o carro, mais uma vez usando meu exótico espanhol de ensino médio, e demorei uns quinze minutos para me fazer entender. O homem devia ter perguntado se eu sabia dirigir, mas eu não sabia o verbo "dirigir" em espanhol, então fiquei repetindo "*Si, si*" e "*Gracias*" até ele entrar e virar o carro na direção da estrada. Ele demonstrou compreender a situação com a atitude seguinte. Deixou o motor ligado. Coloquei o pé no acelerador e na embreagem, passei a marcha e levantei os dois pés. Com um rugido ameaçador, saímos do pátio.

Quando subimos a elevação para a estrada, o carro quase parou, e enfiei os dois pés de novo no acelerador e na embreagem. Não fizemos nenhum progresso, mas um monte de barulho, só que o motor não parou. Entendi então que para ir para a frente eu teria que levantar os pés dos pedais, e se fizesse isso abruptamente, o carro tremeria como uma pessoa com aquela doença chamada *dança de São Vito*. Com essa compreensão total do princípio da locomoção motorizada, dirigi pela encosta na direção de Calexico, a uns oitenta quilômetros de distância. É difícil entender por que minha imaginação vívida e minha tendência de sentir medo não geraram cenas sangrentas de acidentes horríveis em um *risco de Mexico*. Só consigo pensar que todos os meus sentidos estavam concentrados em guiar o carro.

Quando ficou totalmente escuro, mexi nos botões, girando e puxando até conseguir encontrar os faróis. O carro foi mais devagar quando me concentrei nessa busca, e esqueci de pisar nos pedais, e o motor gorgolejou, o carro fez um barulho e o motor parou. Um som no banco de trás me disse que papai tinha caído do banco (eu esperava que isso acontecesse havia quilômetros). Puxei o freio de mão e pensei com cuidado no que fazer em seguida. Era inútil pensar em perguntar ao papai. A queda no chão nem o fez se mexer, e eu também não conseguiria tirá-lo da posição. Não havia chance de nenhum carro passar por nós — eu não via veículos motorizados desde que passamos pela guarita de quando chegamos. Estávamos descendo uma colina, então pensei que com sorte poderíamos ir no embalo da descida até Calexico — ou, pelo menos, até o guarda. Esperei até formular minha abordagem a ele antes de soltar o freio. Eu pararia o carro quando chegássemos à guarita e faria cara de superior. Falaria com ele como o camponês que era. Mandaria que ele ligasse o carro e daria uma moeda de vinte e cinco ou até de um dólar do bolso do papai como gorjeta antes de seguir em frente.

Com meus planos elaborados, soltei o freio e começamos a descer a encosta. Também bombeei a embreagem e o acelerador, torcendo para que isso acelerasse nossa descida e, maravilha das maravilhas, o motor ligou de novo. O Hudson desceu a colina como louco. Estava se rebelando, e teria pulado pela lateral da montanha para nossa destruição em sua tentativa de me tirar do banco se eu tivesse relaxado o controle um único segundo. O desafio era extasiante. Era eu, Marguerite, contra a oposição incontrolável. Enquanto mexia no volante e forçava o acelerador até o chão, eu estava controlando o México, e a força e a solidão e a juventude inexperiente, e Bailey Johnson Pai, e a morte e a insegurança, até a gravidade.

Depois do que pareceu um desafio de mil e uma noites, a montanha começou a ficar plana, e começamos a passar por luzes dos dois lados da estrada. Não importava o que aconteceria depois, eu tinha vencido. O carro começou a ir mais devagar, como se tivesse sido domado e fosse desistir sem graciosidade. Bombeei com mais força ainda, e finalmente chegamos à guarita do guarda. Puxei o freio de mão e parei. Não haveria necessidade de eu falar com o guarda porque o motor estava ligado, mas eu tinha que esperar que ele olhasse o carro e me desse sinal para prosseguir. Ele estava ocupado falando com pessoas em um carro virado para a montanha que eu tinha acabado de conquistar. A luz da guarita mostrou-o inclinado pela cintura com o tronco completamente engolido pela janela aberta. Fiquei com o carro preparado para a etapa seguinte da nossa viagem. Quando o guarda saiu de dentro do carro e ficou ereto, vi que não era o mesmo homem do constrangimento matinal. Eu estava compreensivelmente abalada pela descoberta quando ele fez uma saudação alta e gritou *"Pasa"*. Soltei o freio, botei os dois pés nos pedais e os levantei um pouco rápido demais. O carro não fez o que eu pretendia. Pulou não só para a frente, mas também para a esquerda, e, com algumas bufadas zangadas, bateu na lateral do carro que estava começando a se afastar. O barulho de metal arranhando foi seguido na mesma hora de uma chuva de espanhol vinda de todas as direções. Mais uma vez, estranhamente, o medo não estava presente nas minhas sensações. Eu me perguntei na seguinte ordem: eu estava machucada, alguém estava machucado, eu seria presa, o que os mexicanos estavam dizendo e, finalmente, papai tinha acordado? Consegui responder a primeira e a última rapidamente. Motivada pela adrenalina que foi bombeada no meu cérebro enquanto descíamos pela montanha, nunca tinha me sentido melhor, e os roncos do meu pai cortavam a cacofonia de protestos fora da minha janela. Saí do carro pretendendo chamar *policías*, mas o guarda foi mais rápido. Ele disse algumas palavras, todas unidas como contas, mas nenhuma delas foi *policías*. Enquanto as pessoas no outro carro tentavam sair, tentei recuperar meu controle e disse com voz alta e graciosa demais *"Gracias, señor"*. A família, oito ou mais pessoas de todas as idades e tamanhos, pararam em volta de mim, falando de forma acalorada e me avaliando como se eu fosse uma estátua no parque e elas fossem um bando de pombos. Uma disse *"Joven"* querendo dizer que eu era nova demais. Tentei ver quem era tão inteligente. Eu direcionaria minha conversa para ele ou ela, mas as pessoas mudavam de posição tão rápido que eu não conseguia saber quem foi. Outra sugeriu *"Borracho"*. Bom, sem dúvida eu devia estar com cheiro de tequila, pois papai estava exalando a bebida na respiração barulhenta, e mantive as janelas fechadas na noite fria. Não havia chance de eu explicar isso para aqueles estranhos, mesmo que pudesse. E não podia. Alguém teve a ideia de olhar no carro, e um grito pegou todo mundo de surpresa. Pessoas — parecia haver centenas — se aproximaram das janelas, e mais gritos soaram. Pensei por um minuto que alguma coisa horrível devia ter acontecido. Talvez na hora da batida... Eu também fui até as janelas para ver, mas aí me lembrei dos roncos rítmicos e me afastei. O guarda devia ter achado que tinha um crime importante nas mãos. Ele fez gestos e sons como quem diz "Fiquem de olho" ou "Não percam essa garota de vista". A família voltou, desta vez não tão perto, mas mais ameaçadora, e quando consegui identificar uma pergunta coerente, *"Quién es?"*, respondi secamente, com todo o distanciamento que consegui: *"Mi padre"*. Sendo um povo de laços familiares fortes e festas semanais, eles de repente entenderam a situação. Eu era uma pobre garotinha cuidando do pai bêbado, que ficou na farra por tempo demais. *Pobrecita*.

O guarda, o pai e uma ou duas crianças pequenas começaram a tarefa hercúlea de acordar papai. Observei friamente enquanto o restante das pessoas andava, formando um oito em volta de mim e do veículo batido deles. Os dois homens sacudiram e puxaram e empurraram, enquanto as crianças pularam no peito do meu pai. Dou crédito ao ato das crianças pelo sucesso do esforço. Bailey Johnson Pai acordou em espanhol. *"Qué tiene? Qué quiere?"* Qualquer outra pessoa teria perguntado "Onde eu estou?". Obviamente, essa era uma experiência mexicana comum. Quando vi que ele estava razoavelmente lúcido, fui até o carro, afastei calmamente as pessoas e disse do nível arrogante de alguém que conseguiu controlar um carro rebelde e descer uma estrada sinuosa de montanha: "Pai, aconteceu um acidente". Ele me reconheceu aos poucos e se tornou meu pai de antes da festa mexicana.

"Acidente, é? E.. foi culpa de quem? Sua, Marguerite? Foi sua?"

Seria inútil contar sobre como dominei o carro e o dirigi por quase oitenta quilômetros. Eu não esperava e nem precisava da aprovação dele.

"Foi, pai, bati em outro carro."

Ele ainda não estava completamente sentado, e não tinha como saber onde estávamos. Mas do chão do carro onde estava, como se fosse o lugar lógico para estar, ele disse: "No porta-luvas. Os papéis do seguro. Pegue e entregue para a polícia, depois volte".

O guarda enfiou a cabeça pela outra porta antes que eu pudesse formar uma resposta mordaz, mas educada. Ele pediu a papai para sair do carro. Sempre inabalável, meu pai enfiou a mão no porta-luvas e tirou os papéis dobrados e a meia garrafa de bebida que tinha deixado lá. Deu uma de suas gargalhadas tensas e desceu devagar. Quando estava de pé do lado de fora, ele era bem mais alto do que as pessoas furiosas. Fez uma avaliação rápida da localização e da situação e passou o braço pelos ombros do outro motorista. Com gentileza e nem um pouco de condescendência, ele se inclinou para falar com o guarda, e os três homens entraram na guarita. Em poucos minutos, explodiram gargalhadas lá dentro, e a crise acabou, mas a diversão também.

Papai apertou a mão de todos os homens, fez carinho nas crianças e deu sorrisos charmosos para todas as mulheres. E então, sem olhar para os carros batidos, se sentou atrás do volante. Ele me chamou para entrar, e como se não estivesse apagado e bêbado meia hora antes, dirigiu direto até em casa. Disse que não sabia que eu sabia dirigir, e eu tinha gostado do carro? Fiquei com raiva de ele ter se recuperado tão rapidamente e me senti decepcionada por ele não apreciar a grandeza do que eu tinha feito. Então respondi sim para a declaração e para a pergunta. Antes de chegarmos à fronteira, ele abriu a janela, e o ar fresco, muito bem-vindo, estava desconfortavelmente frio. Ele me mandou pegar seu paletó no banco de trás e o vestir. Dirigimos para a cidade em um silêncio frio e particular.

31

Dolores parecia estar sentada no mesmo lugar que na noite anterior. Sua pose estava tão parecida que era difícil acreditar que tinha ido dormir, tomado café da manhã ou mesmo ajeitado o penteado firme. Papai disse com alegria "Oi, garota", e foi na direção do banheiro. Eu a cumprimentei: "Oi, Dolores" (nós já tínhamos abandonado o fingimento de relacionamento familiar). Ela deu uma resposta breve e educada e voltou a atenção para o buraco de uma agulha. Estava agora fazendo cortinas fofas para a cozinha, que logo se oporiam, engomadas, ao vento. Sem ter mais nada para dizer, fui para o meu quarto. Em minutos, uma discussão começou na sala, audível para mim como se as paredes fossem de musselina.

"Bailey, você deixou seus filhos ficarem entre nós."

"Garota, você é muito sensível. Os filhos, meus filhos não podem ficar entre nós, a não ser que você permita."

"Como posso impedir?" Ela estava chorando. "Eles estão fazendo isso." E ela disse: "Você deu seu paletó para a sua filha".

"Eu devia ter deixado que ela morresse congelada? É disso que você gostaria, garota?" Ele riu. "Você gostaria, não é?"

"Bailey, você sabe que eu queria gostar dos seus filhos, mas eles..." Ela não conseguiu nos descrever.

"Por que você não diz logo o que quer dizer? Você é uma putinha pretensiosa, não é? Foi assim que Marguerite descreveu você, e ela está certa."

Tremi ao pensar em como a revelação aumentaria o iceberg de ódio que ela tinha por mim.

"Marguerite pode ir para o inferno, Bailey Johnson. Eu vou me casar com você, não quero me casar com seus filhos."

"Que pena pra você, sua porca azarada. Vou sair. Boa noite."

A porta da frente bateu. Dolores chorou baixinho e rompeu em choramingos lastimáveis com fungadas e algumas assoadas de nariz no lenço.

No quarto, pensei que meu pai foi mau e cruel. Ele gostou do passeio no México e mesmo assim não conseguiu manifestar nem um pouco de gentileza com a mulher que esperou pacientemente, se ocupando das tarefas domésticas. Eu tinha certeza de que ela sabia que ele tinha bebido, e devia ter reparado que apesar de termos ficado longe mais de doze horas, não levamos nenhuma *tortilla* para casa.

Senti pena e até um pouco de culpa. Também me diverti. Fiquei comendo *chicharrones* enquanto ela devia estar rezando para ele voltar em segurança. Venci um carro e uma montanha enquanto ela ponderava sobre a fidelidade do meu pai. Não havia nada de justo nem de gentil no tratamento, então decidi sair e consolá-la. A ideia de espalhar misericórdia indiscriminadamente, ou melhor, de ser mais correta, oferecendo-a para alguém de quem eu não gostava, me encantou. Eu era basicamente boa. Não compreendida, nem amada, mas, mesmo assim, justa, e mais do que justa. Eu era misericordiosa. Parei bem no meio da sala, mas Dolores não me olhou. Ela trabalhou com a agulha sobre o tecido florido como se estivesse costurando as pontas rasgadas da sua vida. Eu disse com minha voz de Florence Nightingale: "Dolores, eu não quero ficar entre você e o papai. Queria que você acreditasse em mim". Pronto, estava feito. Meu gesto bom equilibrava o resto do dia.

Com a cabeça ainda inclinada, ela disse: "Ninguém estava falando com você, Marguerite. É grosseria xeretar a conversa das outras pessoas".

Claro que ela não era burra a ponto de achar que aquelas paredes de papel eram feitas de mármore. Deixei um pequeno toque de petulância entrar na minha voz. "Nunca xeretei na vida. Uma pessoa surda teria dificuldade de não ouvir o que você disse. Pensei em dizer que não tenho interesse em ficar entre você e meu pai. Só isso."

Minha missão foi um fracasso e um sucesso. Ela se recusou a ficar tranquilizada, mas me mostrei sob uma luz favorável e cristã. Eu me virei para sair.

"Não, não é só isso." Ela ergueu o rosto. Estava inchado, com os olhos vermelhos. "Por que você não volta para a sua mãe? Isso se você tem uma." Seu tom foi tão tranquilo que parecia que ela estava me mandando cozinhar uma panela de arroz. Se eu tivesse uma? Bom, eu deixaria bem claro.

"Eu tenho uma, e ela é um mundo melhor do que você, mais bonita, inteligente e..."

"E", a voz dela ficou mais aguda, "ela é uma prostituta." Talvez, se eu fosse mais velha, ou estivesse com minha mãe há mais tempo, ou entendesse a frustração de Dolores mais profundamente, minha reação não tivesse sido tão violenta. Sei que a acusação horrível atingiu não tanto meu amor materno, mas a base da minha nova existência. Se houvesse alguma chance de verdade na acusação, eu não conseguiria viver, não conseguiria continuar morando com a minha mãe, coisa que eu queria muito.

Andei até Dolores, enfurecida pela ameaça. "Vou bater na sua cara por isso, sua vaca velha e idiota." Avisei e dei um tapa nela.

Ela pulou da cadeira como uma pulga, e antes que eu pudesse pular para trás, estava com os braços em volta de mim. Seu cabelo estava embaixo do meu queixo, e ela envolveu minha cintura com os braços, dando o que pareciam ser duas ou três voltas.

Tive que empurrar seus ombros com toda a minha força para soltar os abraços de polvo. Nenhuma de nós emitiu som até eu finalmente empurrá-la no sofá. Ela começou a gritar. Tola velha e idiota.

O que ela esperava, chamando minha mãe de prostituta? Saí da casa. No degrau, senti uma coisa molhada no braço, olhei para baixo e vi sangue. Os gritos dela ainda cortavam o ar noturno como pedras quicando na água, mas eu estava sangrando.

Olhei com atenção para o braço, mas não havia corte. Levei o braço de volta à cintura, e sangue fresco saiu quando o afastei. Eu *estava* cortada. Antes que conseguisse entender, compreender o suficiente para reagir, Dolores abriu a porta, ainda gritando, e ao me ver, em vez de bater a porta, correu como uma louca escada abaixo. Avistei um martelo na sua mão, e, sem me questionar se conseguiria tirá-lo dela, fugi.

O carro de papai estava em um pátio pela segunda vez naquele dia, me oferecendo um refúgio magnifico. Pulei dentro, fechei as janelas e tranquei as portas. Dolores correu em volta do carro, gritando como um demônio, o rosto transformado em fúria.

Papai Bailey e os vizinhos que ele estava visitando reagiram aos gritos e se reuniram em volta dela. Ela gritou que eu tinha pulado nela e tentado matá-la, e que era melhor Bailey não me levar de volta para casa. Fiquei sentada no carro, sentindo o sangue escorrer até meu traseiro enquanto as pessoas a acalmavam e apaziguavam sua raiva. Meu pai fez sinal para eu abrir a janela, e quando fiz isso, ele disse que levaria Dolores para dentro, mas que eu devia ficar no carro. Ele voltaria para cuidar de mim.

Os eventos me sufocaram e fiquei com dificuldade de respirar. Depois de todas as vitórias decisivas do dia, minha vida acabaria em uma morte grudenta. Se papai ficasse por muito tempo dentro de casa, eu não iria até a porta chamá-lo porque estava com medo demais. Além do mais, minha educação de moça não me permitiria andar dois passos com sangue no vestido. Como sempre temi, não, como eu sempre soube, as provações foram por nada. (O medo da inutilidade é a praga da minha vida.) A excitação, a apreensão, a libertação e a raiva esgotaram minha mobilidade. Esperei a Moira que puxava as cordas do destino ditar meus movimentos.

Meu pai desceu os degraus alguns minutos depois e entrou com raiva no carro. Ele se sentou em um canto do sangue e não disse nada. Devia estar pensando no que fazer comigo quando sentiu a umidade na calça.

"Que diabos é isso?" Ele ergueu uma nádega e passou a mão na calça. A mão saiu vermelha na luz da varanda. "O que é isso, Marguerite?"

Respondi com uma frieza que daria orgulho a ele. "Estou cortada."

"Como assim, cortada?"

Só durou um minuto precioso, mas consegui pelo menos uma vez ver meu pai perplexo.

"Cortada." Foi tão delicioso. Não me importei de estar me esvaindo no acolchoado quadriculado do banco.

"Quando? Por quem?"

Papai, mesmo em momentos críticos, não diria "Foi quem?".

"Dolores me cortou." A economia das minhas palavras demonstrava meu desprezo por todos eles.

"O quanto?"

Teria lembrado a ele que eu não era médica e, portanto, não estava habilitada a fazer um exame detalhado, mas a petulância teria diminuído minha vantagem.

"Não sei."

Ele engrenou o carro suavemente, e percebi com inveja que, apesar de ter dirigido o carro dele, eu não sabia dirigir.

Achei que estávamos indo para uma emergência de hospital, e serenamente fiz planos para minha morte e meu testamento. Quando começasse a perder a consciência na noite sem data, eu diria para o médico: "O dedo em movimento escreve e, tendo escrito, segue em frente...", e minha alma escaparia graciosamente. Bailey ficaria com meus livros, meus discos de Lester Young e meu amor do outro mundo. Eu estava grogue, entregue ao nada quando o carro parou.

Papai disse: "Muito bem, criança, vamos".

Nós estávamos seguindo por uma estrada estranha, e antes mesmo de eu sair do carro, ele estava nos degraus de uma casa de fazenda típica do sul da Califórnia. A campainha tocou, e ele fez sinal para mim dos degraus. Quando a porta se abriu, indicou para eu ficar do lado de fora. Afinal, eu estava pingando, e dava para ver que tinha tapete na sala. Papai entrou, mas não fechou a porta, e alguns minutos depois uma mulher me chamou com um sussurro da lateral da casa. Eu a segui até uma sala, e ela me perguntou onde eu estava machucada. Ela era muito calma, e sua preocupação pareceu sincera. Tirei o vestido e nós duas olhamos para a pele aberta na lateral do meu corpo. Ela ficou tão satisfeita quanto eu fiquei decepcionada de as beiradas do ferimento terem começado a secar. A moça passou água de hamamélis no corte e o cobriu de leve com Band-Aids extralongos. Depois, fomos para a sala. Papai apertou a mão do homem com quem estava conversando e agradeceu minha enfermeira de emergência, depois fomos embora.

No carro, ele explicou que era um casal de amigos e que pediu para a esposa dar uma olhada em mim. Disse que falou que se a laceração não fosse muito profunda, ele ficaria agradecido se ela a tratasse. Senão, teria que me levar a um hospital. Eu poderia imaginar o escândalo se as pessoas descobrissem que sua filha, de Bailey Johnson, tinha sido cortada pela namorada dele? Afinal, ele era maçom, era Elk, era nutricionista naval e o primeiro diácono Negro da igreja luterana. Nenhum Negro da cidade manteria a cabeça erguida se nossa desgraça ficasse conhecida. Enquanto a moça (eu nunca soube o nome dela) cuidava do meu ferimento, ele ligou para outros amigos e arrumou um lugar para eu passar a noite. Em outro trailer estranho, em outro parque de trailers, fui acolhida, ganhei roupas e uma cama. Papai disse que me veria ao meio-dia do dia seguinte.

Fui para a cama e dormi como se meu desejo de morte tivesse finalmente se tornado realidade. De manhã, nem os arredores vazios e desconhecidos nem a dor na minha lateral me incomodaram. Preparei e comi um bom café da manhã e me sentei com uma revista de páginas brilhosas para esperar o papai.

Aos quinze anos, a vida me ensinou inegavelmente que a rendição, na hora certa, era tão honrosa quanto a resistência, principalmente quando não se tinha escolha. Quando meu pai chegou, um paletó por cima do uniforme listrado de algodão que usava como nutricionista naval, ele perguntou como eu estava me sentindo, me deu um dólar e cinquenta e um beijo, e disse que passaria lá no fim da tarde. Riu como sempre. De nervosismo?

Sozinha, imaginei os donos voltando e me encontrando na casa, e me dei conta de que nem lembrava como eles eram. Como eu poderia suportar seu desprezo ou sua pena? Se eu desaparecesse, papai ficaria aliviado, sem mencionar Dolores. Hesitei quase por tempo demais. O que eu faria? Tinha coragem de cometer suicídio? Se pulasse no mar, eu não apareceria toda inchada como o homem que Bailey viu em Stamps? Pensar no meu irmão me fez parar. O que ele faria? Esperei com paciência, e ele me mandou ir embora. Mas não se mate. Você sempre pode fazer isso se as coisas ficarem ruins demais.

Preparei alguns sanduíches de atum cheios de picles, coloquei um suprimento de Band-Aids no bolso, contei meu dinheiro (mais de três dólares e algumas moedas mexicanas) e saí. Quando ouvi a porta bater, soube que a decisão estava tomada. Eu não tinha chave, e nada na face da terra me faria ficar parada até os amigos do papai voltarem para me deixar entrar novamente, cheios de pena.

Agora que eu estava livre, comecei a pensar no meu futuro. A solução óbvia da minha falta de teto me preocupou brevemente apenas. Eu poderia ir para casa, para a minha mãe, mas não podia. Jamais conseguiria esconder dela o corte na lateral do meu corpo. Ela era perceptiva demais para não reparar nos Band-Aids sujos e nos meus cuidados com o ferimento. E se eu não conseguisse esconder o ferimento, era certo que veríamos outra cena de violência. Pensei no pobre sr. Freeman, e a culpa que enchia meu coração, mesmo depois de todos aqueles anos, era um passageiro irritante na minha mente.

32

Passei o dia vagando sem destino pelas ruas iluminadas. Os fliperamas barulhentos com a agitação de marinheiros e crianças e jogos de azar eram tentadores, mas depois de andar por um deles, ficou óbvio que eu só podia ganhar novas chances de jogar, mas nenhum dinheiro. Fui para a biblioteca e usei uma parte do dia para ler ficção científica, e no banheiro de mármore troquei o curativo.

Em uma rua plana, passei por um ferro-velho cheio de carcaças de carros. Os cascos mortos não eram nem um pouco convidativos, e decidi inspecioná-los. Conforme andava por entre os veículos abandonados, uma solução temporária surgiu na minha mente. Eu encontraria um carro limpo ou mais ou menos limpo e passaria a noite nele. Com o otimismo da ignorância, achei que a manhã traria uma solução mais agradável. Um carro cinza alto perto da cerca chamou minha atenção. Os assentos estavam intactos, e apesar de não ter rodas e nem aros, estava parado reto, apoiado nos para-choques. A ideia de dormir quase ao ar livre aumentou minha sensação de liberdade. Eu era uma pipa solta em um vento leve, flutuando só com minha força de vontade como âncora. Depois de decidir ficar no carro, entrei, comi os sanduíches de atum e procurei buracos no chão. O medo de que ratos pudessem entrar e comer a parte de dentro do meu nariz enquanto eu dormia (alguns casos tinham sido relatados recentemente nos jornais) era mais alarmante do que os volumes escuros no ferro-velho e a noite que caía rapidamente. Mas minha escolha cinza parecia à prova de ratos. Abandonei a ideia de dar outra caminhada e decidi ficar parada esperando o sono.

Meu carro era uma ilha e o ferro-velho era um mar, e eu estava sozinha e aquecida. O continente estava a uma decisão de distância. Quando a noite se definiu, os postes de luz se acenderam, e as luzes dos carros em movimento emolduraram meu mundo em uma sondagem penetrante. Contei os faróis e fiz minhas orações e adormeci.

A luz da manhã me acordou, e eu estava cercada de estranheza. Tinha escorregado pelo banco e dormido a noite toda em uma posição desconfortável. Lutando com o corpo para voltar a uma posição mais ereta, vi uma colagem de rostos Negros, mexicanos e brancos do lado de fora da janela. Eles estavam rindo e fazendo gestos de falar com a boca, mas os sons não penetravam no meu refúgio. Havia tanta curiosidade evidente nas feições que eu sabia que eles não iriam embora antes de saberem quem eu era, então abri a porta e me preparei para contar alguma história (até a verdade) que me comprasse alguma paz.

As janelas e meu estado grogue tinham distorcido suas feições. Achei que eram adultos e talvez cidadãos de Brobdingnag, pelo menos. Quando saí, vi que só havia uma pessoa mais alta do que eu, e que eu era só alguns poucos anos mais nova do que todos eles.

Perguntaram meu nome, de onde eu vim e o que tinha me levado ao ferro-velho. Aceitaram minha explicação de que eu era de São Francisco, de que meu nome era Marguerite, mas eu era chamada de Maya, e que não tinha onde ficar. Com um gesto generoso, o garoto alto, que disse que se chamava Bootsie, me deu boas-vindas, e disse que eu podia ficar desde que respeitasse a regra deles: duas pessoas de sexos opostos não podiam dormir juntas. Na verdade, a não ser que chovesse, cada um tinha seu alojamento particular. Como alguns dos carros tinham vazamentos, o tempo ruim forçava que alguns dormissem juntos. Não era permitido roubar, não por moralidade, mas porque um crime levaria a polícia até o ferro-velho; e como todos eram menores de idade, havia muita chance de eles serem mandados para abrigos ou para tribunais de delinquentes juvenis. Todo mundo trabalhava em alguma coisa. A maioria das garotas juntava garrafas e trabalhava nos fins de semana em lanchonetes. Os garotos cortavam grama, limpavam piscinas e faziam pequenas coisas para lojinhas de Negros. Todo o dinheiro ficava com Bootsie e era usado pela comunidade.

Durante o mês que passei no ferro-velho, aprendi a dirigir (o irmão mais velho de um garoto tinha um carro que funcionava), a falar palavrão e a dançar. Lee Arthur era o único garoto que andava com a gangue, mas morava com a mãe. A sra. Arthur trabalhava à noite, então, nas noites de sexta, todas as garotas iam tomar banho na casa dele. Nós lavávamos nossa roupa no Laundromat, mas as coisas que precisavam ser passadas eram levadas para a casa de Lee, e a tarefa de passar era dividida, como todo o resto.

Nas noites de sábado, entrávamos na competição de dança do Silver Slipper, quer soubéssemos ou não dançar. Os prêmios eram tentadores (25 dólares para o primeiro casal, 10 para o segundo e 5 para o terceiro), e Bootsie argumentou que, se todos entrássemos, teríamos mais chance. Juan, o garoto mexicano, era meu parceiro, e apesar de não saber dançar tanto quanto eu, éramos a sensação da pista. Ele era muito baixo e tinha uma cabeleira preta que balançava em volta da cabeça quando ele girava, e eu era magra e negra e alta como uma árvore. No meu último fim de semana no ferro-velho, vencemos o segundo prêmio. A dança que executamos jamais poderia ser duplicada ou descrita, exceto para dizer que a paixão com que nos lançamos de um lado para o outro pela pequena pista de dança foi parecida com o zelo exibido em partidas honestas de luta-livre e em combates diretos.

Depois de um mês, meus processos de pensamento tinham mudado tanto que eu mesma mal me reconhecia. A aceitação inquestionável dos meus colegas afastou a insegurança familiar. Era estranho que as crianças sem-teto, o limo deixado pela guerra, pudessem me iniciar na irmandade dos homens. Depois de procurar garrafas íntegras e as vender com uma garota branca do Missouri, uma garota mexicana de Los Angeles e uma garota Negra de Oklahoma, nunca mais me senti tão verdadeiramente fora da cerca que envolvia a raça humana. A falta de crítica evidenciada por nossa comunidade improvisada me influenciou e criou um tom de tolerância na minha vida.

Liguei para a minha mãe (a voz dela me lembrava outro mundo) e pedi que mandasse me buscar. Quando ela disse que enviaria minha passagem de avião para papai, expliquei que seria mais fácil que ela enviasse meu bilhete para a companhia aérea, e eu iria lá buscar. Com a graça fácil característica da minha mãe quando tinha chance de ser magnânima, ela concordou.

A vida irrestrita que tínhamos me fez acreditar que meus novos amigos não demonstrariam nada em relação à minha partida. Eu estava certa. Depois que peguei a passagem, anunciei casualmente que iria embora no dia seguinte. Minha revelação foi aceita com uma quantidade pelo menos igual de distanciamento (só que não era pose), e todo mundo me desejou sorte. Não queria me despedir do ferro-velho nem do meu carro, então passei minha última noite em um cinema com exibições a noite toda. Uma garota, cujo nome e rosto embaçaram ao longo dos anos, me deu "um anel eterno de amizade", e Juan me deu um lenço de renda preta para o caso de eu querer ir à igreja alguma hora.

Cheguei em São Francisco mais magra do que o habitual, um tanto malcuidada e sem bagagem. Minha mãe deu uma olhada em mim e disse: "O racionamento está ruim assim na casa do seu pai? É melhor você comer um pouco de comida, para colar nesses ossos todos". Enquanto falava, ela se virou, e em pouco tempo eu estava sentada a uma mesa coberta com tigelas de comida, feitas especialmente para mim.

Eu estava em casa de novo. E minha mãe era uma ótima mulher. Dolores era uma idiota e, o mais importante, mentirosa.

33

A casa parecia menor e mais silenciosa depois da viagem para o sul, e o florescer inicial do *glamour* de São Francisco tinha começado a embotar. Os adultos tinham perdido a sabedoria do rosto. Argumentei que abri mão de um pouco da juventude em troca de conhecimento, mas meu ganho foi mais valioso do que a perda.

    Bailey também estava muito mais velho. Anos mais velho até do que eu tinha me tornado. Ele fez amigos durante aquele verão destruidor de juventude, um grupo de garotos malandros de rua. Sua linguagem tinha mudado. Ele soltava gírias nas frases como quem jogava bolinhos em uma panela. Podia estar feliz em me ver, mas não agiu dessa forma. Quando tentei contar minhas aventuras e desventuras, ele reagiu com uma indiferença casual que fez a história congelar nos meus lábios. Seus novos companheiros lotavam a sala e os corredores usando ternos zoot e chapéus de abas largas e correntes compridas penduradas no cinto. Eles tomavam gim de abrunho escondido e contavam piadas sujas. Apesar de não ter arrependimentos, eu disse para mim mesma que crescer não era o processo indolor que achavam que era.

Por um lado, meu irmão e eu nos vimos mais próximos. Eu tinha pegado gosto por dançar em público. Todas as lições com mamãe, que dançava sem esforço nenhum, não deram fruto imediato. Mas com minha segurança recém-conquistada, eu podia me entregar aos ritmos e deixar que me levassem onde quisessem.

Mamãe nos deixava ir aos grandes bailes de bandas no auditório lotado da cidade. Dançávamos o jitterbug ao som de Count Basie, o Lindy e o Big Apple ao som de Cab Calloway, e o Half Time Texas Hop ao som de Duke Ellington. Em questão de meses, o lindo Bailey e sua irmã alta ficaram famosos como aqueles tolos dançarinos (uma boa descrição).

Apesar de eu ter arriscado a vida (não intencionalmente) em sua defesa, a reputação da minha mãe, o bom nome e a imagem na comunidade deixaram (ou quase) de ser do meu interesse. Não que eu gostasse menos dela, mas me preocupava menos com tudo e todo mundo. Muitas vezes, eu pensava no tédio da vida depois que se tinha visto todas as suas surpresas. Em dois meses, eu me tornei *blasé*.

Mamãe e Bailey estavam enrolados em um complexo de Édipo. Um não conseguia viver com ou sem o outro; no entanto, as constrições da consciência e da sociedade, da moralidade e do etos, ditavam uma separação. Com uma desculpa esfarrapada, mamãe mandou Bailey sair de casa. Com uma desculpa igualmente esfarrapada, ele concordou. Bailey tinha dezesseis anos, era pequeno para a idade, inteligente para qualquer idade e terrivelmente apaixonado pela Mamãe Querida. Os heróis dela eram seus amigos, e seus amigos eram homens grandes do crime organizado. Usavam casacos

Chesterfield de duzentos dólares, sapatos Busch de cinquenta e chapéus Knox. As camisas tinham monograma e as unhas eram feitas. Como um garoto de dezesseis anos podia querer competir com rivais tão superiores? Ele fez o que tinha que fazer. Adquiriu uma prostituta branca pálida, um anel de diamante no dedo mindinho e um casaco Harris de tweed com mangas de raglan. Não considerou conscientemente os novos bens como o abre-te sésamo do cofre de aceitação da Mamãe Querida. E ela não tinha ideia de que suas preferências o impulsionaram a tais excessos.

Da coxia, eu ouvi e vi o pavoneio da tragédia seguindo diretamente para o clímax. Intercepção e mesmo a ideia de fazer isso eram impossíveis. Era mais fácil planejar uma obstrução a um nascer do sol ou um vulcão. Se mamãe era uma linda mulher que arrancava o tributo da reverência de todos os homens, ela também era mãe, e "uma das ótimas". Nenhum filho seu seria explorado por uma meretriz branca rodada, que queria sugar-lhe a juventude e o estragar para a idade adulta. De jeito nenhum.

Bailey, de sua parte, era seu filho, e ela era sua mãe. Ele não tinha intenção de aceitar desaforo nem da mulher mais bonita do mundo. O fato de ela por acaso ser sua mãe não fez nada para enfraquecer sua determinação.

Sair? Ah, sim. Amanhã? Por que não hoje? Hoje? E por que não agora? Mas nenhum dos dois conseguiu se mover até que todos os passos medidos tivessem sido negociados.

Durante as semanas de luta amarga, fiquei espantada e sem esperança. Nós não podíamos falar profanidades e nem usar sarcasmo óbvio, mas Bailey enrolou a linguagem na língua e cuspiu contra mamãe em gotas. Ela dava seus "ataques" (explosões apaixonadas capazes de arrancar os pelos do peito do mais forte dos homens) e se lamentava docemente (comigo) depois.

Fiquei de fora das suas lutas por poder/amor. Seria mais correto dizer que, como nenhum dos dois precisava de plateia, fiquei esquecida de lado.

Era um pouco como a Suíça na Segunda Guerra Mundial. Balas explodiam à minha volta, almas eram torturadas, e eu estava impotente no confinamento da neutralidade imposta — as esperanças estavam morrendo. O confronto, que trouxe alívio, aconteceu em uma noite comum, sem aviso. Passava das onze da noite, e deixei minha porta entreaberta, esperando ouvir mamãe sair ou o gemido da escada quando Bailey subisse.

O toca-discos no primeiro andar soou Lonnie Johnson cantando "Tomorrow night, will you remember what you said tonight?". Copos tilintaram e vozes roçaram umas nas outras. Havia uma festa acontecendo no andar de baixo, e Bailey desafiou o horário das onze, imposto por mamãe como hora de voltar para casa. Se ele chegasse até meia-noite, ela talvez ficasse satisfeita com uns tapas na sua cara, junto com palavras duras. A meia-noite chegou e foi embora rapidamente, e fiquei sentada na cama e espalhei as cartas para o primeiro de muitos jogos de paciência.

"Bailey!"

Os ponteiros do meu relógio formavam o V torto da uma da manhã.

"Sim, Mamãe Querida?" *En garde*. Sua voz soou doce e amarga, e ele enfatizou o "querida".

"Acho que você é um homem... Abaixem esse toca-discos." Ela gritou essa última parte para os convidados.

"Eu sou seu filho, Mamãe Querida." Um ataque veloz.

"São onze horas, Bailey?" Isso foi finta, elaborada para pegar o oponente desprevenido.

"Passa da uma, Mamãe Querida." Ele abriu o jogo, e os golpes a partir daí teriam que ser diretos.

"Clidell é o único homem desta casa, e se você se acha tão homem assim..." Sua voz estalou como uma navalha sendo aberta.

"Estou indo embora, Mamãe Querida." O tom deferente ampliou o conteúdo do aviso. Em um golpe sem sangue, ele a acertou embaixo da viseira.

Agora, em aberto, ela não tinha recurso além de mergulhar no túnel de raiva, de cabeça.

"Então, maldição, bote esses sapatos para trabalhar." E os sapatos dela trabalharam pelo corredor de linóleo enquanto Bailey sapateava escada acima até o quarto.

Quando a chuva finalmente chega, levando embora um céu baixo de um ocre lamacento, nós, que não podemos controlar o fenômeno, ficamos tomados de alívio. O sentimento quase oculto: o fato de ser testemunha do fim do mundo dá espaço a coisas tangíveis. Mesmo que as sensações seguintes não sejam comuns, elas ao menos não são misteriosas.

Bailey estava saindo de casa. À uma da madrugada, meu irmãozinho, que nos meus dias solitários de inferno me protegeu de goblins, gnomos, gremlins e demônios, estava saindo de casa.

Sempre soube o resultado inevitável e que eu não ousaria cutucar seu fardo de infelicidade, nem oferecendo ajuda para carregá-lo.

Entrei no seu quarto, mesmo sabendo que não devia, e o encontrei jogando as roupas bem cuidadas em uma fronha. Sua maturidade me constrangeu. No rostinho, franzido como um punho, não encontrei vestígios do meu irmão, e quando, sem saber o que dizer, perguntei se podia ajudar, ele respondeu: "Me deixa sozinho, merda".

Eu me encostei ao batente da porta, emprestando a ele minha presença física, mas sem dizer mais nada.

"Ela quer que eu saia, é? Bom, vou sair tão rápido que vou deixar o ar pegando fogo. Ela diz que é mãe? Rá! Que se dane. Ela está me vendo pela última vez. Eu sobrevivo. Sempre vou sobreviver."

Em determinado ponto, ele reparou em mim ainda na porta, e sua consciência conseguiu se lembrar do nosso relacionamento.

"Maya, se você quiser ir embora agora, venha comigo. Vou cuidar de você."

Ele não esperou resposta, mas voltou rapidamente a conversar com a própria alma. "Ela não vai sentir a minha falta, e claro que eu não vou sentir a falta dela. Ela que vá para o inferno, junto com todo mundo."

Ele tinha terminado de colocar os sapatos em cima das camisas e gravatas, e as meias foram enfiadas dentro da fronha. Ele se lembrou de mim de novo.

"Maya, pode ficar com meus livros."

Minhas lágrimas não foram por Bailey, nem por mamãe, nem por mim mesma, mas pelo desamparo dos mortais que vivem com o sofrimento da Vida. Para evitar esse amargo fim, nós teríamos todos que nascer de novo, e renascer conhecendo as alternativas. Mesmo então?

Bailey pegou o travesseiro estufado e passou por mim, indo para a escada. Quando a porta da frente bateu, o disco tocando embaixo dominou a casa, e Nat King Cole avisou ao mundo para "se empertigar e voar". Como se pudessem, como se seres humanos tivessem escolha.

Os olhos de mamãe estavam vermelhos e seu rosto estava inchado na manhã seguinte, mas ela abriu o sorriso de "tudo é tudo" e se virou, distraída, fez café, falou sobre trivialidades e iluminou o canto onde estava. Ninguém mencionou a ausência de Bailey, como se as coisas estivessem como deveriam estar e sempre tivessem sido.

A casa estava sufocada com pensamentos mudos, e era necessário ir para o meu quarto para respirar. Eu achava que sabia para onde ele estava indo na noite anterior, e decidi sair procurá-lo e oferecer meu apoio. À tarde, fui até uma casa com janelões que anunciava QUARTOS com letras verdes e laranjas pelo vidro. Uma mulher de alguma idade depois de trinta atendeu a campainha e disse que Bailey Johnson estava no alto da escada.

Os olhos estavam tão vermelhos quanto os de mamãe pela manhã, mas o rosto tinha perdido um pouco da tensão da noite anterior. De um jeito quase formal, fui convidada para entrar em um quarto com uma cama limpa coberta de chenile, uma poltrona, uma lareira a gás e uma mesa.

Ele começou a falar, disfarçando a situação incomum na qual nos encontrávamos. "Quarto legal, não é? Sabe, é muito difícil encontrar quartos agora. A guerra e tudo... Betty mora aqui [era a prostituta branca] e conseguiu este quarto para mim... Maya, você sabe, é melhor assim... Sou um homem e tenho que ficar sozinho..."

Fiquei furiosa de ele não xingar e não reclamar das Moiras ou de mamãe, ou de pelo menos não parecer zangado.

"Bom", comecei dizer, "se mamãe fosse realmente mãe, ela não teria..."

Ele me fez parar, a mão pequena e preta erguida como se fosse para eu ler a palma. "Espere, Maya, ela estava certa. Chega uma hora na vida de todo homem..."

"Bailey, você tem dezesseis anos."

"Cronologicamente sim, mas não tenho mais dezesseis há anos. De qualquer modo, chega uma hora em que um homem precisa cortar o cordão umbilical e enfrentar a vida sozinho... Como eu estava dizendo para a Mamãe Querida, eu cheguei a..."

"Quando você falou com a mamãe...?"

"Hoje de manhã, eu disse para a Mamãe Querida..."

"Você ligou para ela?"

"Liguei. E ela veio aqui. Tivemos uma discussão muito enriquecedora", ele escolheu as palavras com a precisão de um professor de escola dominical. "Ela entende perfeitamente. Chega uma hora na vida de todo homem em que ele precisa se afastar do píer de segurança e ir para o mar da sorte... De qualquer modo, ela está vendo com um amigo em Oakland para me botar na Southern Pacific. Maya, é só um começo. Vou começar como garçom de vagão-restaurante e depois vou ser despenseiro, e quando souber tudo que houver para saber sobre isso, eu vou... o futuro parece bom. O homem Negro nem começou ainda a enfrentar as frontes de batalha. Vou apostar tudo."

O quarto tinha cheiro de gordura cozida, Lysol e velhice, mas o rosto acreditava no frescor das palavras, e eu não tive coragem nem jeito para trazê-lo de volta à fedorenta realidade da nossa vida e da nossa época.

Prostitutas estavam se deitando primeiro e se levantando por último no quarto ao lado. Refeições de frango e jogos de azar estavam presentes vinte e quatro horas por dia no andar de baixo. Marinheiros e soldados na fatídica estrada para a guerra quebravam janelas e trancas nos quarteirões ao redor, querendo deixar sua marca em um prédio ou na memória de uma vítima. Uma chance de agir. Bailey estava firme em sua decisão, anestesiado pela juventude. Se eu tivesse alguma sugestão a dar, não teria conseguido penetrar na armadura azarada. E o mais lamentável: eu não tinha sugestão nenhuma a dar.

"Sou sua irmã e farei o que puder."

"Maya, não se preocupe comigo. É tudo que quero que você faça. Não se preocupe, vou ficar bem."

Fui embora do quarto porque e só porque nós tínhamos dito tudo que podia ser dito. As palavras não ditas empurravam os pensamentos que não tínhamos como verbalizar e lotavam o aposento ao ponto do desconforto.

34

Mais tarde, meu quarto tinha toda a alegria de um calabouço e toda a atração de uma tumba. Seria impossível ficar lá, mas sair também não oferecia atração nenhuma para mim. Fugir de casa seria anticlimático depois do México, e uma história boba depois do meu mês no ferro-velho. Mas a necessidade de mudar abriu um caminho no centro da minha mente.

Eu precisava. A resposta veio tão repentina quanto uma colisão. Eu iria trabalhar. Não seria difícil de convencer Mamãe; afinal, na escola eu estava um ano à frente da minha série, e mamãe era seguidora rigorosa da autossuficiência. Na verdade, ela ficaria satisfeita de pensar que eu tinha tanto bom senso, tanto dela na minha personalidade. (Ela gostava de falar sobre ela mesma como a origem do "faça você mesmo".)

Quando decidi arrumar um emprego, só o que restava era decidir para que tipo de trabalho eu era mais adequada. Meu orgulho intelectual me impediu de escolher datilografia, taquigrafia e arquivamento como matérias na escola, então qualquer trabalho de escritório estava descartado. Fábricas de artigos de guerra e pátios ferroviários exigiam certidão de nascimento, e a minha revelaria que eu tinha quinze anos, não habilitada para trabalhar. Os empregos bem-pagos nas forças armadas também estavam de fora. As mulheres substituíram os homens nos bondes como trocadoras e condutoras, e a ideia de subir e descer as colinas de São Francisco com um uniforme azul-marinho, com a pequena maleta de troco na cintura, chamou minha atenção.

Mamãe foi fácil, como eu tinha previsto. O mundo estava se movendo muito rápido, tanto dinheiro estava sendo gerado, tantas pessoas estavam morrendo em Guam, e na Alemanha, que hordas de estranhos estavam virando bons amigos da noite para o dia. A vida valia pouco e a morte era de graça. Como ela podia ter tempo de pensar na minha carreira acadêmica?

À pergunta dela sobre o que eu pretendia fazer, respondi que conseguiria um emprego nos bondes. Ela rejeitou a proposta com: "Não aceitam pessoas de cor nos bondes".

Eu gostaria de alegar uma fúria imediata, seguida da nobre determinação de quebrar essa tradição de restrição. Mas a verdade é que minha primeira reação foi de decepção. Tinha me imaginado vestida com um terninho de sarja azul arrumadinho, a maletinha de troco pendurada na cintura, um sorriso alegre para os passageiros, o que tornaria seu dia de trabalho melhor.

Da decepção, subi gradualmente a escada emocional para a indignação arrogante e, finalmente, até o estado de teimosia em que a mente fica presa na bocarra de um buldogue furioso.

Eu trabalharia nos bondes e usaria um terno azul de sarja. Mamãe me deu apoio com um de seus apartes concisos de sempre: "É o que você quer fazer? Então, nada supera uma tentativa, só o fracasso. Dê tudo de si. Já falei muitas vezes, 'Não consigo é como não ligo'. Nenhum dos dois vale nada".

Traduzindo, queria dizer que não havia nada que uma pessoa não pudesse fazer, e não devia haver nada para que um ser humano não ligasse. Foi o encorajamento mais positivo que eu podia desejar.

No escritório da Market Street Railway Company, a recepcionista ficou tão surpresa de me ver quanto eu por encontrar a área interna suja e a decoração escura. Por algum motivo, esperava superfícies reluzentes e piso acarpetado. Se não tivesse encontrado nenhuma resistência, talvez tivesse decidido não trabalhar para uma empresa de aparência tão ruim. No fim das contas, expliquei que tinha ido por causa de um emprego. Ela perguntou se fui enviada por uma agência, e quando respondi que não, ela me disse que só aceitavam candidatos de agências.

As páginas dos classificados dos jornais matinais tinham anúncios para trocadoras e condutoras, e eu a lembrei disso. Ela me olhou com uma expressão de pura surpresa que minha natureza desconfiada não quis aceitar.

"Estou me candidatando para o emprego que aparece no *Chronicle* de hoje de manhã e gostaria de ser apresentada para seu gerente de pessoal."

Enquanto eu falava com um sotaque altivo e olhava ao redor como se possuísse um poço de petróleo no quintal, minhas axilas estavam sendo perfuradas por milhões de agulhas com pontas quentes. Ela enxergou uma rota de fuga e mergulhou de cabeça.

"Ele saiu. Vai passar o dia fora. Você pode voltar amanhã, e, se ele estiver, tenho certeza de que você vai poder vê-lo." Ela virou a cadeira nos parafusos enferrujados, e com isso era para eu ser dispensada.

"Posso perguntar o nome dele?"

Ela virou parcialmente, agindo como se estivesse surpresa de ainda me ver ali.

"Nome dele? De quem?"

"Do seu gerente de pessoal."

Nós estávamos firmemente unidas na hipocrisia de desenvolver a cena.

"O gerente de pessoal? Ah, é o sr. Cooper, mas não sei se você vai encontrá-lo aqui amanhã. Ele... Ah, mas você pode tentar."

"Obrigada."

"De nada."

Saí da sala úmida e fui para o saguão ainda mais úmido. Na rua, vi a recepcionista e a mim percorrendo fielmente passos carregados de familiaridade, apesar de eu nunca ter estado naquele tipo de situação antes, e provavelmente nem ela. Nós éramos como atrizes que, conhecendo a peça de cor, ainda conseguíamos chorar como se as tragédias antigas fossem novidade e rir com espontaneidade pelas situações cômicas.

O encontrinho infeliz não teve nada a ver comigo, eu de verdade, assim como não teve a ver com aquela funcionária idiota. O incidente foi um sonho recorrente, elaborado anos antes por brancos estúpidos, e voltava eternamente para nos assombrar.

A secretária e eu éramos como Hamlet e Laerte na cena final, onde, por causa do mal feito por um ancestral a outro, estávamos fadadas a duelar até a morte. Também porque a peça precisa acabar alguma hora.

Não só perdoei a funcionária, mas fui mais longe e a aceitei como colega vítima do mesmo titereiro.

No bonde, coloquei minha tarifa na caixa, e a trocadora olhou para mim com os olhos duros de sempre do desprezo branco. "Chegue para a frente, por favor, chegue para a frente." Ela bateu na bolsinha de moedas.

O sotaque nasal do sul destruiu minha meditação, e olhei no fundo dos meus pensamentos. Tudo mentira, mentiras confortáveis. A recepcionista não era inocente, nem eu. A cena toda que criamos naquela sala de espera suja tinha diretamente a ver comigo, Negra, e com ela, branca.

Eu não chegaria para a frente do bonde. Fiquei na entrada perto da trocadora, de cara feia. Minha mente gritava de forma tão energética que o anúncio fez minhas veias saltarem e minha boca se apertar como uma ameixa.

EU CONSEGUIRIA O EMPREGO. EU SERIA TROCADORA E FICARIA COM UMA BOLSINHA CHEIA DE MOEDAS PENDURADA NO CINTO. EU CONSEGUIRIA.

As três semanas seguintes foram uma colmeia de determinação com aberturas para os dias chegarem e acabarem. As organizações de Negros para as quais apelei em busca de apoio me jogaram de um lado para o outro como uma peteca em uma quadra de badminton. Por que eu insistia naquele emprego específico? Havia vagas abertas que pagavam quase o dobro. Os representantes menores com quem consegui uma audiência me acharam maluca. Era possível que eu estivesse mesmo.

O centro de São Francisco ficou estranho e frio, e as ruas que eu amava com uma familiaridade particular eram caminhos desconhecidos carregados de intenções maliciosas. Prédios antigos, cujas cinzentas fachadas rococó abrigavam minhas lembranças dos Forty--Niners, de Diamond Lil, de Robert Service, de Sutter e Jack London eram agora estruturas imponentes unidas de forma sinistra para me manter longe. Minhas idas ao escritório dos bondes eram da frequência de uma pessoa ganhando salário. A luta cresceu. Eu não estava mais só em conflito com a Market Street Railway, mas com o saguão de mármore do prédio que abrigava seus escritórios, com os elevadores e seus ascensoristas.

Durante esse período de luta, mamãe e eu demos nossos primeiros passos do longo caminho em direção à admiração mútua. Ela nunca pediu relatos, e não ofereci detalhes. Mas todas as manhãs ela preparava o café e me dava o dinheiro da passagem e do almoço, como se eu estivesse indo trabalhar. Ela entendia a perversidade da vida, de que na luta há alegria. Que eu não buscava glória estava óbvio para ela, e que eu tinha que exaurir todas as possibilidades antes de desistir também estava claro.

Saindo de casa uma manhã, ela disse: "A vida vai lhe dar exatamente o que você dá a ela. Faça tudo de coração e reze, depois é só esperar". Em outra ocasião, ela me lembrou que "Deus ajuda quem luta por si mesmo". Tinha um arquivo de aforismos que distribuía conforme a ocasião pedia. Estranhamente, por mais entediada que eu estivesse com clichês, sua inflexão dava um novo tom a tudo e me fazia refletir ao menos por um tempo. Mais tarde, quando me perguntaram como consegui meu emprego, nunca consegui dizer exatamente. Só sabia que um dia, que foi exaustivamente como todos os anteriores, eu estava sentada no escritório da Railway, esperando ostensivamente para ser entrevistada. A recepcionista me chamou até a mesa e empurrou uma pilha de papéis para mim. Eram formulários de candidatura a emprego. Ela disse que tinham que ser preenchidos em três vias. Tive um pouco de tempo para pensar se eu tinha vencido ou não, pois as perguntas padrão me lembraram da necessidade de mentir com destreza. Quantos anos eu tinha? Listar meus empregos anteriores, a começar pelo mais recente, voltando até o primeiro. Quanto eu ganhava e por que abandonei o emprego? Dê duas referências (não familiares).

Sentada a uma mesa lateral, minha mente e eu tecemos uma escada irregular de quase verdades e totais mentiras. Mantive o rosto impassível (uma antiga arte) e escrevi rapidamente a fábula de Marguerite Johnson, dezenove anos, antiga companheira e motorista da sra. Annie Henderson (uma Dama Branca) em Stamps, Arkansas.

Tive que fazer exame de sangue, exame de aptidão, exame de coordenação motora e teste de Rorschach, e, em um dia feliz, fui contratada como a primeira Negra nos bondes de São Francisco.

Mamãe me deu o dinheiro para mandar fazer meu terninho azul de sarja, e aprendi a preencher cartões de trabalho, a operar a maletinha de troco e a marcar transferências. O tempo passou rápido, e em um fim de dia eu estava na parte de trás do bonde sacolejante, sorrindo docemente e persuadindo as pessoas a "chegarem para a frente do carro, por favor".

Durante um semestre inteiro, os bondes e eu subimos e descemos pelas colinas de São Francisco. Perdi um pouco da minha necessidade da blindagem isolante de gueto Negro enquanto percorria e abria caminho pela rua Market, com os abrigos improvisados para marinheiros sem-teto, pelo recanto silencioso do Golden Gate Park e por moradias fechadas com aparência de abandonadas no Sunset District.

Meus turnos de trabalho eram divididos de forma tão desconexa que era fácil acreditar que meus superiores os haviam escolhido de propósito. Ao mencionar minha desconfiança para mamãe, ela disse: "Não se preocupe com isso. Você pede o que quer e paga pelo que recebe. E vou lhe mostrar que não é problema quando você é precavida".

Ela ficava acordada para me levar de carro até a garagem às quatro e meia da madrugada, ou para me buscar quando meu turno terminava antes do amanhecer. Sua percepção dos perigos da vida a convenceu de que, embora eu fosse estar em segurança no transporte público, ela "não ia confiar seu bebê a um taxista".

Quando as aulas começaram na primavera, retomei meu compromisso com a educação formal. Estava tão mais sábia e tão mais velha, tão mais independente, com conta bancária e roupas que eu mesma tinha comprado, que tinha certeza de que tinha aprendido e conquistado a fórmula mágica que me tornaria parte da vida alegre que meus contemporâneos tinham.

Mas nem de perto. Em semanas, percebi que meus colegas de escola e eu estávamos seguindo por caminhos diametralmente opostos. Eles estavam preocupados e empolgados com os próximos jogos de futebol americano, enquanto em meu passado recente eu tinha guiado um carro por uma montanha mexicana escura e estranha. Eles concentravam grande interesse em quem era digno de ser presidente do corpo estudantil, e em quando os aros de metal seriam removidos dos dentes, enquanto eu me lembrava de ter dormido por um mês em um automóvel velho e de ter trabalhado em um bonde nos horários irregulares da madrugada.

Sem querer, fui de ignorar ser ignorante a estar ciente de estar ciente. E a pior parte da minha percepção foi não saber que estava ciente. Eu sabia que sabia muito pouco, mas tinha certeza de que as coisas que ainda aprenderia não seriam ensinadas na George Washington High School.

Comecei a matar aula para caminhar no Golden Gate Park ou passear junto à bancada reluzente da loja de departamentos Emporium. Quando mamãe descobriu que eu estava matando aula, me disse que, se eu não quisesse ir para a escola um dia, se não houvesse nenhuma prova e se meu trabalho escolar estivesse bom, eu só precisava falar com ela e podia ficar em casa. Ela disse que não queria que uma mulher branca qualquer ligasse para contar alguma coisa sobre sua filha que ela já não soubesse. E não queria ser colocada na posição de mentir para uma mulher branca porque eu não era mulher o bastante para falar a verdade. Depois disso, não matei mais aula, mas nada parecia aliviar o longo dia sombrio que a escola tinha virado.

Ficar sozinha na corda bamba do desconhecimento da juventude é vivenciar a beleza excruciante da liberdade total e a ameaça de eterna indecisão. Poucos — se é que alguém — sobrevivem à adolescência. A maioria se rende à pressão vaga e assassina da conformidade adulta. Fica mais fácil morrer e evitar conflitos do que travar uma batalha constante com as forças superiores da maturidade.

Até recentemente, cada geração achava mais conveniente alegar culpa da acusação de ser jovem e ignorante, mais fácil aceitar a punição imposta pela geração mais velha (que tinha confessado o mesmo crime poucos anos antes). A ordem para crescer imediatamente era mais suportável do que o horror sem face do propósito oscilante que era a juventude.

As horas alegres em que os jovens se rebelavam contra o sol poente tinham que abrir caminho para períodos de vinte e quatro horas chamados "dias", que tinham nome e número.

A mulher Negra é agredida nos anos jovens por todas essas forças comuns da natureza ao mesmo tempo em que fica presa no fogo cruzado triplo do preconceito masculino, do ódio branco ilógico e da falta de poder Negro.

O fato de que a mulher Negra americana adulta surge como um personagem formidável costuma ser visto com surpresa, aversão e até beligerância. Raramente é aceito como resultado inevitável da luta vencida por sobreviventes que merece respeito, se não aceitação entusiasmada.

35

O poço da solidão foi minha introdução ao lesbianismo e ao que eu achava que era pornografia. Durante meses, o livro foi um prazer e uma ameaça. Permitiu que eu visse um pouco do mundo misterioso da perversão. Estimulou minha libido, e eu disse para mim mesma que era educativo porque me informava das dificuldades no mundo secreto da perversão. Eu tinha certeza de que não conhecia nenhum pervertido. Claro que deixei de fora as bichas alegres que às vezes ficavam na nossa casa e preparavam lautos jantares de oito pratos enquanto o suor abria caminho nos rostos maquiados. Como todo mundo as aceitava, e mais particularmente como elas se aceitavam, eu sabia que suas risadas eram reais e que suas vidas eram comédias alegres, interrompidas só por trocas de trajes e retoque de maquiagem.

Mas verdadeiras aberrações, as "amantes de mulheres", capturaram e ao mesmo tempo abalaram minha imaginação. Elas foram, de acordo com o livro, deserdadas pelas famílias, ignoradas pelos amigos e banidas de todas as sociedades. Essa amarga punição foi executada contra elas por causa de uma condição física sobre a qual elas não tinham nenhum controle.

Depois da minha terceira leitura de O *poço da solidão*, me tornei uma ferrenha defensora das lésbicas oprimidas e incompreendidas. Achava que "lésbica" era sinônimo de hermafrodita, e quando não estava sofrendo ativamente pelo seu estado lamentável, ficava imaginando como conseguiam executar funções físicas simples. Elas podiam escolher quais órgãos usar e, se sim, revezavam ou tinham um favorito? Ou tentava imaginar como duas hermafroditas faziam amor, e quanto mais eu ponderava, mais confusa ficava. Parecia que ter dois de tudo que as outras pessoas tinham, e quatro quando as pessoas comuns só tinham dois, só complicaria as questões ao ponto de fazer desistir da ideia de fazer amor.

Foi durante esse tempo de reflexão que reparei como minha própria voz tinha ficado grave. Soava em dois ou três tons mais baixa do que das minhas colegas. Minhas mãos e pés também estavam longe de serem femininos e graciosos. Na frente do espelho, eu examinava meu corpo com distanciamento. Para uma garota de dezesseis anos, meus seios eram lamentavelmente pouco desenvolvidos. Só podiam ser chamados de inchaço na pele, mesmo pelo crítico mais gentil. A linha da minha caixa torácica até os joelhos era reta, sem nem uma curvinha para perturbar a direção. Garotas mais novas do que eu se gabavam de terem que raspar embaixo do braço, mas minhas axilas eram lisas, como meu rosto. Também havia um crescimento misterioso se desenvolvendo no meu corpo que desafiava explicações. Parecia totalmente inútil.

E então, uma pergunta começou a viver embaixo do meu cobertor: como o lesbianismo começava? Quais eram os sintomas? A biblioteca pública dava informação sobre a lésbica pronta — de forma lamentavelmente superficial —, mas sobre o crescimento de uma lésbica não havia nada. Descobri que a diferença entre hermafroditas e lésbicas era que os hermafroditas "nasciam assim". Era impossível determinar se as lésbicas se desenvolviam gradualmente ou explodiam em existência de forma tão repentina que as consternava tanto quanto repelia a sociedade.

Devorei os livros insatisfatórios e revirei minha própria mente desinformada sem encontrar um pingo de paz e compreensão. Enquanto isso, minha voz se recusava a permanecer nos registros mais altos, que eu tentava conscientemente, e eu precisava comprar sapatos na seção de "confortáveis para senhoras idosas" nas sapatarias.

Fiz perguntas para mamãe.

Papai Clidell estava no clube uma noite, então me sentei na lateral da cama de mamãe. Como sempre, ela acordou completamente, na mesma hora. (Vivian Baxter nunca boceja nem se espreguiça. Ela está acordada ou está dormindo.)

"Mamãe, preciso falar com você..." Eu morreria de ter que fazer perguntas para ela, pois ao perguntar não era possível que a desconfiança fosse virar minha normalidade? Eu a conhecia bem o bastante para saber que, se eu cometesse quase qualquer crime e contasse a verdade, ela não só não me deserdaria como me daria proteção. Mas e se eu estivesse me desenvolvendo como lésbica, como ela reagiria? E também havia Bailey com quem me preocupar.

"Pode perguntar, e me passe um cigarro." A calma dela não me enganou nem por um minuto. Ela dizia que seu segredo para a vida era que ela "esperava o melhor, se preparava para o pior, e qualquer coisa entre essas duas opções não era surpresa". Isso era bom para a maioria das coisas, mas se sua única filha estivesse se transformando em...

Ela chegou para o lado e deu um tapinha na cama. "Venha, amor, se deite na cama. Você vai congelar antes de fazer sua pergunta."

Era melhor ficar onde eu estava por enquanto.

"Mamãe... Minha perereca..."

"Ritie, você quer dizer vagina? Não use esses termos. Não tem nada de errado com a palavra 'vagina'. É uma descrição clínica. O que tem de errado com ela?"

A fumaça se reuniu embaixo do abajur e saiu flutuando para se libertar pelo quarto. Eu estava mortalmente arrependida de ter começado a fazer a pergunta.

"E então?... E então? Você pegou chato?"

Como eu não sabia o que era isso, fiquei intrigada. Achei que podia ter e que não pegaria bem para mim dizer que não. Por outro lado, eu podia não ter, e se eu mentisse e dissesse que sim?

"Não sei, mãe."

"Você coça? Sua vagina coça?" Ela se apoiou em um cotovelo e apontou com o cigarro.

"Não, mãe."

"Então você não pegou chato. Se tivesse pegado, não teria dúvida."

Não fiquei triste nem feliz de não ter, mas pensei que precisava me lembrar de procurar "chato" na biblioteca na minha próxima visita.

Ela olhou para mim com atenção, e só uma pessoa que conhecia bem seu rosto poderia ter percebido os músculos relaxando e ter interpretado isso como indicação de preocupação.

"Você não pegou doença venérea, pegou?"

A pergunta não foi feita com seriedade, mas, conhecendo mamãe, fiquei chocada com a ideia. "Ora, mãe, claro que não. Que pergunta horrível." Eu estava pronta para voltar para o quarto e lutar sozinha com minhas preocupações.

"Sente-se, Ritie. Me passe outro cigarro." Por um segundo, pareceu que ela estava pensando em rir. Seria a gota d'água. Se ela risse, eu nunca mais contaria nada para ela. Sua gargalhada tornaria mais fácil aceitar meu isolamento social e minha bizarrice humana. Mas ela não estava nem sorrindo. Só inalando lentamente a fumaça e a prendendo nas bochechas inchadas antes de soprá-la.

"Mãe, tem uma coisa crescendo na minha vagina."

Pronto, falei. Logo saberia se me tornaria sua ex-filha ou se ela me levaria a um hospital para ser operada.

"Onde na sua vagina, Marguerite?"

Ops. A coisa estava feia. Não "Ritie" e nem "Maya" e nem "querida". Era "Marguerite".

"Dos dois lados. Dentro." Eu não conseguia acrescentar que eram abas moles de pele que estavam crescendo havia meses lá embaixo. Ela teria que arrancar isso de mim.

"Ritie, vá buscar aquele *Webster's* grandão e uma garrafa de cerveja."

De repente, não estava mais tão sério. Eu era "Ritie" de novo, e ela pediu uma cerveja. Se fosse tão ruim quanto eu esperava, ela teria pedido uísque e água. Peguei o dicionário enorme que ela havia comprado como presente de aniversário para papai Clidell e o coloquei na cama. O peso empurrou o colchão para baixo, e mamãe virou o abajur para apontar para o livro.

Quando voltei da cozinha e servi a cerveja, como ela tinha ensinado para mim e para Bailey que devia ser feito, ela deu um tapinha na cama.

"Sente aqui, querida. Leia isso." Seus dedos guiaram meus olhos até VULVA. Comecei a ler. Ela disse: "Leia em voz alta".

Tudo estava muito claro e parecia normal. Ela bebeu cerveja enquanto eu lia, e quando terminei, ela explicou em termos comuns. Meu alívio derreteu os medos, que escorreram pelo meu rosto.

Mamãe se levantou e passou os braços em volta de mim.

"Não há com que se preocupar, querida. Acontece com todas as mulheres. É a natureza humana."

Naquele momento, não havia mais problema em aliviar o peso do meu coração. Chorei sobre o meu braço. "Achei que talvez estivesse virando lésbica."

Ela parou de dar tapinhas no meu ombro e se afastou de mim.

"Lésbica? De onde você tirou essa ideia?"

"Tem essas coisas crescendo na minha... vagina, e minha voz é grave e meus pés são grandes, e não tenho quadris nem seios nem nada. E minhas pernas são tão magrelas."

Nessa hora, ela riu. Soube na mesma hora que ela não estava rindo de mim. Ou que estava rindo de mim, mas que era alguma coisa em mim que a agradava. A gargalhada ficou um pouco engasgada na fumaça, mas finalmente saiu com clareza. Tive que dar uma pequena gargalhada também, apesar de não estar achando graça. Mas é horrível ver alguém se divertindo com alguma coisa e não demonstrar compreensão.

Quando terminou de rir, ela foi parando aos poucos e se virou para mim, secando os olhos.

"Planejei muito tempo atrás ter um menino e uma menina. Bailey é meu menino e você é minha menina. O Homem lá de cima, Ele não comete erros. Ele me deu você para ser minha menina, e é isso que você é. Agora vá lavar o rosto, tome um copo de leite e volte para a cama."

Fiz o que ela mandou, mas logo descobri que minha nova garantia não era suficiente para preencher o espaço deixado pela minha antiga inquietação.

Ficou vibrando na minha mente como uma moeda em uma lata. Eu a guardei com carinho, mas menos de duas semanas depois se tornou totalmente inútil.

Uma colega minha, cuja mãe alugava quartos para ela e para a filha em uma residência de garotas, ficou fora até depois da hora em que a porta era trancada. Ela me ligou para perguntar se podia dormir na minha casa. Mamãe deu permissão, desde que a amiga telefonasse para a mãe da nossa casa.

Quando ela chegou, saí da cama e fui até a cozinha de cima para preparar um chocolate quente. No meu quarto, trocamos fofocas cruéis sobre amigas, rimos por causa de garotos e reclamamos da escola e do tédio da vida.

A situação incomum de uma pessoa ir dormir na minha cama (eu nunca tinha dormido com ninguém exceto com minhas avós) e as gargalhadas frívolas no meio da noite me fizeram esquecer as cortesias simples. Minha amiga teve que me lembrar de que não tinha roupas de dormir. Dei uma das minhas camisolas para ela, e, sem curiosidade nem interesse, eu a vi tirar a roupa. Em nenhum dos estágios iniciais de remoção de roupas fiquei consciente do corpo dela. Mas, de repente, pelo momento mais breve do mundo, vi seus seios. Fiquei perplexa.

Tinham o formato de enchimentos de sutiã marrom-claros da loja de dez centavos, mas eram reais. Fizeram todos os quadros de nudez que vi em museus ganharem vida. Em uma palavra, eram lindos. Um universo separava o que ela possuía do que eu tinha. Ela era uma mulher.

Minha camisola ficou justa nela e comprida demais, e, quando ela quis rir da imagem ridícula, achei que o humor tinha me abandonado sem promessa de voltar.

Se eu fosse mais velha, talvez tivesse achado que eu havia ficado abalada por um senso estético de beleza e pela pura emoção da inveja. Mas essas possibilidades não me ocorreram quando precisei delas. Só soube que havia ficado abalada de olhar para os seios de uma mulher. Assim, todas as palavras calmas e casuais da explicação de mamãe algumas semanas antes e os termos clínicos de Noah Webster não alteraram o fato de que, de uma forma fundamental, havia algo de esquisito em mim.

Mergulhei mais fundo no meu casulo de infelicidade. Depois de um autoexame detalhado, à luz de tudo que eu tinha lido e ouvido falar sobre sapatões e mulheres-macho, argumentei que não tinha nenhuma das características óbvias — eu não usava calça, nem tinha ombros largos ou preferência por esportes, não andava como homem e nem queria tocar em uma mulher. Eu queria ser mulher, mas isso me parecia estar em um mundo no qual minha entrada seria eternamente recusada.

Precisava de um namorado. Um namorado esclareceria minha posição para o mundo e, ainda mais importante, para mim. A aceitação de um namorado me guiaria para o mundo estranho e exótico dos babados e da feminilidade.

Dentre meus conhecidos, não havia ninguém. Compreensivelmente, os meninos da minha idade e grupo social estavam cativados pelas garotas de pele amarelada ou marrom-clara, com pelos nas pernas e lábios finos e macios, cujo cabelo "cascateava como crina de cavalo". E mesmo essas garotas tão desejadas eram impelidas a "entregar o ouro ou dizer onde está".

Eram lembradas em uma canção popular da época: "Se você não consegue sorrir e dizer sim, não chore e diga não". Se as bonitas sofriam a expectativa de fazer o sacrifício supremo para "pertencerem", o que a mulher não atraente podia fazer? Ela, que vinha pela periferia da mudança na vida sem nunca mudar, tinha que estar preparada para ser "uma boa amiga" de dia e talvez à noite. Só lhe era requisitado ser generosa se as garotas bonitas não estivessem disponíveis.

Acredito que a maioria das garotas comuns é virtuosa por causa da escassez de oportunidades para serem diferentes. Elas se protegem em uma aura de indisponibilidade (pela qual depois de um tempo começam a ganhar crédito) mais como defesa do que como tática.

No meu caso específico, eu não podia me esconder por trás da cortina da bondade voluntária. Estava sendo esmagada por duas forças inexoráveis: a desconfiança inquietante de que eu podia não ser uma mulher normal e meu recém-despertado apetite sexual.

Decidi resolver o problema com as próprias mãos. (Uma frase infeliz, mas muito adequada.)

Subindo a colina da nossa casa e do mesmo lado da rua moravam dois irmãos bonitos. Eles eram facilmente os jovens mais interessantes do bairro. Se eu ia me aventurar no sexo, não via motivo para não fazer meu experimento com o melhor de todos.

Eu não esperava capturar nenhum dos irmãos de forma permanente, mas achava que, se conseguisse atrair um temporariamente, talvez conseguisse levar o relacionamento a uma coisa mais duradoura.

Tracei um plano de sedução tendo a surpresa como meu truque inicial. Uma noite, enquanto subia a colina sofrendo do vago mal-estar da juventude (não havia nada a fazer), o irmão que escolhi veio andando direto para minha armadilha.

"Oi, Marguerite." Ele quase passou direto.

Coloquei o plano em ação. "Ei." Mergulhei de cabeça. "Você gostaria de fazer sexo comigo?" As coisas estavam indo de acordo com o planejamento.

A boca do rapaz se abriu como um portão de jardim. Eu tinha vantagem e fiz pressão.

"Me leve para algum lugar."

Sua resposta careceu de dignidade, mas, sendo justa, admito que deixei pouco espaço para ele ser elegante.

Ele perguntou: "Você quer dizer que vai dar pra mim?".

Garanti a ele que era exatamente isso que eu faria.

Enquanto a cena se desenrolava, percebi o desequilíbrio de valores. Ele achava que eu lhe daria alguma coisa, mas na verdade era eu quem pretendia tirar uma coisa dele. Sua aparência e popularidade o tornaram tão excessivamente convencido que o cegavam para essa possibilidade.

Nós fomos para um quarto mobiliado ocupado por um dos seus amigos, que entendeu a situação na mesma hora, pegou o casaco e nos deixou sozinhos.

O seduzido apagou as luzes rapidamente. Eu preferia que tivessem ficado acesas, mas não queria parecer mais agressiva do que já tinha sido. Se é que isso era possível.

Eu estava mais empolgada do que nervosa, e esperançosa em vez de assustada. Não tinha considerado o quanto um ato de sedução poderia ser físico. Tinha imaginado longos beijos emocionantes de língua e carícias delicadas. Mas não havia romance no joelho que abriu minhas pernas, nem no toque de pele peluda no meu peito.

Desprovido de carinho compartilhado, o tempo foi passado arduamente com os dois tateando, puxando, empurrando e sacudindo.

Nenhuma palavra foi dita.

Meu parceiro mostrou que nossa experiência tinha chegado ao clímax se levantando abruptamente, e minha preocupação principal era como chegar em casa rápido. Ele podia sentir que tinha sido usado, ou seu desinteresse podia ser indicação de que eu não era satisfatória. Nenhuma das duas possibilidades me incomodava.

Na rua, nos despedimos apenas com um "Tudo bem, a gente se vê por aí".

Graças ao sr. Freeman, nove anos antes, eu não tive que aguentar dor na penetração, e por causa da ausência de envolvimento romântico, nenhum de nós achava que o que tinha acontecido era grande coisa.

Em casa, repassei o fracasso e tentei avaliar minha nova posição. Eu tive um homem. Tinha sido possuída. Além de não ter apreciado, minha normalidade ainda era um problema.

O que aconteceu com o sentimento de luar na pradaria? Havia alguma coisa tão errada comigo que eu não conseguia sentir uma sensação que fazia os poetas produzirem rima atrás de rima, que fez Richard Arlen desbravar o ermo Ártico e Veronica Lake trair o mundo livre todo?

Parece não haver explicação para minha enfermidade particular, mas como produto ("vítima" é uma palavra mais adequada?) da criação Negra sulista, decidi que "entenderia tudo melhor com o tempo". Fui dormir.

Três semanas mais tarde, depois de quase não pensar na noite estranha e estranhamente vazia, eu me descobri grávida.

36

O mundo tinha acabado, e eu era a única pessoa que sabia. As pessoas andavam pelas ruas como se o chão não tivesse desmoronado embaixo de seus pés. Elas fingiam inspirar e expirar o tempo todo, enquanto eu sabia que o ar tinha sido sugado por uma inalação monstruosa do Próprio Deus. Só eu estava sufocando no pesadelo.

O pequeno prazer que consegui tirar do fato de que, se podia ter um bebê, eu obviamente não era lésbica ficou espremido no menor canto da minha mente pela pressão gigantesca do medo, da culpa e da repulsa que sentia de mim mesma.

Ao que parece, durante milênios aceitei meu dilema como a vítima infeliz das Moiras, mas desta vez tive que encarar o fato de que eu mesma tinha gerado minha catástrofe. Como eu podia culpar o homem inocente que seduzi para que fizesse amor comigo? Para ser profundamente desonesta, uma pessoa precisa ter uma de duas qualidades: ou é inescrupulosamente ambiciosa ou é inabalavelmente egocêntrica. Precisa acreditar que, para seus objetivos serem alcançados, todas as coisas e pessoas podem ser deslocadas de forma justificada, ou que é o centro não só do mundo dela, mas do mundo que os outros habitam. Eu não tinha nenhum dos dois elementos na minha personalidade, então joguei o peso da gravidez aos dezesseis anos nos meus próprios ombros, onde era seu lugar. Admito que cambaleei.

Finalmente mandei uma carta para Bailey, que estava no mar com a marinha mercante. Ele respondeu e me avisou para não contar a situação para mamãe. Nós dois sabíamos que ela se opunha violentamente ao aborto, e era bem provável que me mandasse abandonar a escola. Bailey sugeriu que, se eu largasse a escola antes de tirar meu diploma do ensino médio, seria quase impossível voltar depois.

Os primeiros três meses, enquanto eu estava me adaptando ao fato da gravidez (só liguei de verdade a gravidez à possibilidade de eu ter um bebê semanas antes do meu confinamento), foram um período nebuloso, no qual os dias pareciam ficar abaixo do nível da água sem emergir completamente.

Felizmente, mamãe estava mais enrolada do que carretel com seus problemas. Ela reparava em mim, como sempre, no canto da existência. Desde que eu estivesse saudável, vestida e sorrindo, ela não via necessidade de concentrar a atenção em mim. Como sempre, sua maior preocupação era viver a vida dada a ela, e a expectativa era de que seus filhos fizessem o mesmo. E sem muito estardalhaço.

Sob o escrutínio falho eu fiquei maior, e minha pele marrom se alisou e os poros ficaram menores, como panquecas fritas em uma frigideira sem óleo. E ela não desconfiou. Alguns anos antes, eu tinha estabelecido um código que nunca variava. Eu não mentia. Era entendido que eu não mentia porque era orgulhosa demais para ser pega e obrigada a admitir que era capaz de menos do que um ato olimpiano. Mamãe deve ter concluído que, como eu estava acima da mentira, também estava acima de qualquer enganação. Ela estava enganada.

Todos os meus atos pretendiam fingir que eu era a estudante sincera que não tinha nada mais cansativo em que pensar do que as provas de meio de ano. Estranhamente, quase captei a essência do capricho adolescente desempenhando esse papel. Só que havia momentos em que, fisicamente, eu não conseguia negar para mim mesma que uma coisa muito importante estava acontecendo no meu corpo.

De manhã, eu nunca sabia se teria que pular do bonde um passo à frente do mar quente de náusea que ameaçava me afogar. Em terra firme, longe do veículo com balanço de navio e do cheiro de mãos cobertas de cafés da manhã recém-tomados, eu recuperava o equilíbrio e esperava o próximo carro.

A escola recuperou a magia perdida. Pela primeira vez desde Stamps, as informações eram empolgantes por si só. Eu me enfiei em cavernas de fatos e encontrei prazer nas resoluções lógicas da matemática.

Credito minhas novas reações (embora eu não soubesse na época que tinha aprendido alguma coisa com elas) ao fato de que, durante o que sem dúvida devia ter sido um período crítico, não fui arrastada para baixo pelo meu desespero.

A vida tinha a característica de esteira rolante. Seguia em frente sem ser perseguida e sem perseguir nada, e meu único pensamento era de permanecer ereta e guardar meu segredo enquanto mantinha o equilíbrio.

Na metade do caminho até o parto, Bailey voltou para casa e trouxe para mim uma pulseira de prata da América do Sul, *Look*

Homeward, Angel, de Thomas Wolfe, e uma série de novas piadas sujas.

Quando meu sexto mês se aproximou, mamãe viajou de São Francisco para o Alasca. Ela ia abrir uma casa noturna, e planejava ficar lá por três ou quatro meses, até o negócio deslanchar. Papai Clidell tinha que cuidar de mim, mas fiquei mais ou menos sozinha, sob o olhar irregular das nossas inquilinas.

Mamãe saiu da cidade depois de uma festa de despedida feliz e alegre (afinal, quantos Negros estavam no Alasca?), e me senti traiçoeira permitindo que ela fosse sem informar que ela logo seria avó.

Dois dias depois do Dia da Vitória, a turma da San Francisco Summer School e eu estávamos na Mission High School para receber o diploma. Naquela noite, no seio do agora querido lar da família, revelei meu temeroso segredo e, em um gesto corajoso, deixei um bilhete na cama de papai Clidell. Dizia: *Queridos pais, lamento trazer essa desgraça para a família, mas eu estou grávida. Marguerite.*

A confusão que veio em seguida quando expliquei para o meu padrasto que eu esperava ter o bebê em três semanas, mais ou menos, foi parecida com uma comédia de Molière. Pena que só tenha ficado engraçada anos depois. Papai Clidell contou para a mamãe que eu estava "de três semanas". Mamãe, me olhando como mulher pela primeira vez, disse "Ela está bem mais do que de três semanas". Os dois aceitaram o fato de que eu estava grávida de bem mais tempo do que foram informados, mas acharam quase impossível acreditar que eu tinha carregado um bebê por oito meses e uma semana sem eles terem a menor ideia.

Mamãe perguntou: "Quem é o garoto?".

Eu contei. Ela se lembrava dele, levemente.

"Você quer se casar com ele?"

"Não."

"Ele quer se casar com você?" O pai tinha parado de falar comigo durante meu quarto mês.

"Não."

"Bom, então está resolvido. Não adianta nada estragar três vidas." Não houve condenação aberta nem sutil. Ela era Vivian Baxter Jackson. Torcendo pelo melhor, preparada para o pior, sem ser surpreendida por qualquer opção no meio disso.

Papai Clidell me garantiu que eu não tinha com que me preocupar. Que "as mulheres ficavam grávidas desde que Eva comeu aquela maçã". Ele mandou uma das garçonetes até o I. Magnin's para comprar vestidos de maternidade para mim. Durante as duas semanas seguintes, rodei pela cidade indo a médicos, levando injeções de vitaminas e tomando comprimidos, comprando roupas para o bebê e, exceto pelos raros momentos sozinha, apreciando o evento abençoado iminente.

Depois de um trabalho de parto curto e sem muita dor (concluí que a dor do parto era superestimada), meu filho nasceu. Assim como a gratidão foi confundida na minha mente com amor, a posse se misturou com a maternidade. Eu tinha um bebê. Ele era lindo e meu. Totalmente meu. Ninguém o comprou para mim. Ninguém me ajudou a aguentar os meses de enjoo. Tive ajuda na concepção da criança, mas ninguém podia negar que eu tinha tido uma gravidez imaculada.

Totalmente meu, mas tive medo de tocar nele. Ao voltar para casa do hospital, fiquei sentada durante horas ao lado do berço, absorvendo a perfeição misteriosa. As extremidades eram tão fofas que pareciam inacabadas. Mamãe o pegava com facilidade, com a confiança casual de uma enfermeira, mas eu tinha medo de ser obrigada a trocar a fralda. Eu não era famosa por ser estabanada? E se eu o deixasse cair, ou colocasse os dedos na pulsação latejante no alto da sua cabeça?

Mamãe foi até minha cama uma noite, levando meu bebê de três semanas. Puxou a coberta e me mandou me levantar e segurá-lo enquanto ela botava um lençol de borracha na minha cama. Explicou que ele ia dormir comigo.

Implorei em vão. Com certeza eu rolaria e o sufocaria ou quebraria os ossinhos frágeis. Ela não quis saber, e em minutos o lindo bebê dourado estava deitado de costas no meio da minha cama, rindo para mim.

Fiquei deitada na beirada da cama, dura de medo, e prometi não dormir a noite toda. Mas a rotina de comer e dormir que tinha começado no hospital, e se manteve sob os comandos ditatoriais da mamãe, me venceu. Apaguei.

Meu ombro foi balançado delicadamente. Mamãe sussurrou: "Maya, acorde. Mas não se mexa."

Eu soube na mesma hora que ela ter me acordado tinha a ver com o bebê. Fiquei tensa. "Estou acordada."

Ela acendeu a luz e disse: "Olhe para o bebê". Meus medos foram tão intensos que não consegui me mexer para olhar para o meio da cama. Ela disse de novo: "Olhe para o bebê". Não ouvi tristeza na sua voz, e isso me ajudou a me livrar das garras do terror. O bebê não estava mais no meio da cama. Primeiro, achei que tinha se deslocado. Mas depois de uma investigação atenta, descobri que eu estava deitada de barriga para baixo com o braço dobrado em um ângulo reto. Debaixo da proteção do cobertor, que estava levantado pelo apoio do meu cotovelo e antebraço, o bebê dormia encostado na minha lateral.

Mamãe sussurrou: "Está vendo, você não precisa se preocupar em fazer a coisa certa. Se quer fazer a coisa certa, vai fazer sem nem pensar".

Ela apagou a luz. Toquei no corpo do meu filho de leve e voltei a dormir.

GRUPO DE LEITURA

Perguntas e tópicos para discussão

1. Maya Angelou começa a autobiografia com um momento de humilhação pública na igreja. Por que ela escolheu essa cena em particular? Os temas dessa cena reaparecem ao longo das memórias?

2. Para Marguerite, a mãe parece alternadamente encantadora, elusiva, não confiável e forte. Que episódios deste livro de memórias expressam sua personalidade? Você acha que ela era uma boa mãe?

3. A sra. Flowers "encorajou [Marguerite] a prestar atenção ao que as pessoas do interior chamavam de bom senso. Que naqueles ditos populares havia a sabedoria coletiva de gerações" (p. 124). Quais são algumas das máximas que Angelou se lembra de ouvir de Momma e da mãe? Alguma dessas máximas pareceu familiar? Existem exemplos de "bom senso" assim na sua própria infância, ou passados para as pessoas à sua volta?

4. Angelou descreve Marguerite como "supersticiosa" (p. 195). Quais são os exemplos da superstição de Marguerite?

5. Como Angelou descreve seu abuso sexual e depois seu estupro nas mãos do sr. Freeman? As emoções dela provocaram surpresa em você? Foi essa experiência terrível o momento de definição do livro ou da infância de Angelou? Por que ou por que não?

6. Angelou escreve: "Todo mundo que eu conhecia tinha um horror infernal de ser 'chamado pelo nome errado'" (p. 134), e quando a sra. Cullinan passa a chamá-la de "Mary", ela se vinga.
Você consegue pensar em outros exemplos de mudança de nomes no livro? O que você acha que significa ser "chamado pelo nome errado"?

7. O que você achou do relacionamento entre Glory e a sra. Cullinan?

8. "Eu não conseguia me obrigar a pensar nelas como pessoas" (p. 41), escreve Angelou sobre os brancos na segregada Stamps, Arkansas. Isso muda ao longo da história?

9. Como a identidade de Marguerite como mulher Negra é moldada de forma variada por suas próprias interações e as dos outros com os brancos, inclusive as "crianças lixentas brancas" (p. 44, 46 e 219), brancos de classe média como a sra. Cullinan, e o xerife, e os brancos do norte como os funcionários da Market Street Railway Company? Você acha que Marguerite é mais poderosamente afetada por suas próprias interações ou pelas interações que observa?

10. Como neta de uma empresária relativamente pobre, a compreensão de Marguerite sobre o mundo é moldada tanto pela experiência

de classe quanto pela da raça. Você consegue pensar em alguns exemplos de distinções de classe ou inversões no livro?

11. Quais são algumas das comunidades que acolhem Marguerite durante a infância? Quais comunidades conseguem oferecer coisas boas a ela? Quais não se saem tão bem?

12. "Ele foi meu primeiro amor branco" (p. 29), diz Angelou de Shakespeare, mas a maioria dos professores dela são Negros. Como Angelou descreve seus estudos, formais e informais? Que lição ela aprende com as pessoas à sua volta?

13. "Nós sobrevivemos na proporção exata da dedicação dos nossos poetas" (p. 216), diz Angelou das pessoas Negras. Você acha que é verdade em todas as culturas?

14. O título do livro é uma referência a um poema de Paul Laurence Dunbar. Por que você acha que Angelou escolheu esse título?

Primeira edição (junho/2018) • Nona reimpressão
Papel de Miolo Ivory Slim 65g
Tipografias Fairfield LT Std
Gráfica LIS